허중보의 Q&A

IMPLANT RPD
임플란트 국소의치

Important Clinic Points on Small Number of
Implants combined Removable Partial Denture

저자 허중보

군자출판사

허중보의 Q&A

IMPLANT RPD
임플란트 국소의치

첫째판 1쇄 인쇄   2017년 11월 01일
첫째판 1쇄 발행   2017년 11월 15일
첫째판 2쇄 발행   2018년 3월 21일

지 은 이   허중보
발 행 인   장주연
출 판 기 획   한인수
편집디자인   군자편집부
표지디자인   군자표지부
일 러 스 트   배은빈, 유학영
발 행 처   군자출판사(주)
            등록 제 4-139호(1991. 6. 24)
            본사 (10881) 경기도 파주시 회동길 338(서패동 474-1)
            Tel. (031) 943-1888   Fax. (031) 955-9545
            홈페이지 ㅣ www.koonja.co.kr

ISBN 979-11-5955-244-1

정가 120,000원

저자 프로필

Author

저자 허 중 보

부산대학교 치과대학 학사
연세대학교 치과대학 석사 (치과보철학 전공)
연세대학교 치과대학 박사 (치과보철학 전공)
아주대학교 병원 치과보철과 전공의 수료
고려대학교 구로병원 치과보철과 임상교수
고려대학교 임상치의학대학원 고급치과보철과 겸임교수
부산대학교 치과병원 임상조교수
부산대학교 치의학전문대학원 치과보철학교실 조교수
호주 시드니대학교 단기 방문교수

現

부산대학교 치의학전문대학원 치과보철학교실 부교수
부산대학교 치과병원 치과보철과 과장
부산대학교 치과병원 치의학연구소 소장
부산대학교 치과병원 중앙기공실 실장
대한치과보철학회 법제이사
대한턱관절교합학회 연구이사
대한디지털치의학회 연구이사
한국치과연구회(KADR) 학술이사
한국조직재생의학회 치의학이사

Illustrator

배 은 빈

부산대학교 치의학전문대학원 치과보철학교실
부산대학교 치의학 석사

서문

참으로 많이 고민하였습니다. 아직 과학적 근거가 충분하지 않다고 말씀하시는 은사님들의 의견을 접하면서 아직 임상 경험도 많이 부족한 제가 임플란트 융합 국소의치를 논해도 되는지 걱정이 되었습니다.

대학병원에 근무하면서 이전 치료가 문제가 되어 내원하는 많은 환자를 접하였습니다. 그 중 임플란트를 융합한 국소의치의 치료를 받고 문제가 된 대부분의 환자에서 공통적으로 발견한 것은 치과의사 선생님들이 임플란트에 너무 많은 의지를 하고 있다는 것이었습니다. "임플란트가 과연 보호 받을 정도로 약한 것이가?" 라는 의구심이 들 때가 많이 있지만 수직력이 아닌 측방력, 회전력에 약하다는 사실은 분명한 것 같습니다.

저는 임플란트 융합 국소의치가 전혀 새로운 치료법이라고 생각하지 않습니다. 지대치로 이용할 수 있는 자연치가 부족할 때 임플란트를 이용하여 국소의치의 유지, 지지 그리고 안정 요소를 증대시키고자 하는 것입니다. 기존에 우리가 배웠던 국소의치의 기본 개념은 지대치에 무리한 힘을 가하지 않도록 하는 것이었고, 임플란트 융합 국소의치에서는 이러한 개념을 더욱 철저히 지켜서 치료함으로써 임플란트에 유해한 외력을 줄일 수 있다고 생각합니다.

임플란트 overdenture는 많은 임상 논문과 실험실 연구가 있어 왔고 그 치료 방법이 상대적으로 많이 정립되어 있습니다. 하지만 임플란트 융합 국소의치는 그 연구가 거의 없습니다. 그런데 제가 반문 드리고 싶은 것은 임플란트 overdenture와 임플란트 융합 국소의치가 개념적으로 어떤 차이가 있는 것인가요? 또한 임플란트 융합 국소의치와 전통적인 국소의치의 치료 개념에는 어떤 차이가 있는 건가요? 저는 이 3가지 치료가 결국 동일한 이해에서 출발한다고 생각합니다.

　임플란트 융합 국소의치가 특히 어려운 것이 아니라 전통적인 국소의치 개념을 철저히 이해하고 구강 내에서 일어나는 국소의치의 복잡한 운동을 이해하는 것이 어려운 과제인 듯합니다. 저는 임플란트 융합 국소의치 관련 강의를 약 5년 전부터 해왔습니다. 사실 전국을 다니면서 했던 강의 횟수는 상당히 많았던 것 같습니다. 그 강의들을 통해 청중들로부터 많은 질문들을 받았습니다.

　이 책은 그 질문들과 제가 강의를 하면서, 공부를 하면서 정립한 생각들을 중심으로 구성을 한 것입니다. 대부분의 원장님들이 저에게 한 질문은 환자의 경우를 예로 들면서 어떻게 치료하는가였습니다. 치료의 답을 요구하시는 질문에 너무나 다양한 조건에 대한 이해 없이 정확한 답을 드리기 어려웠습니다. 결국 답을 드리기 보다 이해를 하실 수 있는 방법을 고민하게 되었습니다.

　저는 이 책에서 국소의치의 기본적인 내용을 많이 축소하였습니다. 가철성 의치 환자의 진단과정, 주연결장치나 부연결장치와 같은 국소의치의 요소들, 기공과정 등의 상세내용은 다루지 않았습니다. 국소의치의 움직임과 이들을 어떻게 효율적으로 차단하여 지대치와 임플란트에 불필요한 외력을 줄일 수 있을 것인가에 대한 이해를 돕고자 노력하였습니다. 따라서 이 책은 국소의치에 대한 기본적 지식을 가지고 있는 분들이 읽어 주시길 간절히 바랍니다. 아니면 국소의치 교과서와 함께 이 책을 보았으면 합니다.

　이 부족하고 보잘 것 없는 책을 통해 임플란트 융합 국소의치에서 어떤 점들을 고려해야 할지 외우는 답이 아닌 이해하는 답을 조금이라도 얻으시길 간절히 바랍니다.

2017년 10월

허 중 보

감사의 글

이 책을 쓰기까지 국소의치와 임플란트에 대해 많은 가르침을 주신 존경하는 스승님들께 감사드립니다.

국소의치의 기본 개념과 올바른 치료 방법을 가르쳐 주시고 연구의 방향을 제시해 주신 고려대 신상완 교수님, 노인들에서 효율적인 보철치료방법과 올바른 보철과 의사로서의 자세를 가르쳐 주신 연세대 정문규 교수님(저의 석사지도 교수님), 연구 및 진료에서 생각의 다양성과 합리적 방법을 가르쳐 주신 연세대 심준성 교수님(저의 박사지도 교수님), 석사 수업 때 국소의치의 움직임과 디자인에 대해 처음으로 저를 생각하게 만드시고 재미를 느끼게 해주신 연세대 한동후 교수님, 임플란트 융합 국소의치에 있어 연구와 강의를 통해 아주 많은 임상 데이터와 치료 방법을 제시해 주시고 저의 생각에 확신을 심어 주신 서울대 허성주 교수님과 김성균 교수님, 가철성 보철에서의 움직임과 생역학적인 부분을 같이 고민해 주시고 문제 해결의 방법을 제시해 주시는 우리 교실 정창모 교수님, 항상 올바른 가치관과 사랑을 가르쳐 주시는 우리 교실 전영찬 교수님....

진심으로 감사드리며 존경합니다. 항상 고민하고 연구하는 자세로 더욱 정진하겠습니다.

　　본 책이 완성되기까지 제가 손으로 그린 그림과 설명을 바탕으로 멋진 그림들을 그려준 저의 석사 학생이자 치과보철학교실 연구원인 배은빈 선생에게 진심으로 감사한 마음을 전합니다. 또한 함께해준 부산대학교 치과병원 보철과 의국원 모두에게 감사드립니다.

　　본 책의 출간을 도와 주신 군자출판사(주) 장주연 사장님, 책을 쓰도록 권유해 주신 한인수 부장님 및 편집진에게 심심한 감사의 말씀을 드립니다.

　　마지막으로 사랑하는 아내와 우리 이쁜 아들, 딸에게 감사한 마음 전합니다.

2017년 10월

허 중 보

목차

CHAPTER 1

임플란트 융합 국소의치? 과학적 근거가 있는가? / 11

CHAPTER 2

임플란트 융합 국소의치의 설계를 위해 이것만은 먼저 이해하자! / 17

CHAPTER 3

소수 임플란트 융합 국소의치의 성공은 안정 요소의 이해에서 시작한다! / 69

CHAPTER 4

국소의치에서 임플란트를 융합해보자!(증례를 중심으로) / 135

CHAPTER 5

이렇게 치료한 임플란트 융합 국소의치에 대한 임상 결과 / 245

* 본 책에 나오는 용어는 [치과보철학 용어집, 제3판 (2015)]을 참고하였습니다.

CHAPTER 1

임플란트 융합 국소의치?
과학적 근거가 있는가?

Question

임플란트 융합 국소의치 치료에 대한 과학적 근거가 있는가?

Answer

임플란트를 이용한 고정성 보철치료에 대한 많은 연구가 있어 왔고, 그 치료에 대한 과학적 근거가 상당히 명확한 편이다. 우리 임상가는 과학적 근거를 바탕으로 치료를 시행함으로써 그 성공률을 증대할 수 있다. 하지만 임플란트를 이용한 가철성 보철치료에 대한 과학적 근거는 아직 일부 치료방법에 국한되어 정립되어 있다고 본다. 완전 무치악에서 임플란트를 이용한 overdenture의 경우 그 과학적 근거가 많이 정립되어 있고, 현재에도 연구가 활발히 진행되고 있다. 하지만 임플란트가 융합된 국소의치에 대한 연구는 아직 구체적이지 못하고, 과학적 근거를 확립하기에는 한계가 있는 것이 분명하다. 그 이유는 고정성 보철과 완전무치악의 경우와 달리 국소의치의 경우 치아가 잔존해 있고, 여기에 임플란트까지 식립하여 만드는 국소의치의 경우 그 치료 방법이 너무나 다양하고 변수가 너무나 많기 때문에 정형화된 실험 모델을 만들기 어렵고, 특히 임상연구에서도 유효성 변수의 명확한 설정이 어렵고, 평가하고자 하는 유효성 변수를 다양한 치료방법에 맞추어 일괄 적용하기가 어렵기 때문이다.

분명 저자는 이 책을 통해 임플란트 융합 국소의치의 모든 치료 방법에 따른 과학적 근거를 명확히 제시하지 못한다. 하지만 저자는 임플란트 융합 국소의치가 기존의 국소의치와 전혀 다른 치료라고 생각하지 않는다. 결국은 새로운 이론을 정립하는 수준의 치료가 아니라, 기존에 우리가 배워왔던 국소의치의 기본 개념을 충분히 이해하고, 임플란트의 특징을 충분히 이해하여 임플란트를 적절한 위치에 식립하고, 적절한 형태로 국소의치를 디자인하여 임플란트에 최소한의 측방 회전력을 부여하는 방향으로 치료한다면 이 치료도 분명 효과적인 치료방법의 하나라고 생각한다.

Question

자연치와 임플란트의 지지구조는 어떻게 다르고 움직임의 차이는 무엇인가?

Answer

임플란트는 자연치와 달리 충격을 흡수하는 기능을 담당하는 치주인대(PDL)가 없다는 것은 모두 다 아는 사실이다. 게다가 임플란트 주위의 치조골은 힘(bending moment)이 가해질 때, 지렛대의 반침점을 만들게 되고, 힘이 가해짐에 따라 임플란트 변연골의 흡수가능성이 높아질 수 있다는 것도 다 알고 있는 과학적 사실이다. 그래서 이전의 많은 연구들은 임플란트 고정성 보철물의 임상적 성공이 생역학적으로 조절된 교합에 의해 획득될 수 있다고 하였다.

과도한 교합력이 임플란트에 집중되면 골 흡수가 나타나거나 임플란트가 실패할 수 있다는 것은 당연하다고 생각하고 교합 과부하는 당연히 조심하여야 할 요소라 생각되지만, 어떤 연구에서는 과도한 수직력만 부여하였을 때는 변연골 흡수가 보이지 않았다는 보고가 있다. 사실 수직적인 교합력만 임플란트에 전달한다면 변연골 흡수가 항상 나타날까? 저자 또한 임상에서 꼭 그렇지만은 않다는 것을 관찰한다. 하지만 명확한 사실은 있다. 조기접촉 등에 의해 과도한 측방력이 가해질 때, 골 유착 소실과 과도한 변연골 흡수가 나타날 수 있다는 것이다. 이 사실은 많은 연구에서 증명된 사실이고 임상에서도 명확히 느끼는 부분이다.

치아는 수직적, 수평적, 회전적인 방향의 생리적인 움직임을 나타낸다. 건강한 치아는 수직적인 방향으로 큰 임상적 동요도를 나타내지 않는다. 실제로 Parfitt에 따르면 치아의 수직적인 움직임은 약 28 μm 수준이며 전치부와 구치부에서 거의 일정하게 나타났다고 한다. 반대로 Sekine 등은 고정된 임플란트에서 10 lb의 힘을 가했을 때 2~3 μm의 움직임이 나타난다고 했으며, 이는 주변 골의 점탄성적인 특성 때문에 나타나는 움직임이라고 했다. Muhleman은 수평적인 치아의 움직임은 일차적 움직임과 이차적 움직임으로 나뉘고, 초기 움직임은 가벼운 힘에 의해 나타나는 즉각적인 움직임으로 치주인대 때문에 발생한다고 했다. 구치부에서 약 56~75 μm, 전치부에서는 70~108 μm의 수평 움직임이 보인다고 보고했다. 그가 말한 이차적인 움직임은 초기 동요 이후 더 큰 힘이 가해졌을 때 발생되는 것으로 골의 점탄성 성질과 관련이 있고, 상대적으로 큰 힘 하에서 약 40 μm의 움직임을 관찰했다(표 1 참조).

임플란트에 있어서는 이런 치아의 움직임과 다른 양상을 보인다. 보통 골 유착이 이루어진 임플란트에서 500 g 이하의 수직 혹은 수평력에서는 임플란트의 동요도가 없다고 한다. 하지만 자연치에서처럼 임플란트-골 계면에서도 강한 힘에 의해 수직적인 움직임보다 수평적인 움직임이 더 크다고 보고된다. Sekine 등은 견고히 고정된 골내 임플란트의 움직임을 평가하여 순설방향으로 12~66 μm의 움직임을 보고하였고, Komiyama는 임플란트에 2,000 g의 하중이 가해졌을 때 근원심 방향으로 40~115 μm, 순설방향으로 11~66 μm의 움직임을 보인다고 하였다. 근원심 방향으로 임플란트의 동요도가 크게 나타나는 것은 순설측이 근원심보다 더 두꺼운 피질골판을 가지고 있기 때문일 것이다. Ranger 등은 이러한 임플란트의 움직임은 임플란트 지대주와 나사 사이의 휘어짐에 기인할 수 있다고 제안하였다. 그 설명도 타당성이 있다고 생각되지만, 분명한 것은 임플란트의 동요도는 가해진 힘과 골 밀도에 직접적으로 비례하여 변하고, 골 조직의 탄성적인 변형을 반영한다는 것이다.

▼ 표 1 자연치와 임플란트의 차이에 대한 이전 문헌들의 의견.

	자연치	임플란트
Connection	Periodontal Ligament (PDL)	Osseointegration Functional Ankylosis
Proprioception	치주인대 기계수용체	골수용체 (Osseoperception)
Tactile sensitivity	높음	낮음
Axial mobility	25~100 μm	3~5 μm
Movement phases	2단계 • 일차 : 비선형적, 복합적 • 이차 : 선형, 탄성적	1단계 • 선형, 탄성적
Movement patterns	• 일차 : 즉각 이동 • 이차 : 점진적 이동	짐진직 이동
Fulcrum to lateral force	치근 1/3	치조정 골
Load-bearing characteristics	충격 흡수 기능 응력 분배	치조정 골의 응력 집중
Sings of overloading	치주인대강 증가, 동요도, 교합면 마모, 동통 등	나사 풀림 또는 파절, 지대치 또는 보철물의 파절, 임플란트의 파절

여기서 우리는 분명히 알아야 하는 사실이 있다. 과도한 힘에서는 치아나 임플란트나 모두 골의 탄성적 변형에 따른 수평적 동요도를 가진다는 것이고, 임플란트는 치아에 비해 그 움직임은 작지만 분명 수평적 움직임을 가진다는 것이다. 큰 차이점은 초기의 작은 힘에 대한 동요도의 차이이다. 즉, 치아는 치주인대를 가지고 있으므로 초기에 작은 부하(문헌에서는 약 500 g 정도)에서 확실한 움직임을 가지지만 임플란트는 거의 움직임이 없다는 것이다. 즉, 초기 움직임이 없으므로 모든 힘이 치조골로 전달될 수 있다.

그렇다면 임플란트 융합 국소의치를 계획한 뒤 적절한 위치에 임플란트를 심고, 국소의치를 디자인할 때 임플란트 지대치에 측방 회전력을 최소화하는 방향으로 설계한다면 임플란트 융합 국소의치 치료의 성공률을 높일 수 있을 것이라는 사실이 명확해진다. 그나마 연구가 많이 되어 있는 임플란트 overdenture 관련 연구들에서도 정상적인 치조제에서 설측 교두 교합을 이용한 양측성 균형 교합의 사용을 제안하였고, 반면에 심하게 흡수된 치조제에서는 monoplane occlusion을 추천하였다. Peroz 등의 연구에서는 양측성 균형 교합과 견치 유도를 확실히 부여한 경우 거의 비슷한 좋은 결과를 보였다고 하였다. 즉, 표현과 실험의 의미는 약간의 차이가 있지만 이들 연구에서 측방력을 최소화하여 의치의 수평적·회전적 움직임을 줄이는 것이 임플란트의 성공률을 증대한다는 것에 대한 결론은 동일한 것이었다.

우리가 학교에서 배웠던 국소의치의 개념은 국소의치의 움직임을 효율적으로 막아주고, 지대치로 가는 유해한 힘들을 경감시키고자 한 것이다. 저자의 결론은 임플란트 융합 국소의치의 성공은 결국 학생 때 배웠던 그 기본 개념을 더욱 철저히 적용하는 것에서 시작된다는 것이다.

Question

이 책에서 말하는 임플란트 융합 국소의치의 범위는 무엇인가?

Answer

저자는 이 책에서 임플란트 융합 국소의치의 형태를 다음의 4가지로 구분하려 한다.

(1) 자연치가 일부 잔존한 경우 소수 임플란트를 추가적으로 식립하여 attachment(healing abutment만을 쓰는 경우 포함)를 부착하여 국소의치를 제작하는 경우

(2) 자연치가 일부 잔존한 경우 소수 임플란트를 추가적으로 식립하여 지대치를 만들고 국소의치를 제작하는 경우

(3) 완전무치악 또는 부분무치악에서 소수 임플란트를 식립하여 bar를 만들고, attachment 등의 유지장치를 사용하여 overdenture 형태로 제작하는 경우

(4) 완전무치악에서 소수 임플란트를 식립하여 attachment를 이용하여 overdenture를 제작하는 경우

본 책에서는 완전무치악에서 임플란트가 단 1개라도 식립된 경우는 의치의 회전축을 만들게 되기 때문에 국소의치와 동일한 개념으로 이해하고 서술하고자 하니 오해가 없었으면 한다. (1), (3), (4)의 경우는 상대적으로 (2)의 경우와 비교하여 과학적 근거가 많이 있다. 각각의 연관된 과학적 근거들은 추후 관련 장에서 간단히 언급할 예정이다.

앞서 설명한 임플란트와 치아의 차이를 고려하여 더욱 철저히 국소의치의 움직임을 조절하고, 임플란트에 가해지는 측방 회전력을 줄이는 노력을 해야 한다. 이 책의 Chapter 2부터 3까지는 기본적인 국소의치의 설계에 대해 설명한다. 단 주연결장치, 부연결장치 등의 국소의치 기본 요소들에 대한 구체적 설명은 언급하지 않는다. **임플란트를 포함한 지대치에 가해지는 측방 회전력을 줄이는 방법에 대해 이해할 수 있도록 지대치 주위의 구성 요소의 설계, 전체적인 국소의치의 움직임에 대한 이해에 초점을 맞추고자 한다.** 다른 요소들에 대한 구체적 내용들은 반드시 교과서를 참조하

길 바란다. **Chapter 4**에서는 위에 말한 4가지 임플란트 융합 국소의치의 형태에 따라 증례를 면밀히 분석하면서 고려해야 할 점들을 구체적으로 논하고자 한다.

마지막 Chapter 5에서는 저자가 10여년간 대학에 근무하면서 고민하였던 임플란트 융합 국소의치의 치료방법에 있어 본 책에서 서술한 국소의치의 기본 원리와 개념에 충실하게 치료를 시행하고자 노력하였던 증례들을 바탕으로 시행한 임상 연구 2편을 상세히 소개하고 마치려 한다. 그 연구에서 얻은 결과는 이 책에서 자세하게 설명하고 있는 내용들을 바탕으로 얻은 임상 결과로써 저자가 본 서를 쓰기로 결심한 계기가 되었다.

참고문헌 ≫≫

1. Adell R, Eriksson B, Lekholm U, Brånemark PI, Jemt T. Long-term follow-up study of osseointegrated implants in the treatment of totally edentulous jaws. Int J Oral Maxillofac Implants. 1990;5:347–359.

2. Asikainen P, Klemetti E, Vuillemin T, Sutter F, Rainio V, Kotilainen R. Titanium implants and lateral forces. An experimental study with sheep. Clinical Oral Implants Research. 1997;8:465–468.

3. Hämmerle CH, Wagner D, Bragger U, Lussi A, Karayiannis A, Joss A, Lang NP. Threshold of tactile sensitivity perceived with dental endosseous implants and natural teeth. Clinical Oral Implants Research. 1995;6:83–90.

4. Hürzeler MB, Quinones CR, Kohal RJ, Rohde M, Strub JR, Teuscher U, Caffesse RG. Changes in peri-implant tissues subjected to orthodontic forces and ligature breakdown in monkeys. Journal of Periodontology. 1998;69:396–404.

5. Isidor F. Histological evaluation of periimplant bone at implants subjected to occlusal overload or plaque accumulation. Clinical Oral Implants Research. 1997;8:1–9.

6. Isidor F. Loss of osseointegration caused by occlusal load of oral implants. A clinical and radiographic study in monkeys. Clinical Oral Implants Research 1996;7:143–152.

7. Lang BR, Razzoog ME. Lingualized integration: tooth molds and an occlusal scheme for edentulous implant patients. Implant Dentistry. 1992;1:204–211.

8. Misch CE. Occlusal considerations for implant supported prostheses. Contemporary implant dentistry. 1993;705–733.

9. Miyata T, Kobayashi Y, Araki H, Ohto T, Shin K. The influence of controlled occlusal overload on peri-implant tissue. Part 3: a histologic study in monkeys. Int J Oral Maxillofac Implants. 2000;15:425–431.

10. Rangert B, Jemt T, Jorneus L. Forces and moments on Branemark implants. International Journal of Oral & Maxillofacial Implants. 1989;4:241–247.

11. Rangert BR, Sullivan RM, Jemt TM. Load factor control for implants in the posterior partially edentulous segment. International Journal of Oral & Maxillofacial Implants. 1997;12:360–370.

12. Schulte W. Implants and the periodontium.International Dental Journal. 1995;45:16–26.

13. Wismeijer D, van Waas MA, Kalk W. Factors to consider in selecting an occlusal concept for patients with implants in the edentulous mandible. Journal of Prosthetic Dentistry. 1995;74:380–384.

CHAPTER 2

임플란트 융합 국소의치의 설계를 위해 이것만은 먼저 이해하자!

학습목표

Chapter 2에서는 임플란트를 융합한 국소의치에 대해 구체적으로 논하기 전에 기본적인 국소의치 개념에 대해 주로 언급하려 한다. 임플란트는 자연치보다 움직임이 훨씬 작다. 특히 임플란트는 치아와 달리 치주 인대가 없기 때문에 외부에서 주어지는 측방 회전력에 취약할 수 있다. 따라서 기본적인 국소의치 설계의 원칙을 철저히 이해하고 더욱 보수적으로 접근해야 할 것이다. 임플란트에 발생 가능한 측방 회전력을 최대한 줄이는 방향으로 디자인을 해야 임플란트의 긍정적인 예후를 기대할 수 있을 것이다.

2.1
국소의치에서 임플란트와
치아의 역할은 무엇인가?

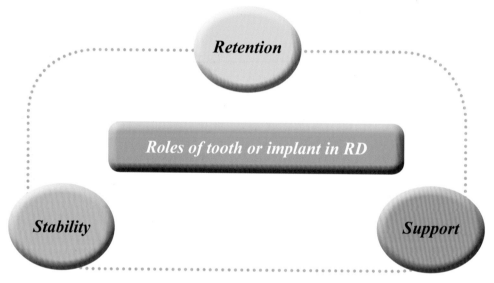

RD: Removable partial denture or implant overdenture

▲ 그림 1 국소의치에서 치아나 임플란트가 가지는 역할.

치아나 임플란트가 가지는 역할은 국소의치에 유지(retention), 지지(support), 안정(stability)을 부여하는 것이다.

Question
환자가 기존 하악 양측성 후방연장 국소의치가 불편해서 내원하였다.

환자: 선생님 밑에 틀니가 씹을 때마다 *끄떡끄떡* 움직여서 뒤쪽 잇몸이 아파요.

의사: 에고.. 틀니의 유지가 안 좋아서 그러내요. 틀니를 다시 하셔야 되겠어요.

위 대화에서 무엇이 잘못되었나?

Answer

국소의치의 지지 요소와 안정 요소가 부족하여 씹을 때마다 국소의치가 움직이고, 이 때문에 후방 무치악부 연조직이 아픈 것이다. 유지가 안 좋아서 그런것이 아니다.

유지라 함은 의치가 수직적으로 떨어지려는 것에 저항하는 요소이고, 지지는 수직적으로 눌려지는 힘에 저항하는 것이다. 여기서 중요한 것은 유지나 지지는 수직적인 국소의치의 운동에 저항한다는 것이다. 그럼 수직적이지 않는 국소의치의 운동에 저항하는 것이 안정 요소이다.

국소의치를 설계함에 있어 가장 중요한 요소는 지지이다. 우리가 학생 때 치아 지지 국소의치, 치아 및 조직 지지 국소의치 이렇게 구분하여 배웠는데, 이는 지지 방법의 결정과 지지의 부여방법이 국소의치의 설계에서 가장 중요한 요소이기 때문이다. 그 다음 고려해야 할 중요한 요소는 안정이다. 환자가 "씹을 때 국소의치가 자꾸 끄떡끄떡 움직인다"고 한다면 지지와 안정 요소가 부족한 것이다. 유지 요소가 부족하다면 국소의치가 쉽게 빠진다는 불편을 호소해야 한다.

KeyPoint

환자가 씹을 때 틀니가 자꾸 끄떡끄떡 움직인다고 하였을 때, 치과의사가 클라스프(유지장치)를 구부려 국소의치를 꽉 끼이게 한다면 안정 요소를 잘못 부여한 것이다. 클라스프는 유지 요소이며 국소의치에서 유지 요소는 항상 최소한이 되도록 해야 한다.

Question

다음 그림에서 국소의치의 어떤 부분이 치아나 임플란트에 지지, 유지, 안정 요소를 부여하는가?

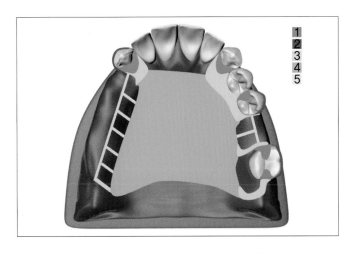

▲ 그림 2 국소의치의 구성 요소와 역할.

지지 부여: 1번 (파란색) - 교합면 레스트

유지 부여: 2번 (붉은색) - 클라스프

안정 부여: 3번 (노란색) - 부연결장치(특히 치아의 근원심에 위치하는 인접판이 중요)

4번 (녹색) - 주연결장치로 국소의치 자체의 안정 요소이고, 상악의 경우 구개 부위에 부가적으로 지지 요소를 부여할 수 있다.

그외: 5번 (회색) - 부연결장치로 레진 의치상을 연결해주는 역할을 하며, 레진 의치상은 무치악부 잇몸에 지지를 부여할 수 있으며, 부가적으로 의치의 안정에도 기여할 수 있다.

KeyPoint

> 튼튼한 치아나 임플란트 수가 충분하면 국소의치의 지지, 유지, 안정 요소 모두를 치아 또는 임플란트가 감당하도록 하는 국소의치 디자인이 가능하지만 치아나 임플란트 개수가 작아질수록 국소의치 자체에 그 기능을 부여하여야 한다. 그래서 우리는 학생 때 디자인, 인상, 교합의 순서로 공부를 했던 것이다. 즉, 치아나 임플란트가 충분하다면 국소의치의 디자인만으로 치아나 임플란트에 세 요소를 모두 부여할 수 있고, 그렇지 않다면 인상을 통해 지지, 안정 요소를 더욱 보강하고, 그래도 불안하면 교합을 통해 안정 요소(양측성 균형 교합 등)를 부여하는 것이다. 이 부분은 뒤에서 더욱 자세히 다룰 것이다.

결국 중요한 것은 소수의 치아나 임플란트에 세가지 요소를 무작정 부여하고자 한다면, 치아나 임플란트의 예후가 좋지 못할 수 있다는 것이다.

Question

다음 치료에서 치아나 임플란트의 역할은 무엇인가?

환자가 기존 하악 양측성 후방연장 국소의치가 불편해서 내원하였다.

환자정보: 53세 여자환자, 하악 잔존치 1도의 동요도, 심미적인 보철물 원하심, 최소한의 비용, 골이식 원치 않음.

치료정보: 잔존치 치주치료 후 cross arch 스플린팅, 양측 제1소구치 부위에 각각 임플란트를 식립하고 attachment를 장착, 하악 잔존 전치 브릿지 설면에 레스트 시트 형성, 양측성 후방연장 국소의치 제작.

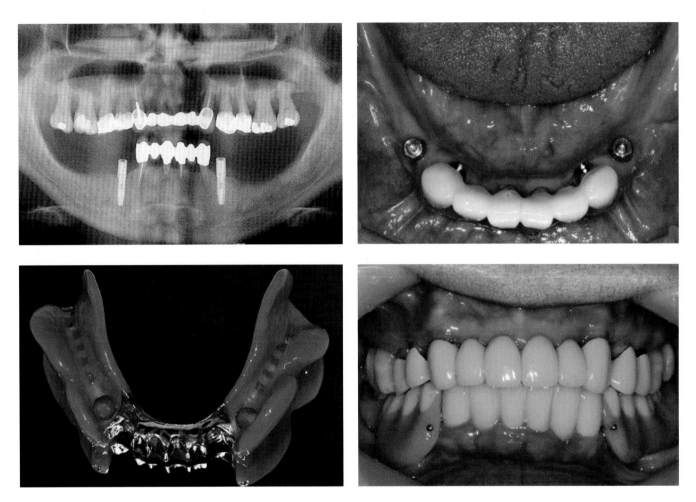

▲ 그림 3 2개의 임플란트에 locator를 장착하여 유지 및 약간의 지지를 부여한 증례. 잔존치아에 지지와 안정을 부여하고 의치상을 이용하여 안정과 지지 요소를 극대화하였다.

Answer

하악 전치들의 치주 상태가 좋지 않아 1도 정도의 동요도를 보인 증례이다. 잔존치의 상태가 좋지 않고 환자는 심미적인 국소의치를 원하였기에, 양측 제1소구치 부위에 임플란트를 식립하고 locator를 장착하였다. 이때 임플란트 attachment의 주 역할은 유지이다. 따라서 자연치에 클라스프를 장착하지 않았다. 남아 있는 잔존치는 치주가 좋지 않으므로 cross arch 스플린팅을 시행하였고 양측 견치 부위에 레스트 시트를 형성하여 설측판으로 주연결장치를 만들어 주었다. 잔존치에 수직적 지지와 안정 요소를 부여한 것이다. 치아에 부여한 레스트가 지지 요소이고, 지대치의 원심에 형성하는 인접판은 안정 요소를 제공한다. 자연치에 클라스프를 걸지 않음으로써 혹시나 유지요소인 클라스프에 의해 측방력이 발생했을 때의 유해한 힘을 배제하고자 하였다. 하악에 2개의 locator는 분명 안정 요소까지 가질 가능성이 크다. 하지만 처음 디자인을 할 때는 locator를 단지 유지와 지지 요소(즉, 수직적 운동에 대한 저항 요소)로만 인식하고 디자인해야 한다. 그런데 남아 있는 자연치에 의해 모든 안정 요소를 부여하기에는 남아 있는 자연치들의 상태가 좋지 않아 걱정이다. 치아나 임플란트가 이런 요소들을 모두 감당하기 어렵다고 판단되면 이제 다른 부분들을 생각하게 되는데 그것이 교합과 인상이다. 즉, 위의 증례에서는 약한 잔존치아가 충분히 감당하지 못하는 안정 요소를 양측성 균형 교합을 형성해주고 설측 의치상을 충분히 연장하여 의치상으로부터 안정 요소가 추가적으로 얻어질 수 있도록 고려해야 한다(그림 4). 이러한 부가적 요소인 교합과 의치상에 의한 안정 요소 부여는 뒤에 더욱 자세히 언급할 것이다.

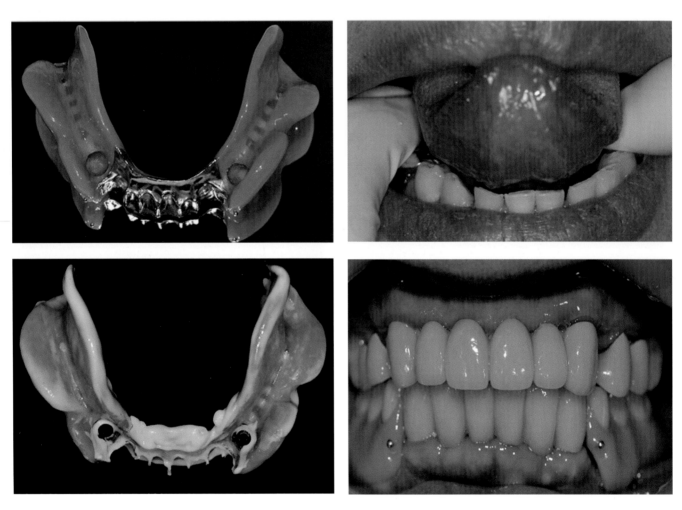

▲ 그림 4 충분히 연장되고 적합도가 우수한 의치상으로부터 얻는 안정과 지지 요소.

KeyPoint

위 증례에서 국소의치의 세가지 요소를 부여한 방법은 다음과 같다.

지지 – 치아의 레스트 시트, locator에 의한 부가적 지지, 충분히 연장된 의치상의 buccal shelf 부위.

유지 – 두 개의 locator.

안정 – 잔존 지대치의 원심 인접판, 충분히 연장된 설측 의치상, 양측성 균형 교합, 적합도가 우수한 의치상.

참고문헌 >>>

1. Berg T, Caputo AA. Anterior rests for maxillary removable partial dentures. The Journal of prosthetic dentistry. 1978;39:139-146.

2. Davis Henderson. major Connectors – united it stands Dent Clin North Am. 1973

3. Fisher RL, Jaslow C. The efficiency of an indirect retainer. The Journal of prosthetic dentistry. 1975;34:24-30.

4. Fisher RL. Factors that influence the base stability of mandibular distal-extension removable partial dentures: A longitudinal study. The Journal of prosthetic dentistry. 1983;50:167-171.

5. Frank RP. Direct retainers for distal-extension removable partial dentures. The Journal of prosthetic dentistry. 1986;56:562-567.

6. Grossmann Y, Nissan J, Levin L. Clinical effectiveness of implant-supported removable partial dentures—a review of the literature and retrospective case evaluation. Journal of Oral and Maxillofacial Surgery. 2009;67:1941-1946.

7. Henderson D. Major connectors, united it stands. Dental Clinics of North America. 1973;17:661.

8. Igarashi Y, Ogata A, Kuroiwa A, Wang CH. Stress distribution and abutment tooth mobility of distal-extension removable partial dentures with different retainers: an in vivo study. Journal of oral rehabilitation. 1999;26:111-116.

9. Lytle RB. Soft tissue displacement beneath removable partial and complete dentures. The Journal of Prosthetic Dentistry. 1962;12:34-43.

10. McCracken WL. Occlusion in partial denture prosthesis. Dent Clin North Am. 1962.

11. Ohkubo C, Kobayashi M, Suzuki Y, Hosoi T. Effect of implant support on distal-extension removable partial dentures: in vivo assessment. International Journal of Oral & Maxillofacial Implants. 2008:23.

12. Suenaga H, Kubo K, Hosokawa R, Kuriyagawa T, Sasaki K. Effects of Occlusal Rest Design on Pressure Distribution Beneath the Denture Base of a Distal Extension Removable Partial Denture—An In Vivo Study. International Journal of Prosthodontics. 2014;27.

2.2
국소의치에서 나타나는 운동에 의한
지대치의 피해를 줄이려면 무엇을 고려하는가?

국소의치에서는 다양한 운동이 일어나며, 의사가 그러한 운동을 이해하지 못하면 의치의 디자인을 기공사에게 맡기게 되며, 환자의 상황을 전혀 모르는 기공사는 개인적인 판단에 의해 디자인을 하게 될 것이다.

운동에 대해 논하기 전에 먼저 국소의치의 분류를 이해하여야 한다. 국소의치를 치료하기 위해 먼저 술자는 국소의치를 분류해야 하는데, 같은 증례라도 술자의 분류에 따라 그 국소의치의 움직임이 달라지고, 그러한 움직임의 유해 요소를 차단하기 위해 디자인이 달라질 수 있다.

Question
"그림과 같이 #48번이 잔존하고 #45, 46, 47이 결손된 증례는 분류가 어떻게 되는가?"

라는 질문에 "Kennedy Class III로 분류되고 무치악부 양쪽에 치아가 있으므로 치아 지지 국소의치이다." 라고 한다면 맞는 답인가?

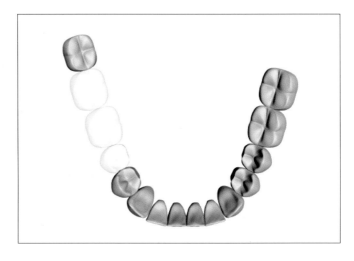

▲ 그림 1 #48번이 잔존하고 #45,46,47이 결손된 증례의 분류.

Answer

이 경우에 답을 하나로 규정할 수 없다. #48번을 국소의치의 디자인에 포함한다면, 즉 #48번에 레스트를 부여한다면 Kennedy Class III는 맞다. 하지만 단순히 치아 지지 국소의치라고 단정하긴 어렵다. 무치악부가 길고, #48 지대치의 상태가 좋지 않다면(약간의 동요도가 있다면), 무치악부 조직에 지지를 일부 부여하는 방향으로 디자인되어야 한다. 치아 지지 국소의치와 치아 및 조직 지지 국소의치는 의치의 움직임이 다르고, 따라서 디자인이 달라진다.

KeyPoint

치과의사는 환자의 증례를 분류할 때, 두 가지 분류법을 복합적으로 고민해야 한다.
분류법은 상실 치아에 따른 국소의치의 분류법인 Kennedy 분류법과 지지에 따른 분류법인 Beckett 분류법이 있다. 답을 맞추던 학생 때 분류법은 잊어버리자. 운동을 생각하며 두가지 분류법을 복합적으로 생각할 수 있는 힘을 키우자.

(1) Kennedy 분류법

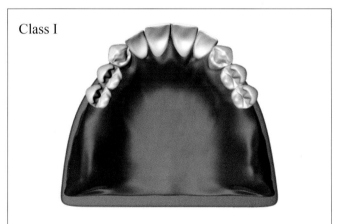

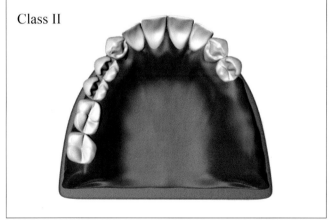

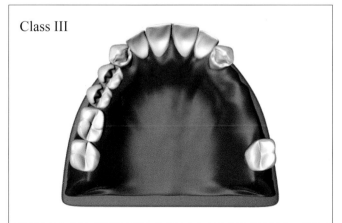

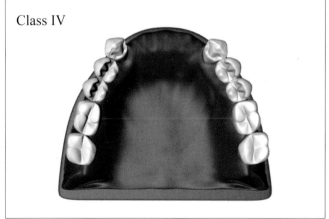

▲ 그림 2 Kennedy 분류법

Kennedy Class I: 양측성 유리단(Bilateral free-end saddles).

Kennedy Class II: 편측성 유리단(Unilateral free-end saddle).

Kennedy Class III: 편측성 치아 지지(Unilateral bounded saddle) - 이때 치아 지지라 표현한 것은 무치악부의 양쪽에 위치한 치아에 지지 요소를 부여할 수 있다는 의미이다.

Kennedy Class IV: 전방부 치아 결손(Anterior bounded saddle) - 좌측과 우측의 전치가 동시에 결손되었을 때만 해당된다.

이러한 주 분류를 결정하는 결손부 외의 결손부는 modification이라 하며, Kennedy 분류는 가장 후방의 무치악부가 분류의 결정 요소가 된다는 것을 알고 있어야 한다.

Question

아래 그림은 Kennedy 분류가 어떻게 되는가?

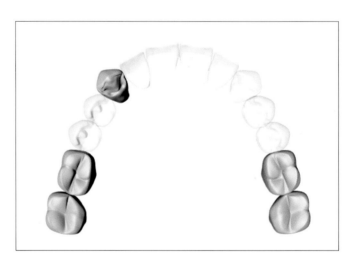

▲ 그림 3 Kennedy 분류의 이해.

Answer

Kennedy Class III modification 1. 전치부가 많이 결손되어 있어 주 분류가 Class IV인 듯하나 #14, 15가 더 후방의 무치악이므로 Class III가 된다. Class III는 치아 지지 국소의치라고 배웠다. 위 경우가 치아 지지 국소의치가 맞는가? 전방의 무치악 부위가 너무 길고, 이 정도면 전방부는 조직 지지를 부여해야 할 듯 보이지 않는가?

이러한 분류가 실질적으로 디자인을 할 때 우리가 고민하는 초점과 맞지 않는 경우가 있다는 것이다. 따라서 Kennedy 분류와 함께 지지에 따른 국소의치의 분류를 생각해야 한다.

(2) 의치의 지지를 기준으로 분류한 Beckett 분류

Class I: 치아 지지(tooth supported)

Class II: 조직 지지(Tissue supported)

Class III: 치아 및 조직 지지(Tooth and tissue supported)

KeyPoint

학생 때 배웠던 Kennedy 분류법이 우리 머릿속에 너무 깊게 각인되어 우리의 다양한 생각을 막고 있다는 느낌이다. 국소의치는 증상에 따라 약이 있는 학문이 아니다. 다양한 구강 내 상황에서 복합적인 생각을 할 수 있는 능력이 필요하다.

Question

앞선 질문에서 보여 주었던 증례를 아래 그림과 같이 두 가지로 디자인하였다.
어떤 차이가 있는가? 그리고 왜 이렇게 디자인했는가?

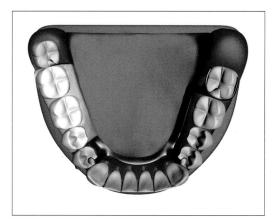 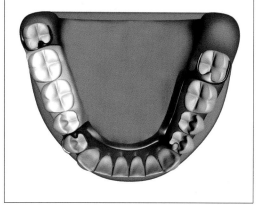

▲ 그림 4 Kennedy Class II 증례에서 디자인의 이해.

Answer

아래 답을 읽지 않고 위 디자인을 바로 이해하였다면 국소의치의 디자인에 대해 상당한 이해를 가지고 있다고 판단된다. 혹시나 아래 답을 읽고 이해가 되지 않더라도 당황하지 말고 계속 이 책을 읽기를 바란다. 계속 반복됨으로 결국 쉽게 이해될 것이다.

Option 1

이 디자인은 지금은 Kennedy Class III 국소의치이지만 차후에 Kennedy Class II, 치아 및 조직 지지 국소의치로 전환이 될 것으로 예상한 것이다. 치주가 좋지 못해 약간의 동요도가 있더라도 지금 당장 뽑기 아깝다는 생각이 드는 치아는 측방력에는 약하지만 수직적인 지지에는 어느 정도 견딜 수 있을 것이다. 즉, #48의 예후가 의심스러워 짧은 시간 내에 Kennedy Class II 치아 및 조직 지지 국소의치로의 전환이 예상될 때에는 처음 설계부터 Kennedy Class II로 디자인하고 #48에는 근심 레스트만 설계하여 지지를 얻고(#48에는 인접판, 클라스프 생략 가능), 치아에 가해지는 측방력이나 회전력을 최소화하며 오직 수직적인 지지만 부여한다. #44에는 RPI 클라스프를 설계하여 운동을 허용하는 클라스프를 부여하고, #34에는 레스트를 설계하여 간접유지장치를 만들어준다. 운동을 허용하는 클라스프와 간접유지장치의 역할은 뒤에서 구체적으로 설명한다.

Option 2

#48이 상태가 아주 좋고 클라스프가 설계 가능한 언더컷이 지대치에 존재한다면 Kennedy Class III 치아 지지 국소의치에 준해서 설계한다. 치아 지지 국소의치에서는 운동을 허용하는 클라스프의 설계가 필요 없으므로 #44에도 원심 레스트, Akers 클라스프를 설계하였다. #34의 레스트도 option 1처럼 간접유지장치의 역할이 아니라 단순히 국소의치의 수직적 힘을 분산시키는 역할을 하며, #34 레스트를 연결하는 부연결장치에 의해 안정 요소가 추가로 제공된다.

Question

치아 및 조직 지지 국소의치에서 나타날 수 있는 움직임은 무엇이며, 완전치아 지지 국소의치와의 차이는 무엇인가?

Answer

앞서 설명한 지지와 유지 요소 외에 안정 요소가 임플란트나 치아가 가지는 아주 중요한 역할이다. 보통 국소의치는 그림 5와 같은 3가지 회전운동을 하게 된다. 첫 번째 운동은 최후방 지대치를 중심으로 생기는 회전운동, 두 번째는 한쪽 무치악 치조정을 중심으로 다른 쪽 의치가 회전하는 운동, 세 번째는 의치의 가상의 무게 중심을 중심으로 좌우로 회전하는 운동이다.

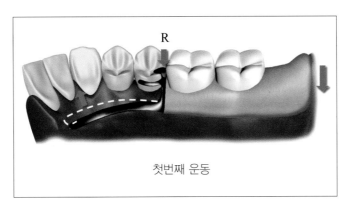

첫번째 운동

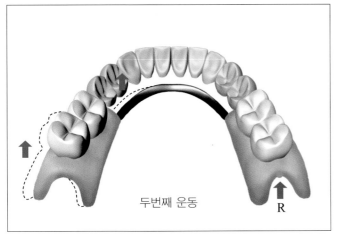

두번째 운동

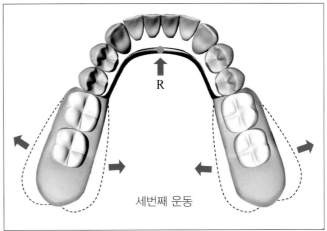

세번째 운동

▲ 그림 5   의치의 안정을 저해하는 회전운동 세가지. 첫번째 운동은 무치악부 잔존치조제의 수직적 지지가 약할 때 흔히 나타남.

치아(임플란트) 지지 국소의치는 이들 세가지 운동을 치아나 임플란트가 모두 잡아주게 되는 것이고, 국소의치의 제작은 아주 쉬워진다. 하지만 이들 회전을 치아나 임플란트가 잡아주지 못한다면 회전축이 생기고, 의치는 회전을 하게 되는 것이다. 즉, 치아 및 조직 지지 국소의치는 의도하지 않은 회전운동이 발생하여 지대치나 임플란트에 유해한 힘을 전달할 수 있다.

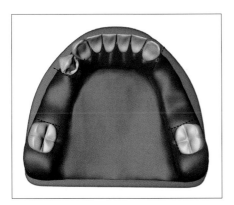
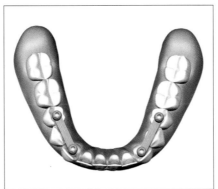
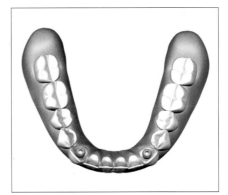

▲ 그림 6   치아나 임플란트의 개수에 따른 안정 요소의 부여.

그림 6에서 보는 바와 같이 4개의 치아나 임플란트에 의해 잡혀 있는 국소의치는 안정 요소를 크게 고려할 필요가 없다. 회전을 야기하는 축이 발생되지 않는다(또는 상쇄되어 버린다). 역으로 말하면 모든 회전력을 치아나 임플란트가 감당하게 된다. 이것이 치아 지지 국소의치이다. 하지만 2개의 임플란트로만 잡혀 있는 의치는 확실한 회전축이 생기고, 그 회전축을 중심으로 의치는 회전을 하게 된다. 그림 6의 우측 그림처럼 2개의 임플란트 attachment를 이용한다면 후방 무치악부는 반드시 기능인상을 채득하여 의치가 움직이지 않도록 해야 하며, 필요하면 교합을 적절히 부여하여(예, 양측성 균형 교합) 씹을 때 의치의 움직임을 잡아주어야 임플란트를 중심으로 발생하는 회전운동을 최소화할 수 있고 attachment의 수명이 길어질 것이다.

KeyPoint

> 완전의치보다 2개 임플란트를 이용한 overdenture가 더 어렵다. 임플란트를 중심으로 확실한 회전이 생기며, 의치 자체가 충분한 지지와 안정 요소를 가지지 못 한다면 임플란트에 큰 힘이 집중된다.

Question
임플란트와 자연치가 가지는 수직적 유지와 지지의 의미는 무엇일까?

Answer

일반적으로 클라스프 복합체라고 하면 레스트, 부연결장치, 유지암, 보상암으로 구성된다. 이런 구성 요소는 나사형 못으로 비유될 수 있고, 이런 비유는 그림 7과 같다.

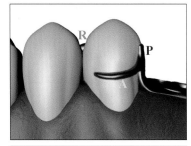

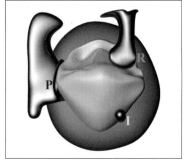

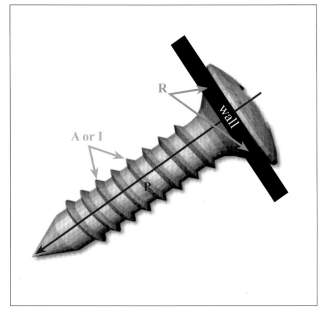

▲ 그림 7 클라스프 복합체와 나사못의 유사성.

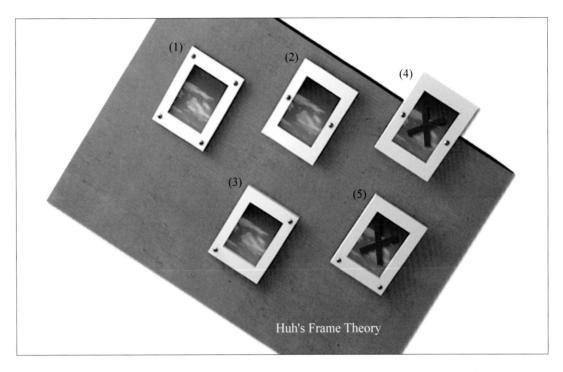

▲ 그림 8 천장에 나사못을 이용하여 액자를 붙이는 원리와 국소의치의 디자인 설계.

A나 I는 클라스프에 해당하는 유지 요소이고 나사형 못의 삽입로는 국소의치의 인접판의 역할을 해준다. 나사의 머리는 벽(wall)과 접하면서 지지의 역할을 하는 레스트와 같다고 볼 수 있겠다. 비유를 한다면, 가철성 보철물은 이런 나사못을 이용하여 천장에 액자를 붙이는 원리와 동일하다.

K e y P o i n t

나사못의 역할을 잘 기억하자. 나사못은 나사 머리에 수직방향으로 삽입되어야 나사선에 의해 수직적으로 빠지는데 저항한다. 지대치에 위치하는 클라스프, 레스트, 인접판도 같은 원리로 수직적인 착탈에 더욱 잘 저항한다.

그림 8과 같이 5개의 액자를 만들어 천장에 붙이는 작업을 하려고 한다. (1)번 액자는 모서리 부분에 4개의 나사못을 박아 액자를 고정하였다. 어떤가? 아주 안정적으로 천장에 붙어 있을 것으로 보인다. 그럼 못이 두 개 밖에 없다고 가정해 보자. (2), (3)번 액자와 같이 천장에 붙였다. 어떤가? (1)번 액자와 비교해서 불안하긴 하지만 그래도 잘 붙어 있을 것 같다. 그럼 (5)번 액자는 어떤가? 끝 쪽 모서리에 두 개의 나사못을 박았다. 마찬가지로 2개의 나사못을 이용하였는데 이상하게 (2), (3)번 액자보다 불안하다. 액자의 위쪽에서 액자를 잡아당기면 밑으로 금방 떨어질 것 같다. (4)번 액자는 어떤가? (2)번 액자와 같이 가운데 2개로 고정하였는데 액자의 반이 천장 벽을 넘어서서 허

공에 위치하는 관계로 액자의 위 부분을 누르면 액자가 금방 떨어져 버릴 것 같다. 왜 이런 현상이 생길까? 나사못을 중심으로 하는 회전축의 전방에 위치한 액자 하방 벽은 간접유지장치 역할을 하게 된다. 즉, (2), (3) 액자는 (4), (5) 액자에 비해 못을 중심으로 하는 회전축의 전방 액자 부분 하방에 벽이 액자를 받치고 있는데, 이 때문에 액자가 회전하며 떨어지려 할 때 나사못은 좀더 수직적으로 빠지게 되고 최대한의 유지를 얻게 되는 것이다. (4), (5)의 경우 받혀주는 벽이 없으니 회전축을 중심으로 회전할 때 못이 뒤틀리며 쉽게 빠지게 되는 것이다.

KeyPoint

간접유지장치의 역할: 직접유지장치의 전방에 위치하는 딱딱한 벽으로 직접유지장치를 수직적으로 빠지도록 도와준다.

이러한 원리는 국소의치에서 그대로 적용 가능하다. 그림 9는 Kennedy Cl II, III의 경우를 액자와 비교한 그림이다.

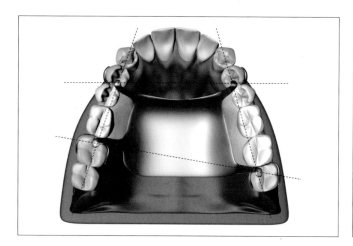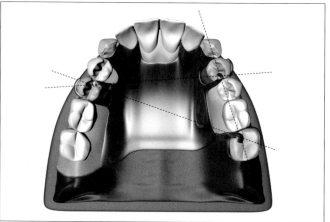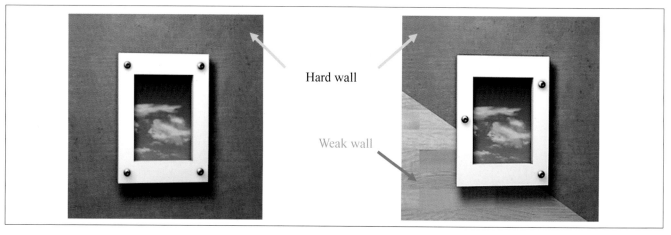

▲ 그림 9 국소의치 디자인과 액자와의 비교.

그림 9의 왼쪽 위 국소의치는 치아(또는 임플란트) 지지 국소의치를 보여주고 있다. 치아가 충분히 지지를 담당하고 4개의 안정적인 클라스프 복합체를 가지고 있다. 액자에서 4개의 나사못을 박은 것과 동일하다. 이때 치아는 아주 단단한 지지를 부여함으로 액자 하방의 벽이 아주 단단한 콘크리트 벽이라고 생각할 수 있겠다. 즉, 이런 경우 부가적인 다른 디자인을 생각할 필요가 없다. 전방에 간접유지를 설치할 필요도 없고 회전의 발생을 걱정할 필요도 없어 교합도 자연치 교합 그대로, 인상도 해부학적 형태를 그대로 인기하면 되겠다. 우측 그림은 3개의 나사못을 박은 형태이다. 3개만 박아도 상당히 안정적인 느낌을 준다. 이 역시 #24가 간접유지장치 역할을 저절로 하게 됨으로 따로 부가적인 간접유지장치를 고려하지 않아도 되고 상당히 안정적인 국소의치를 제작할 수 있겠다. 하지만 #10번대 구치부의 무치악 부위는 벽으로 치면 약한 벽(합판)으로 생각할 수 있고, 약한 벽은 약간 움직이므로 #24 치아에 위치한 클라스프가 #10번대로 씹을 때마다 치아를 잡아 뽑을 가능성이 있다. 이런 경우 #10번대 무치악 부위를 기능인상으로 채득하여 무치악부 지지를 충분히 부여하든지, 필요하다고 생각되면 #24의 클라스프를 가공선으로 대체할 수도 있고 또는 클라스프를 설치하지 않을 수도 있다.

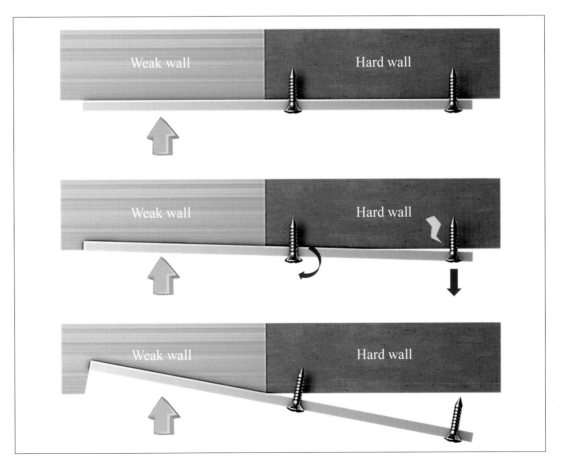

▲ 그림 10 약한 벽이 있는 경우 액자의 회전운동.

그림 10에서 보는 것과 같이 후방 부위에 약한 벽을 가질 경우 수직적 외력에 의해 액자는 회전을 하게 되며 반복적인 회전운동으로 회전축의 반대편에 박혀 있는 나사못이 빠지고 결국 가운데 위치한 나사못이 뒤틀리면서 빠지게 되는데, 나사못과 마찬가지로 치아나 임플란트도 뒤틀림 회전력에 약하기 때문에 의치가 쉽게 탈락하거나 뒤틀림 회전력이 지대치로 그대로 전달된다면 임플란트나 치아가 손상 받게 되는 것이다. 우리는 이런 회전을 이해하고 이를 최소화할 수 있는 방법을 고안하여야 임플란트 융합 국소의치에서 임플란트의 장기적 예후가 보장될 수 있다.

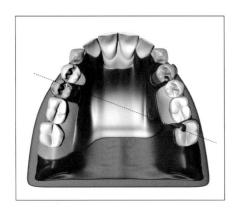  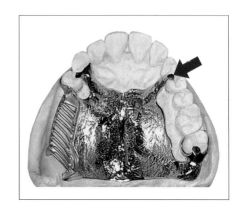

▲ 그림 11   편측 후방연장 무치악을 가지는 경우 3개의 나사못을 박기 위해 #24 치아에 간접유지장치를 설계한 모습.

그림 11은 편측으로만 무치악 부위를 가지는 경우 3개의 나사못을 박기 위해 화살표와 같이 간접유지장치를 설계한 그림이다. 이 경우 #24 부위에 클라스프를 꼭 설계할 필요는 없다. 유지는 의치가 빠지지 않을 정도의 최소 양으로 부여하면 되고 혹시 잘못 위치시킨 클라스프가 음식을 씹을 때마다 지대치를 잡아 뽑는 힘이 발생할 수 있다. 또한 #24의 레스트는 간접유지 역할을 하는 딱딱한 벽으로서 #14, 27의 직접유지장치가 수직으로 빠지도록 도와주는 역할을 한다. 머리 속으로 #24의 레스트가 없는 경우와 있는 경우의 회전을 생각해 보면 쉽게 이해가 될 것이다.

그림 12는 나사못이 2개 밖에 없을 때 그 위치와 연관된 국소의치의 디자인에 대한 설명이다. 후방 무치악 부위는 약한 벽이므로 기능 인상을 채득하여 움직임을 최소화하고 허락한다면 최대한 나사못은 액자의 중앙에 박는 것이 좋을 것이다. 또한 가능하다면 최후방 회전축을 중심으로 전방부 치아에 간접유지장치를 설치하는 것(치아 위에 레스트를 설계하는 것은 액자의 밑면에 딱딱한 벽을 만들어주는 것과 동일하다는 것, 이 벽이 있어야 유지장치가 수직적으로 빠진다는 것을 명심하자)이 최상의 설계일 것이다.

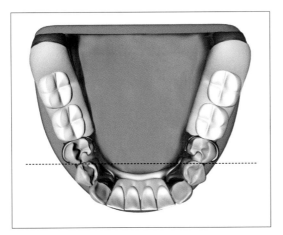
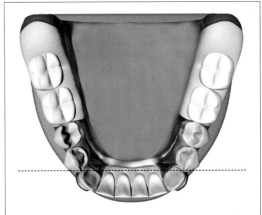

▲ 그림 12 나사못이 2개일 경우 위치에 따른 액자의 안정성.
왼쪽 그림에서 양측 견치의 설면 레스트는 양측 제2소구치에 위치한 클라스프가 수직적으로 빠지도록
도와주는 간접유지장치(액자 하방의 딱딱한 벽) 역할을 하게 된다.

K e y P o i n t

간접유지장치는 직접유지장치가 수직적으로 빠지도록 도와주는 역할과 함께 수직적인 지지도 제
공한다.

뒤에서 계속 언급되지만 간접유지장치의 설계를 통해 국소의치의 움직임을 한 방향으로 제한해
주어 국소의치의 움직임을 단순화할 수 있다. 그림 12의 왼쪽을 보면서 생각해보자. 간접유지장치
가 없으면 최후방 지대치를 중심으로 전후방향으로 시소운동이 발생한다. 하지만 간접유지장치가
있다면 전방으로의 시소운동은 발생되지 않고 후방으로의 회전운동만 발생한다. 즉, 운동의 조절
이 쉬워진다. 우리는 후방으로의 회전운동에 따른 유해요소 차단에만 신경쓰면 되는 것이다.

참고문헌 >>>

1. Avant WE. Fulcrum and retention lines in planning removable partial dentures. J Prosthet Dent. 1971;25:162-6.

2. Avant WE. Indirect retention in partial denture design. 1966. J Prosthet Dent. 2003;90:1-5.

3. Beckett LS. Practical and effective designs for removable partial prostheses. Australian dental journal. 1965;10:239-248.

4. Bural C, Buzbas B, Ozatik S, Bayraktar G, Emes Y. Distal extension mandibular removable partial denture with implant support. European Journal of Dentistry. 2016;10:566.

5. Cecconi BT, Asgar K, Dootz E. The effect of partial denture clasp design on abutment tooth movement. J Prosthet Dent. 197;25:44-56.

6. Cecconi BT, Asgar K, Dootz E. clasp assembly modifications and their effect on abutment tooth movement. J Prosthet Dent. 1972;27:160-167.

7. Eliason CM. RPA 클라스프 design for distal-extension removable partial dentures. J Prosthet Dent. 1983;49:25-27.

8. Fisher RL, Jaslow C. The efficiency of an indirect retainer. The Journal of prosthetic dentistry. 1975;34:24-30.

9. Frank RP, Nicholls JI. An investigation of the effectiveness of indirect retainers. The Journal of prosthetic dentistry. 1977;38:494-506.

10. Grossmann Y, Nissan J, Levin L. Clinical effectiveness of implant-supported removable partial dentures—a review of the literature and retrospective case evaluation. Journal of Oral and Maxillofacial Surgery. 2009;67:1941-1946.

11. Jensen C1, Meijer HJA2, Raghoebar GM3, Kerdijk W4, Cune MS5. Implant-supported removable partial dentures in the mandible: A 3-16 year retrospective study J Prosthodont Res. 2017;61:98-105.

12. Krol AJ. clasp design for extension-base removable partial dentures. J Prosthet Dent. 1973;29:408-415.

13. Kuzmanovic DV, Payne AG, Purton DG. Distal implants to modify the Kennedy classification of a removable partial denture: a clinical report. The Journal of prosthetic dentistry. 2004;92:8-11.

14. Matsudate Y1, Yoda N2, Nanba M1, Ogawa T1, Sasaki K Load distribution on abutment tooth, implant and residual ridge with distal-extension implant-supported removable partial denture. J Prosthodont Res. 2016;60:282-288.

15. McDowell GC, Fisher RL. Force transmission by indirect retainers when a unilateral dislodging force is applied. The Journal of prosthetic dentistry. 1982;47:360-365.

16. McGarry TJ, Nimmo A, Skiba JF, Ahlstrom RH, Smith CR, Koumjian JH, Arbree NS. Classification system for partial edentulism. Journal of Prosthodontics. 2002;11:181-193.

17. Miller EL. Systems for classifying partially dentulous arches. J Prosthet Dent. 1970;24:25-40.

18. Mitrani R, Brudvik JS, Phillips KM. Posterior implants for distal extension removable prostheses: a retrospective study. International Journal of Periodontics & Restorative Dentistry. 2003;23.

19. Sato M, Suzuki Y, Kurihara D, Shimpo H, Ohkubo C. Effect of implant support on mandibular distal extension removable partial dentures: relationship between denture supporting area and stress distribution. Journal of prosthodontic research. 2013;57:109-112.

20. William E. Factors that influence retention of removable partial dentures. J Prosthet Dent. 1971;25: 265-270.

21. 나현준, 강동완, 손미경. 전치부 임플란트 보철을 이용한 후방연장 국소의치 수복. 구강회복응용과학지. 2011;27:437-447.

2.3
국소의치 디자인의 목표는 의치의
지레 운동을 효율적으로 만드는 것이다.

치아 및 조직 지지 국소의치는 치아 지지 국소의치, 고정성 보철 또는 총의치와 달리 명확한 회전축이 생긴다. 이러한 회전축을 중심으로 다양한 양상의 운동이 생기게 되고, 그 축의 위치에 따라 다양한 물리적 현상이 야기된다. 이러한 물리적 현상을 이해하는 것은 아주 중요하다. 특히 임플란트와 치아를 융합하여 국소의치를 제작할 경우, 발생되는 물리적 힘과 회전을 적절히 조절하지 않으면 임플란트에 유해한 측방 회전력이 작용할 가능성이 있다.

Q u e s t i o n

치아 지지 국소의치와 치아 및 조직 지지 국소의치에서 힘의 지지와 분산에는 어떤 차이가 있는가?

A n s w e r

질문에서 언급한 치아 지지라 함은 이 책에서는 임플란트 지지와 자연치아 지지를 통칭하는 것이다.

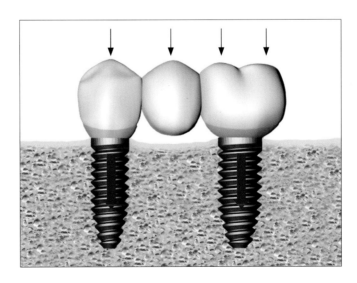

▲ 그림 1 치아(임플란트) 지지 고정성 보철물의 힘의 분산.

자연치나 임플란트를 이용하여 잘 수복된 고정성 보철물은 구조적으로 지대치의 장축, 비장축 방향의 힘에 저항할 수 있다. 결손부에 대한 지지는 양 옆의 인접 지대치에 의해서 이루어지며, 대부분의 교합력은 수직적으로 지대치에 작용하게 되며, 유해한 측방력의 발생이 적다.

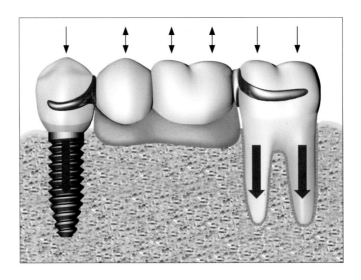

▲ 그림 2 자연치와 임플란트가 융합된 치아 지지 국소의치에서 힘의 분산.

고정성 보철물과 마찬가지로, 치아 지지(Kennedy Class III) 국소의치는 지대치에서 모든 지지를 얻게 된다. 가철성 국소의치에서 교합력은 그림 2의 붉은 화살표와 같이 지대치의 장축으로 전달될 수 있다. 하지만 이를 위해서는 레스트 시트의 형태가 중요하다. 또한 가철성 보철물이기 때문에 기능 시 거상되고 회전하는 등 지대치에 측방력을 줄 가능성이 있다.

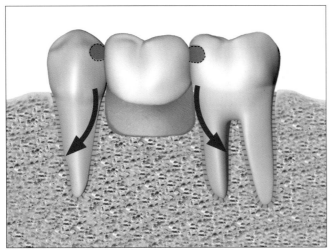 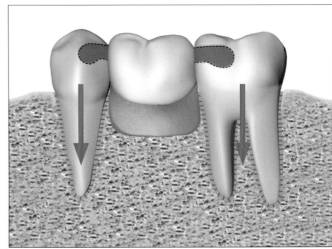

▲ 그림 3 레스트의 형태에 따른 힘의 분산.

그림 3과 같이 짧은 레스트는 지지되는 치아의 변연에 놓인 상태로 힘을 전달하게 되며, 그 결과 하중은 지대치의 장축이 아닌 다른 방향으로 전달될 수 있다. 따라서 자연치의 치주 인대 손상이나 임플란트의 골 유착의 손상을 방지하기 위해 하중을 반드시 치아의 수직방향으로 전달될 수 있도록 교합면 레스트가 잘 설계되어야 한다. 그림 3의 우측 그림과 같이 충분히 교합면으로 연장되어 있는 레스트가 예각으로 부연결장치와 연결된다면 더욱 수직적으로 힘을 지대치로 전달하게 된다.

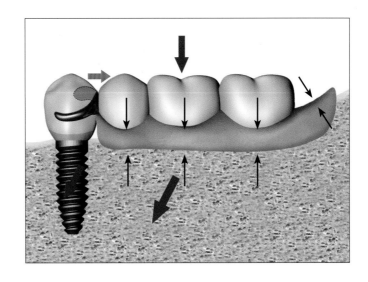

▲ 그림 4 임플란트를 융합하여 제작된 Kennedy Class I 국소의치에서 힘의 분산.

그림 4와 같이 임플란트를 융합하여 Kennedy Class I 국소의치를 제작하였다고 가정하면, 교합력이 가해질 때 지대치에 비스듬한 힘이 발생하게 된다. 하방 연조직에 의해 지지되는 유리단 의치상은 임플란트에 의해 지지되는 지대치보다 훨씬 더 많이 변위된다. 자연치를 지대치로 한다면 치주 인대의 역할을 어느 정도 기대할 수 있으나 임플란트의 경우 측방력에 취약하기 때문에 더욱 큰 문제를 야기할 수 있다. 의치상은 치아 결손부에 인접한 레스트를 중심으로 회전하여 이 힘은 지대치의 원심으로 지속적으로 작용하게 된다.

만약 그림 5와 같이 전치부가 결손된 증례의 경우 하방 연조직에 의해 지지되는 전방부 의치상은 치주 인대에 의해 지지되는 지대치보다 많은 양의 변위가 일어난다. 만약 지대치가 임플란트라면 임플란트의 예후가 의심스러우며, 지대치가 자연치라면 지대치가 근심 경사되면서 자연치 사이가 이개되고 지대치의 동요도를 야기할 수 있다.

이러한 문제점들은 자연치보다 임플란트의 경우 더욱 많이 일어날 수 있는데, 그것은 임플란트의 허용 가능 움직임이 자연치와 비교하여 훨씬 작기 때문이다.

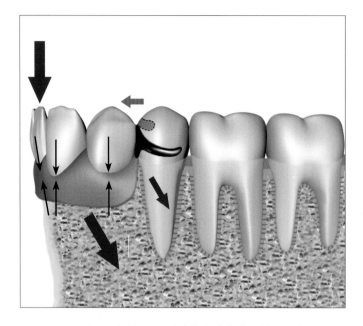

▲ 그림 5 전치부 국소의치에서 나타나는 힘의 분산.

KeyPoint

임플란트 융합 국소의치 치료에서는 의치의 움직임으로 인해 발생되는 유해한 힘들이 임플란트에 전달되지 않도록 디자인에 신중해야 하고, 금속 구조체 디자인으로 의치의 움직임을 충분히 막을 수 없다면 인상과 교합을 이용하여 의치의 움직임을 부가적으로 막아주는 노력이 필요하다. 이 부분은 뒤에서 다시 상세히 설명한다.

Question
국소의치를 디자인하는데 지렛대 원리를 이해해야 하는 이유가 무엇인가?

Answer

결국 국소의치 디자인의 최종 목적은 국소의치에서 나타나는 유해한 1종 지레 운동을 피하고, 국소의치의 기능 시 좀더 효율적인 지레 운동이 국소의치에 적용되어 지대치에 가해지는 유해한 외력을 줄이고자 함이다. 대표적으로 후방연장 국소의치의 1종 지레 운동은 지대치에 유해한 측방 회전력을 가할 수 있다. 어쩔 수 없이 1종 지레가 생긴다면 하중점, 지레받침점, 작업력의 위치를 조절하여 지대치에 최소한의 힘이 전달되도록 할 수 있는데, 그렇게 하기 위해서는 지레운동을 철저히 이해해야 한다.

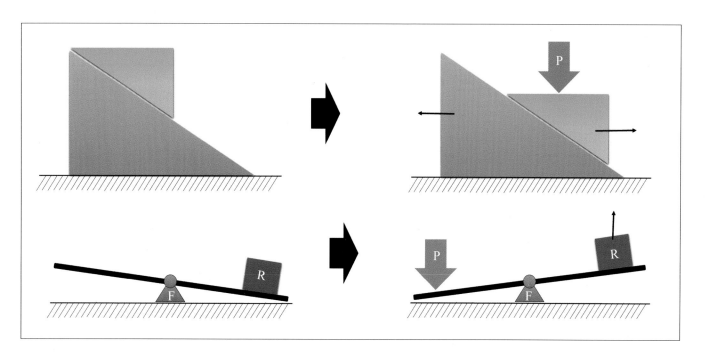

▲ 그림 6 일정 방향으로 가해진 힘이 의도하지 않은 방향으로 전달될 수 있는 경우.

교합력이 가해지면 가철성 국소의치는 2가지의 기본적인 기계적 원리에 의해 그 힘을 구강 조직에 전달한다. 그림 6의 위 그림에서, 경사면에 놓여 있는 노란색 물체에 P라는 수직 하방력을 가하면 미끄러지면서 아래 회색 물체와 함께 밀어내는 방향으로 이동하게 된다. 또한 아래 그림의 지렛대는 지점 (F)를 중심으로 수직 하방력 (P)가 가해졌을 때 이 지렛대를 회전시키면서 일을 하게 된다. 이 과정에서 반대편에 위치한 (R)이 수직적으로 상방이동을 하게 된다. 두 그림을 자세히 보면 일정 방향으로 가해진 힘이 의도하지 않은 방향으로 전달될 수 있는 경우이고, 우리는 임상에서 가철성 보철물의 이러한 운동이 지대치에 유해한 방향으로 잘못 전달되지 않도록 막아야 한다는 것이 중요하다.

그러면 지렛대 운동에 대해 더욱 구체적으로 알아보자.

(1) Class I (1종 지레)

1종 지레는 지레받침점이 하중점과 작업점 사이에 있는 경우이다.

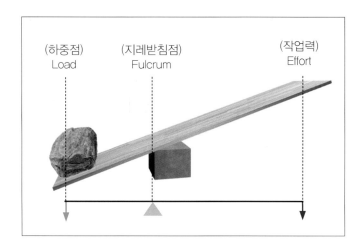

▲ 그림 7 1종 지레의 이해. 시소 운동을 생각하면 된다.

지레를 이용하여 무거운 물체를 들어 올릴 때를 예로 든 것이다. 작업점이 지레받침점으로부터 멀리 떨어져 있을수록 보다 많은 물리적인 이득이 있다는 것은 충분히 이해가 가능할 것이다. 디자인된 국소의치에서 어쩔 수 없이 그림 7과 같은 1종 지레가 발생된다면 지레받침점과의 거리를 잘 조절하여 지대치에 유해한 외력이 전달될 때 그 힘이 최소화되도록 만들어 줄 수 있다.

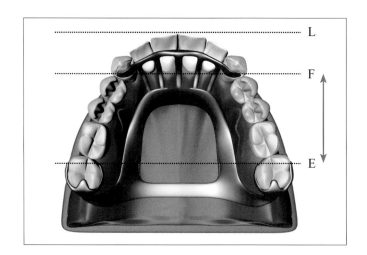

▲ 그림 8 Kennedy Class IV 디자인에서 1종 지레의 이해.

그림 8과 같은 디자인이 1종 지레의 효율을 극대화한 것이다. 즉, F (fulcrum, 지레받침점)가 전방 무치악부의 인접 지대치에 위치한 레스트를 중심으로 설정된다. 예를 들어 앞니로 냉면을 끊으려 하면 L (load, 하중)이 전치부 인공치에 가해진다. 상악 전치부가 무치악이라면 의치상이 눌려지고 F를 중심으로 회전운동이 발생된다. 이때 후방 치아의 양측 클라스프가 E (effort, 작업력)로 작용하

여 회전을 하지 못하도록 막는 역할을 하게 된다. 지레받침점으로부터 멀리 떨어진 클라스프는 효율적으로 하중을 견디게 하는 것으로 1종 지레의 효율성을 극대화하였다고 볼 수 있다. 만약 최후방 클라스프 (E)가 그림 9와 같이 전방으로 당겨진다면 전치부에 가해지는 하중이 같더라도 회전을 막기 위해서는 더욱 강한 클라스프의 유지력이 필요할 것이다.

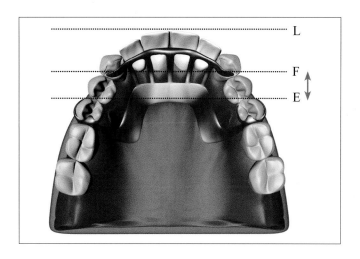

▲ 그림 9 Kennedy Class IV 디자인에서 1종 지레의 이해. 최후방 클라스프 (E)가 전방으로 위치된 디자인. 이 경우 전치부에 가해지는 하중이 같더라도 앞선 그림 8과 비교하여 더욱 강한 클라스프의 유지력이 필요할 것이다.

그림 8과 9에서 어떤 국소의치 디자인이 지대치에 가해지는 힘을 줄일 수 있을까? 당연히 그림 8이 그림 9보다는 더 적은 유지력으로 전치부의 회전운동을 막을 수 있으므로 지대치에 가해지는 외력을 줄인다는 측면에서는 더 유리한 디자인일 수 있다. 그림 8과 9에서 후방 치아의 유지력 (E)는 캔틸레버 지지라고도 하는데 이 부분은 2.5장에서 더 자세히 다루도록 한다.

하지만 1종 지레는 대부분 유해한 측방 회전력을 만드는 경향이 있다. 그림 10과 같이 Kennedy Class I의 국소의치 경우를 생각해 보면 #13과 #23의 최후방 레스트를 연결한 선이 F (지레받침점)가 되고, 구치부로 음식을 씹는다면 L (하중)이 발생하게 된다. 후방연장 국소의치의 의치상 하방의 잇몸은 딱딱하지 않으므로 하방으로 움직일 수 있으며 1종 지레가 생겨서 F의 반대편 클라스프에 E (작업력)이 가해지게 된다. 이러한 작업력은 클라스프가 치아를 잡고 있어서 지속적으로 치아를 뽑는 역할을 하게 된다. 이 지대치가 만약 임플란트라면 유해한 측방 회전력을 많이 받을 것이라 사료된다.

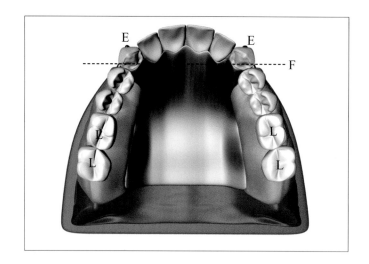

▲ 그림 10 Kennedy Class I의 경우 1종 지레의 유해성에 대한 이해. 구치부 교합력 (L)이 가해지면 F를 중심으로 하는 회전 운동이 생기고, F의 전방에 위치한 클라스프가 들려 올려지게 된다. 만약 후방 무치악부의 수직 침하가 크다면 회전이 더욱 커질 것이고, 저작 시 마다 지대치를 잡아 뽑는 유해한 측방 회전력을 유발할 수 있다.

(2) Class II (2종 지레)

이 지레는 하중이 지레받침점과 작업력(effort) 사이에 있는 경우이다.

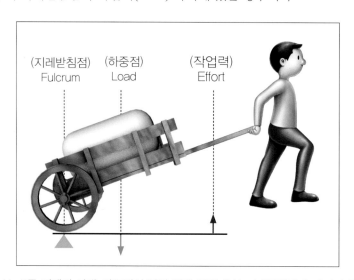

▲ 그림 11 2종 지레의 이해. 하중점이 작업 점에 비해 항상 지레받침점에 가까이 위치한다.

이러한 지레 운동은 물리적으로 이득을 가질 수 있다. 하중점이 작업 점에 비해 항상 지레받침점에 가깝기 때문에 물리적으로 손해를 볼 수 없다. 즉, 100의 힘으로 하중이 가해지더라도 그 하중을 들어올리는 힘은 항상 100보다 적다는 것은 충분히 이해가 될 것이다.

그렇다면 국소의치에서 이러한 움직임은 어떻게 나타날까?

▲ 그림 12　구강 내에서 2종 지레가 발생되는 경우.

그림 12에서 국소의치의 제1대구치 인공치 부위에 끈적한 엿이 붙었다고 가정해보자. 회전축은 제1소구치 레스트가 된다. 입을 벌릴 때 엿이 국소의치를 탈락시키려 하는 힘이 하중이라고 생각한다면, 제2대구치의 클라스프는 이 하중점과 반대방향으로 작업력을 가하여 국소의치가 빠지지 않도록 한다. 이러한 2종 지레는 하중점이 지레받침점과 작업력 사이에 있으므로 적은 작업력에도 하중을 견딜 수 있겠다. 이런 지레 운동에 의해 끈적한 음식을 먹을 때도 치아 지지 국소의치는 빠지지 않고 효율적으로 유지될 수 있는 것이다.

(3) Class III (3종 지레)

3종 지레는 작업력이 지레받침점과 하중 사이에 있는 경우이다.

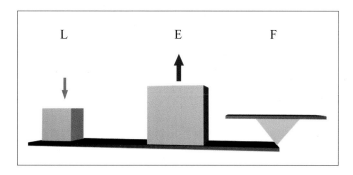

▲ 그림 13　3종 지레의 이해. 이 지레는 작업력이 지레받침점과 하중 사이에 위치하는 경우이다.

3종 지레는 옛날 서양의 성에서 들려 올려지는 다리를 생각해보면 된다.

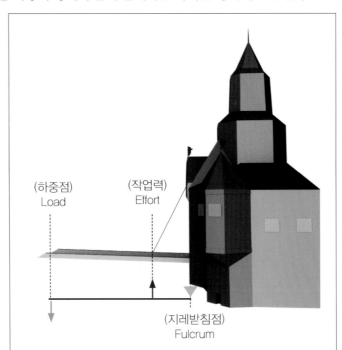

▲ 그림 14 3종 지레의 대표적인 예시. 다리를 들어 올리기 위해 지레받침점과 하중점 사이에 줄이 연결되어 있고, 이 줄을 들어 올림으로써 다리가 올려지게 된다.

이러한 3종 지레는 하중을 들어 올리기 위해 하중보다 더욱 많은 작업력이 필요하게 된다. 그림 11과 14를 비교하며 그 차이를 꼭 이해하길 바란다. 특히 후방연장 무치악부를 가지는 치아 및 조직 지지 국소의치에서 3종 지레를 잘 적용해야 한다.

이러한 3종 지레가 국소의치의 운동에서 어떤 경우 발생하는지 알아보자.

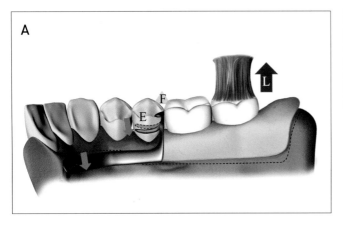
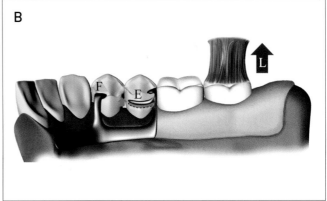

▲ 그림 15 국소의치에서 나타날 수 있는 3종 지레의 예시. A는 1종 지레, B는 3종 지레의 예시를 보여준다 . 간접유지장치 설계로 1종 지레가 3종 지레로 바뀌고 국소의치의 탈락에 저항하게 된다.

그림 15의 A와 B를 비교해 보자. A는 제1소구치 부위에 간접유지장치를 생략한 경우이고, B는 간접유지장치를 설계한 경우이다. 두 경우에서 후방 구치부의 인공치에 엿이 붙었다고 가정하자. 환자가 입을 벌린다. 어떻게 되는가? 엿이 국소의치의 후방부를 잡아 올리는 힘이 하중 (L)이라고 하면, A 그림은 지레받침점 (F, 제2소구치 교합면 레스트)이 작업력 (E, 클라스프)과 하중점의 중간 에 위치하기 때문에 1종 지레가 되어 버린다. 즉, 작업력을 기대했던 클라스프(국소의치가 빠지지 않도록 잡아줄 것이라 기대했던 유지장치)가 밑으로 떨어지면서 초기 유지력을 발휘하지 못한다.

B 그림은 간접유지장치를 만들었기 때문에 하중 L이 가해지면서 F가 제1소구치의 교합면 레스트로 이동되고, 동시에 클라스프가 작업력을 발휘하게 된다. 즉, 3종 지레로 바뀌게 되는데, L의 힘에 비해 E는 더 큰 힘이 필요하기 때문에 국소의치가 빠지려 하는 것에 저항하기 위해 상당히 큰 유지력 (E)이 필요하게 되어 비효율적인 지레 운동이다. 효율적인 면은 떨어지지만, Kennedy Class I 국소의치에서 A 보다는 B가 클라스프의 역할을 적절히 부여할 수 있는 디자인이다. 이런 3종 지레 운동을 만들기 위해 우리는 학생 때부터 그렇게 간접유지장치의 중요성에 대해 배워 왔던 것이다. 그림 15B에서 F와 E와의 거리를 길게 해보자. 같은 L의 힘에 대해 더 효율적으로 E의 작용이 가능 해진다. 그래서 회전축 전방으로 최대한 멀리 간접유지장치를 설계하도록 배운 것이다.

KeyPoint

간접유지장치의 역할을 다시 이해하자.
첫째, 직접유지장치가 수직적으로 빠지도록 도와준다.
둘째, 후방연장 국소의치에서 3종 지레를 만들어서 초기에 유지력을 발휘하게 한다.
셋째, 부가적으로 교합면 레스트에 의해 수직적 지지를 분담한다.
그림 15B의 3종 지레에서 F를 전방으로 더욱 옮긴다면 E는 더 작은 힘으로 유지를 감당할 수 있겠 다. F, E, L의 위치에 따른 힘의 분산을 잘 이해하자. 학생 때 간접유지장치는 되도록 지점선에서 가장 멀리 위치하는 곳에 설정한다고 배운 이유를 이제 이해할 수 있을 것이다.
바로 3종 지레의 효율을 극대화한 것이다.

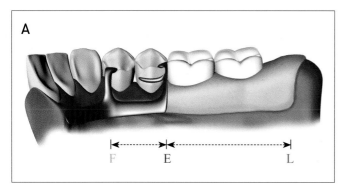
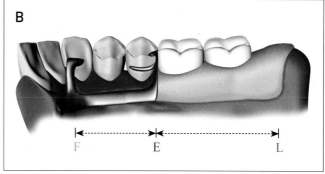

▲ 그림 16 간접유지장치의 위치에 따른 3종 지레의 효율성. 간접유지장치가 직접유지장치와 멀어질수록 직접유지장치의 효과는 증대된다.

참고문헌 >>>

1. Battistuzzi PG, van Slooten H, Kayser AF. Management of an anterior defect with a removable partial denture supported by implants and residual teeth: Case report Int J Oral Maxillofac Implants 1992;7:112–115.

2. Brudvik JS. Single implant-supported crown used as an abutment for a removable cast partial denture: A case report. Implant Dent 1998;7:199–204.

3. Cecconi BT, Asgar K, Dootz E. Removable partial denture abutment tooth movement as affected by inclination of residual ridges and type of loading. The Journal of prosthetic dentistry. 1971;25:375-381.

4. Craig RG, FARAH JW. Stresses from loading distal-extension removable partial dentures. The Journal of prosthetic dentistry. 1978;39:274-277.

5. Frank RP. Direct retainers for distal-extension removable partial dentures. The Journal of prosthetic dentistry. 1986;56:562-567.

6. Ganz SD. Combination natural tooth and implant-borne removable partial denture: A clinical report. J Prosthet Dent. 1991;66:1–5.

7. Jang Y, Emitiaz S, Tarnow DP. Implants and removable partial dentures. Advanced Removable Partial Dentures. 1995:153–159.

8. Keltjens HM, Kayser AF, Hertel R, Battistuzzi PG. Distal extension removable partial dentures supported by implants and residual teeth: Considerations and case reports. Int J Oral Maxillofac Implants 1993;8:208–213.

9. Kihara M, Matsushita Y, Tokuhisa M, Hoshi, M, Koyano K. The effect of implant support for extended removable partial dentures–experimental studies in a model missing mandibular posterior teeth. J Jpn Soc Oral Implantol. 2003;16:214-225.

10. Kratochvil FJ. Influence of occlusal rest position and 클라스프 design on movement of abutment teeth. The Journal of Prosthetic Dentistry. 1963;13:114-124.

11. Luk NK, Wu VH, Liang BM, Chen Y, Yip KH, Smales RJ. Mathematical analysis of occlusal rest design for cast removable partial dentures. The European journal of prosthodontics and restorative dentistry. 2007;15:29-32.

12. Mosby CV, Henderson D, Stefeel VL. Denture bases and stressbreakers (Stress equalizers). McCraken's Removable Partial Prosthodontics. 1977;2:102–116.

13. Mosby CV, Zarb GA, Bergman BO, Clayton JA, MacKay HF. The mechanism of support for fixed and removable partial dentures. Prosthodontic Treatment for Partially Edentulous Patients. 1978;3:5–16.

14. Neill DJ, Walter JD. Oxford: Blackwell, Partial denture design. Partial Denture Prosthetics. 1977;4:27–44.

15. Ohkubo C1, Kobayashi M, Suzuki Y, Hosoi T. Effect of implant support on distal-extension removable partial dentures: in vivo assessment Int J Oral Maxillofac Implants. 2008;23:1095-1101.

16. Robinson C. clasp design and rest placement for the distal extension removable partial denture. Dental clinics of North America. 1970;14:583.

17. Thompson WD, Kratochvil FJ, Caputo AA. Evaluation of photoelastic stress patterns produced by various designs of bilateral distal-extension removable partial dentures. The Journal of prosthetic dentistry. 1977;38:261-273.

18. Watt DM, MacGregor AR. Bristol: Wright, Connectors. Designing Partial Dentures. 1984:110–121.

19. Weinberg LA. The biomechanics of force distribution in implant-supported prostheses. International Journal of Oral and Maxillofacial Implants. 1993;8:19-19.

20. Zarb GA. Prosthodontic treatment for partially edentulous patients. Mosby. 1978.

2.4
국소의치에서는 의치의
이탈로와 삽입철거로가 반드시 달라야 한다.

앞서 설명하였듯이 치아나 임플란트가 가지는 역할은 지지, 안정, 유지이다. 이 중 유지는 가장 나중에 생각할 부분이며, 특히 최소한의 유지를 부여하는 것이 중요하다. 임상에서 저자 또한 가끔 직접유지장치를 조절하여 환자가 국소의치에서 더욱 안정감을 느끼도록 만들고 싶은 충동을 느낀다. 많은 임상가들이 국소의치가 움직임이 많고, 잘 빠지는 상황을 해결하기 위해 클라스프를 조여주는 것을 1순위로 시행하는 경우를 종종 보게 된다. 하지만 유지를 담당해야 할 클라스프를 이용해 안정을 부여한다면 지대치에 과도한 응력을 줄 수 있고, 특히 임플란트에는 과도한 측방력을 만들 우려가 있다. 이때 국소의치가 탈락하는 경향 또는 안정 요소의 부족을 클라스프의 조절이 아닌 부가적인 다른 방법을 이용하여 효율을 극대화할 수도 있다. 그 중에서 임상가가 놓치기 쉬운 국소의치의 삽입철거로와 이탈로에 대해 알아보고자 한다.

다시 한 번 강조하자면 유지는 의치가 수직적으로 탈락하려는 힘에 저항하는 요소이다. 유지는 보통 클라스프(직접유지장치)에 의해 조절될 수 있으며 부가적으로 의치상이나 치아 또는 주위 조직의 언더컷에 의해 조절될 수도 있다.

Question

아래 그림과 같이 치료한 환자분이 입을 벌리면 상악 국소의치의 후방부가 약간 떨어지는 느낌이 든다고 한다. 특히 음식을 먹으면 상악 국소의치가 덜컥덜컥 같이 떨어져서 불편하다고 한다.
술자가 틀니를 뺄 때 느끼는 유지력은 적당한 것으로 생각되었다. 그렇다면 이유가 무엇일까?

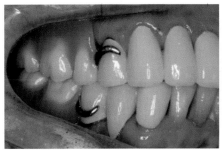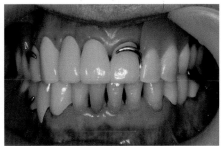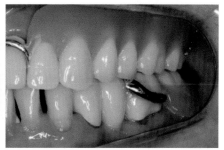

▲ 그림 1 상악 국소의치에서 후방부가 떨어지는 경향을 보이는 국소의치 치료 환자.

Answer

가장 큰 문제는 남아 있는 잔존치가 전치부에 소수만 존재하기 때문일 것이다. 특히 전치부에 위치한 클라스프가 적절한 유지력을 가지도록 형성된 언더컷에 위치되지 않았을 수도 있겠다. 하지만 더욱 중요한 것은 소수 잔존치에 의해 유도되는 국소의치의 Path of displacement(이탈로, 의치가 저작 기능 시 탈락하는 방향)와 Path of insertion/removal(삽입철거로, 환자가 의치를 끼우고 빼는 방향)가 동일하기 때문에 나타나는 대표적인 증상일 수 있다. 이러한 원인을 진단과정에서 정확히 파악하여 치료계획을 세우지 않는다면, 또는 술자가 그 의미를 모른다면 술자는 클라스프를 더욱 조여서 문제를 해결하려 할 것이고, 이것은 지대치(임플란트 지대치라면 더욱 문제가 될 수 있다)에 엄청난 측방 회전력을 부여하게 될 것이다.

Key Point

국소의치에서는 의치의 이탈로와 삽입철거로가 반드시 달라야 한다. 이러한 고려는 의치의 안정에 크게 기여하며 최소한의 유지를 부여한다는 원칙을 가능케 할 수 있다. 앞장에서 설명한 후방연장 국소의치에서 나타나는 3종 지레의 회전방향을 제한하여 국소의치의 운동을 효율적으로 조절할 수 있는 아주 좋은 방법이 될 수 있다.

우리는 학생 때 배웠던 서베잉(surveying)에 대해 고민을 해보아야 한다. 서베잉을 통해 우리는 무엇을 찾고자 하는가? 치아의 언더컷을 찾고자 하는 것이고, 적절한 언더컷과 이에 따른 적절한 국소의치의 삽입로를 찾고자 하는 것이다. 모형을 먼저 서베잉하는 것 없이 국소의치 디자인을 시작하는 것은 불가능하다는 것을 임상가는 모두 알고 있다. 어떤 언더컷은 국소의치를 장착 및 철거하기 위해 방해가 될 경우 제거해야 하는 경우도 있다.

언더컷이 무엇이고 서베잉이 무엇인지 임상가들은 다 알고 있으리라 사료된다. 이번 단원에서는 언더컷과 서베잉을 철저히 이해해야 한다. 아주 어려운 부분이지만 이 부분을 잘 이해해야 적절한 지대치 유지부 설계를 얻을 수 있고, 임플란트를 지대치로 사용하는 경우에도 임플란트에 외력을 최소화할 수 있음을 명심하자.

Question

그럼 서베잉이 중요하다고 하는데, 그 과정은 어떻게 되고 tilting을 시킨다는 것의 의미가 무엇인가?

Answer

처음에는 항상 수평적으로 모형을 놓고 서베잉을 시행한다. 모형을 수평으로 놓았다는 것은 국소의치의 빠지려고 하는 이탈로를 가정한 것이고, 이것은 국소의치가 빠지려고 하는 이탈로에서 국소의치의 탈락을 막기 위한 언더컷을 찾는 것이다.

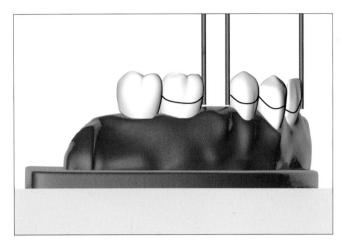

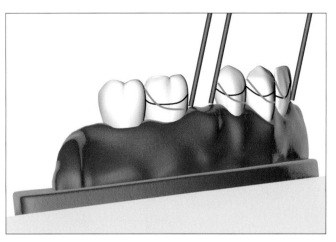

▲ 그림 2 수평적으로 모형을 놓고 서베잉을 시행. 국소의치가 빠지려고 하는 이탈로에서 탈락에 저항하기 위한 언더컷을 찾기 위함이다.

▲ 그림 3 후방으로 기울여진 모형에서 서베잉 작업. 이 작업은 국소의치의 삽입철거로를 결정하는 것으로 적절히 기울여진 모형에서 삽입철거로에 맞는 유도면을 설정할 수 있다.

그 다음 모형을 적절히 기울여 적당한 국소의치의 삽입철거로를 정하게 된다. 앞서 말한 바와 같이 국소의치의 이탈로와 삽입철거로가 일치하게 되면 국소의치의 삽입철거로를 일정하게 가이드하는 인접판(인접판, 부연결장치)의 수직적 탈락에 대한 안정(유지) 요소가 부족하게 되어 더욱 큰 지대치 협측 언더컷이 필요하고, 이는 국소의치의 삽입철거 시 지대치에 과도한 외력을 주게 된다.

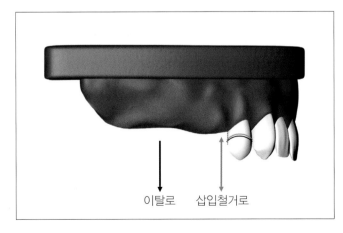

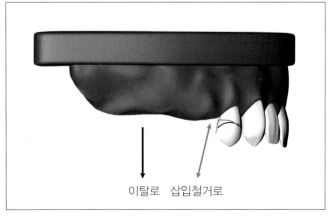

▲ 그림 4 국소의치의 삽입철거로와 이탈로가 일치할 경우와 다를 경우의 차이. 두 경로가 같다면 음식을 먹을 때 발생되는 국소의치의 이탈로가 삽입철거로와 동일하기 때문에 빠지지 않게 하려면 더 큰 유지력이 필요할 수 있다. 삽입철거로와 이탈로가 다르다면 부가적으로 국소의치의 인접판 또는 부연결장치가 수직적으로 탈락하려는 힘에 일부 저항하여 국소의치의 안정감을 증대시킬 수 있다.

일반적으로 구치부가 결손되고 전치부가 남아 있다면 전방 경사를 시키고, 전치부가 결손된 경우 후방 경사를 시키게 된다. 이 기준은 상악과 하악에 관계 없이 치아를 위로 향하게 놓고(그림 2, 3과 같이) 적용한다. 쉽게 생각하면 치아가 남아 있는 쪽이 무거우니 쳐진다고 생각해보자. 그림 5와 같이 전치부가 잔존되어 있는 경우 전방 경사를 시키면 지대치 원심의 삽입철거로가 예각으로 형성되고 이탈로에 저항하는 부연결장치(예, 인접판)를 설계할 수 있다.

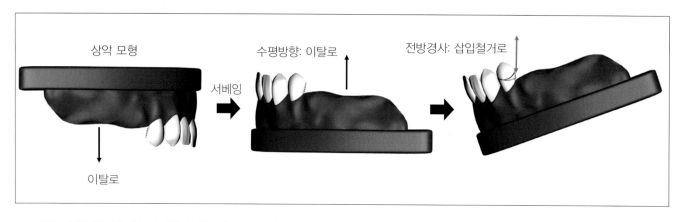

▲ 그림 5 상악 구치부 결손의 경우 서베잉 과정. 국소의치의 이탈로와 삽입철거로를 달리하여 국소의치의 안정 요소를 증대시킨다. 전치가 남아 있으니 무거운 쪽으로 기운다고 생각하자! (국소의치의 인접판 또는 부연결장치가 삽입되는 방향이 국소의치 이탈로와 달라 수직적으로 탈락하려는 힘에 일부 저항하여 국소의치의 안정감을 증대시킬 수 있다.)

또한, 그림 6과 같이 전치부가 결손된 Kennedy Class IV의 경우 국소의치의 삽입철거로를 조직부 언더컷을 고려하여 변경하지 않으면 심미적으로 문제를 야기할 수 있고, 음식물이 많이 낄 수 있다.

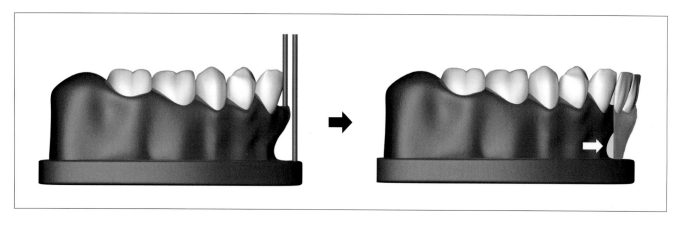

▲ 그림 6 전치부가 결손된 Kennedy Class IV의 경우 국소의치의 삽입철거로를 변경하지 않으면 발생되는 심미적 문제.

만약 위의 그림 6처럼 전치가 결손된 경우 수평적으로 서베잉되었을 때, 견치의 근심부와 전방부 치조제에서 언더컷을 만들게 된다. 최종 국소의치가 삽입 철거가 될 수 있도록 이러한 언더컷이 블록아웃되고 국소의치를 제작한다면 견치와 측절치 사이에 공간이 생기게 될 것이고, 국소의치의 레진 의치상은 연조직에 대해 적절히 맞지 않게 될 것이다. 이것은 결국 비심미적인 국소의치를 만들게 되는 것이다.

이러한 문제는 국소의치의 이탈로와 삽입철거로를 달리 함으로써 극복할 수 있다.

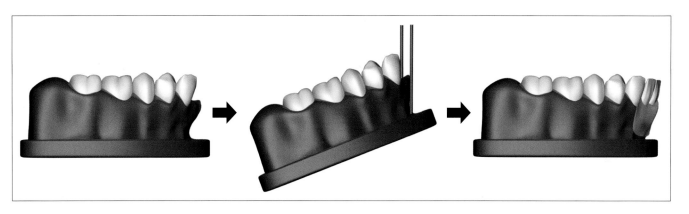

▲ 그림 7   모형을 후방 경사시켜 국소의치를 제작 시 심미적이고 조직에 잘 접합되는 국소의치 제작이 가능. 전치부 결손으로 구치부가 무거우니 후방 경사했다고 기억하자!

위 그림 7과 같이 후방 부위를 하방으로 경사시키면 앞쪽 부분이 들리고 기울어지게 된다. 이 상태에서 서베잉을 시행하여 국소의치의 삽입철거로(국소의치의 이탈로는 수직방향)를 정하면 국소의치는 틈을 남기지 않고 장착될 수 있다. 게다가 국소의치의 의치상은 견치의 하방으로 심미적으로 위치시킬 수 있어 상실된 치간 유두나 흡수된 치조골을 대체할 수 있게 된다.

K e y P o i n t

이렇게 국소의치의 삽입철거로와 이탈로를 달리하여야 최소한의 유지를 지대치에 부여할 수 있다. 우리는 학부 수업에서 항상 "최소한의 유지"를 부여하라는 말을 많이 들어 왔다. 국소의치의 삽입철거로와 국소의치의 기능 시 이탈로를 달리해 줌으로써 클라스프 단독 작용에 의해 국소의치가 떨어지는 것을 막는 것이 아니라 인접판(proximal plate, 부연결장치)에 의해 부수적으로 국소의치가 떨어지는 것을 방지할 수 있고, 치아나 임플란트 지대치의 언더컷을 효율적으로 이용함으로써 최소한의 유지를 적용 가능하게 된다. 특히 임플란트의 경우 유지 요소(클라스프)를 통해 안정을 부여한다면 더욱 유해한 측방 회전력이 전달될 수 있음을 다시 한 번 명심하자.

국소의치의 삽입철거로와 이탈로를 다르게 둔다면 언더컷은 어떻게 형성해 주어야 하는가?

Answer

국소의치의 삽입철거로와 기능 시 국소의치의 이탈로를 달리하게 되면 두 방향에 모두 탈락을 저항하는 언더컷을 얻어야 한다. 사실 이 부분이 어려운데, 삽입철거로와 이탈로 모두에서 국소의치의 유지력을 발휘해야 하기에 언더컷의 설정에 주의해야 한다.

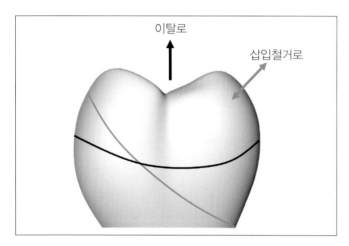
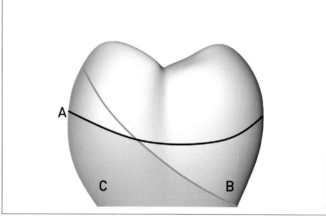

▲ 그림 8 국소의치의 삽입철거로와 이탈로에서 나타나는 공통 언더컷. 이탈로에서 그려지는 최대 풍융부는 선 A, 삽입철거로에서 그려지는 최대 풍융부는 선 B, 두 경로에서 공통적으로 작용되는 언더컷은 C 영역일 것이다.

위 그림 8의 검은 선 아래에 위치한 클라스프 팁은 교합면과 직각 방향(국소의치의 기능 시 이탈로)으로의 움직임에 저항할 것이다. 또한 푸른 선 아래 언더컷에 위치한 클라스프 팁은 국소의치의 삽입철거로에 대한 움직임에 저항할 것이다. 따라서 클라스프의 팁은 두 언더컷이 겹치는 부위(C 영역, 노란색 부위)에 위치하여야 국소의치의 기능 시 탈락과 국소의치의 삽입철거로 방향 모두의 움직임에 저항하게 되는 것이고, 이는 최소한의 유지력으로 그 기능을 극대화할 수 있게 된다.

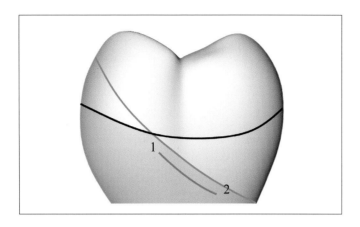

▲ 그림 9   클라스프 위치에 따른 국소의치의 유지력의 이해. 1 부위는 이탈로와 삽입철거로에서 비슷한 유지력을 가질 것이다. 2 부위에서는 이탈로에서 훨씬 큰 유지력을 가질 수 있겠다.

위 그림에서처럼 1—2 라인 상에 클라스프가 위치될 수 있으며 만약 1의 위치에 클라스프 tip이 위치한다면 국소의치의 삽입철거 시 느끼는 유지력은 탈락 시 느껴지는 유지력과 비슷할 것이나, 2에 위치한다면 1에 위치하는 것보다 국소의치가 기능 시 탈락하는 힘에 대한 저항은 훨씬 크게 될 것이다. 이 위치는 클라스프의 형태 및 종류, 환자의 기능 시 탈락력에 따라 술자가 판단하여 결정해야 할 것이다. 특히 너무 큰 탈락 저항력은 임플란트에 측방력을 가할 수 있으니 유지장치의 적절한 위치를 술자는 충분히 고려하여야 한다.

Key Point

치과의사는 진단과정에서 기공사와 상의하여 적절한 유지장치의 위치를 정하는 것이 좋으나 기공과정에서 치과의사의 참여가 어렵다면 기공사가 충분히 이런 이론을 이해하도록 교육하여야 하며, 완성된 국소의치에서도 구강 내에서 느껴지는 유지력을 적절히 평가하여 기공사에게 피드백할 수 있어야 한다. 특히 임플란트를 이용한 지대치를 고려한다면 과도한 측방력이 전달되지 않도록 치과의사는 기공사와 충분한 대화를 하여야 할 것이다. 저자는 국내 치과의료 시스템을 충분히 이해하고 있고 이런 제안이 어려울 수 있다는 것도 이해한다. 하지만 임플란트 지대치의 경우 좀더 신중하게 디자인해서 임플란트에 측방력을 최소화해야 한다는 전제를 기공사와 서로 공유한다면 더욱 이상적인 국소의치를 충분히 만들 수 있다고 생각한다.

그렇다면 모든 경우의 국소의치에서 삽입철거로와 이탈로를 달리해야 하는가?

저자는 위에서 설명한 것들을 후방연장 국소의치의 경우에는 최선을 다해 고려한다. 앞장에서 설명한 3종 지레의 단점을 최소화하기 위함이다. 치아 지지 국소의치에서는 충분히 많은 유도면을 가지는 경우가 많고 무치악부 양쪽 지대치에 클라스프가 걸리는 경우 유지력이 충분하기 때문에 삽입철거로와 이탈로에 대한 고려를 많이 하지 않아도 차이를 사실 느끼지 못하고 있다. 정말 명심해야 할 경우는 후방연장 국소의치와 같이 한쪽 끝에만 지대치를 가지는 경우이다.

후방연장 국소의치의 경우 탈락될 수 있는 영역이 치아 지지 국소의치보다 훨씬 넓기 때문에 클라스프의 기능을 더욱 효과적으로 만들어주도록 반드시 적절히 tilting시켜 삽입철거로를 결정해 주어야 한다.

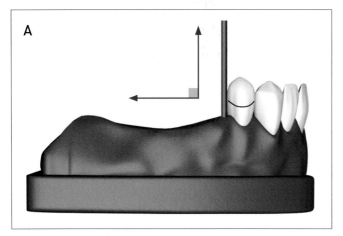

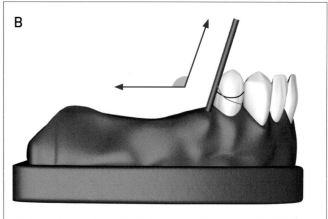

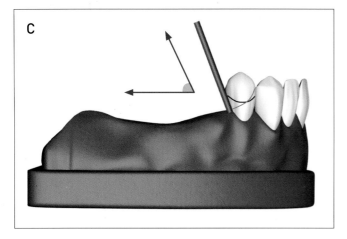

▲ 그림 10 후방연장 국소의치에서 삽입철거로의 결정. A는 이탈로와 삽입철거로를 같이 해주었다. B는 후방 경사하여 삽입로를 결정하였다. 이 경우 둔각으로 형성되어 국소의치의 움직임이 커질 것으로 예상된다. C는 전방 경사시켜 삽입철거로를 설정하였고, 예각으로 형성된 영역은 부연결장치에 의해 국소의치를 구속하고 움직임을 최소화할 수 있겠다(이해를 돕기 위해 과장해서 표현하였다. 이 정도로 과도한 tilting은 하지 않는다).

앞의 그림 10과 같이 탈락 방향의 수직적인 서베이는 국소의치가 직각으로 탈락하도록 만든다. 만약 캐스트를 전방으로 들어올려(이것을 posterior titling이라고 한다) 서베잉을 한다면 국소의치의 탈락 각도가 둔각으로 형성되고 탈락 영역이 증대되게 된다. 하지만 캐스트의 후방 부위를 들어올려(이것을 anterior tilting이라고 한다) 삽입로를 결정한다면 가장 작은 탈락 각도가 나오게 되고, 중요한 것이 이 경우 지대치의 원심 경사로 부연결장치(예: 인접판)가 위치함으로써 국소의치의 후방 부위의 회전운동을 구속할 수 있고, 국소의치의 움직임이 더 작게 나타날 수 있겠다.

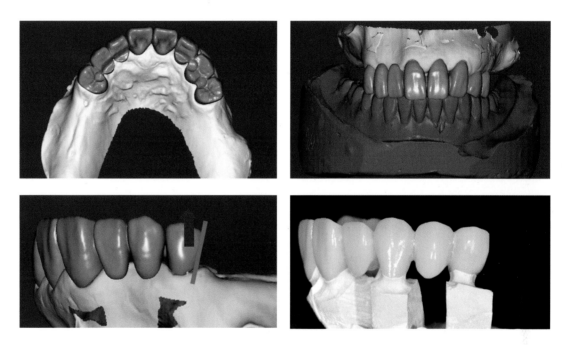

▲ 그림 11 국소의치의 이탈로(붉은색 화살표)와 삽입철거로(파란색 선)의 설정. 의도적으로 국소의치의 이탈로와 다른 방향으로의 삽입철거로를 설정 함으로써 후방 부위 회전운동을 구속하고 의치의 안정성을 더욱 증대할 수 있다. 이때 인접판의 삽입 방향과 레스트를 연결하는 모든 부연결장치의 삽입방향은 일치해야 할 것이다.

KeyPoint

따라서 앞선 질문 1에서와 같은 증상을 최소화하기 위해서는 위 그림과 같이 진단과정에서 상악모형을 전방 tilting시켜 지대치의 원심 언더컷이 수직적 탈락력에 저항할 수 있도록 예각으로 형성해 주는 것이 중요하며, 구강 내에서 치아형성이 불가능하면 surveyed crown으로 수복할 것을 추천한다.

참고문헌 >>>

1. Bezzon OL, MATTOS MGC, RIBERO RF. Surveying removable partial dentures: the importance of guiding planes and path of insertion for stability. The Journal of prosthetic dentistry, 1997;78:412-418.

2. Bohnenkamp DM. Removable partial dentures: clinical concepts. Dental Clinics of North America. 2014;58:69-89.

3. Chrystie JA. Principles of clasp retention: a review. Aust Dent J. 1988;33:96-100.

4. Coy RE, ARNOLD PD. Survey and design of diagnostic casts for removable partial dentures. The Journal of prosthetic dentistry. 1974;32:103-106.

5. Davenport J. Surveying. British dental journal. 2000;189:532.

6. Johnson DL1. Adapting a dental surveyor to function in two planes. J Prosthodont. 1993;2:206-210.

7. Johnson DL1. Retention for a removable partial denture. J Prosthodont. 1992;1:11-17.

8. Kratochvil FJ. Influence of occlusal rest position and clasp design on movement of abutment teeth. The Journal of Prosthetic Dentistry. 1963;13:114-124.

9. Stern WJ. Guiding planes in clasp reciprocation and retention. The Journal of prosthetic dentistry. 1975;34:408-414.

10. Stratton RJ, Wiebelt FJ. Surveying in removable partial denture design. Quintessence Dent Technol. 1984;8:237-242.

11. Wagner AG, FORGUE EG. A study of four methods of recording the path of insertion of removable partial dentures. The Journal of prosthetic dentistry. 1976;35:267-272.

12. 최신 국소의치학, 전국치과대학국소의치학교수 공저, 2012, 예낭아이앤씨.

13. 허성주. 국소의치 설계의 기본 원리. 대한치과의사협회지. 1992;30:375-378.

2.5
캔틸레버 지지(Cantilevered support)는
임플란트 지대치에서 더욱 위험할 수 있다

Question

캔틸레버 지지라는 말은 처음 들어보는데 이것이 무엇인가?

Answer

캔틸레버 지지는 간접 지지라고도 부른다. 간접유지라는 용어는 우리가 잘 알고 있다. 하지만 캔틸레버 지지 또는 간접 지지라는 용어는 생소할 것이다. 간접유지가 무엇이었나? 직접유지장치(클라스프 등)가 수직적으로 빠져서 효과적인 유지력을 얻을 수 있도록 도와주는 역할을 하는 것이다. 즉, 국소의치가 빠질 때 발생되는 회전축(지점선)의 전방에 위치한 딱딱한 벽(치아에 놓이는 레스트 또는 경구개 등과 같은 어느 정도 딱딱한 부분)이 있음으로 직접유지장치가 수직적으로 빠지도록 도와주고, 이는 직접유지장치가 효율적으로 작용할 수 있게 한다. 그렇다면 여기서 말하는 캔틸레버 지지 또한 직접 지지가 부족할 때 지지를 도와주는 측면이 있을 것이다. 하지만 이러한 캔틸레버 지지는 잘못 설계되었을 때 지대치에 큰 측방 회전력을 가할 수 있어 임플란트를 지대치로 한다면 더욱 위험할 수 있다.

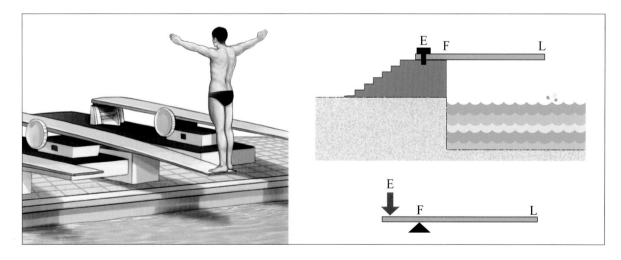

▲ 그림 1 캔틸레버 지지의 대표적 예. 수영장의 점프대는 1종 지레 운동을 하면서 E 부분이 강하게 고정되어 있어 L 부위에서 도약이 가능해진다.

앞서 2.3장에서 우리는 지레에 대해 충분히 이해하였다. 1종 지레는 구강 내에서 나타나는 운동에서 장점보다는 단점이 더 많은 듯하다. 위 그림 1은 수영장에서 다이빙 선수가 점프대에서 도약을 하고 있는 모습이다.

다이빙 선수가 서 있는 점프대의 하방에는 아무런 지지(수직적으로 저항하는 힘)가 없다. L 지점에서 도약을 할 때 F 지점에서 회전축이 생기고 E 점에 있는 고정 핀이 점프대를 지지하고 있다. 이 E의 작용이 간접 지지 또는 캔틸레버 지지인 것이다. 즉, L 점 하방에 딱딱한 받침이 있었다면 그것이 직접 지지가 될 것인데 그러한 직접 지지가 없는 상태에서 E의 고정 핀이 지지의 역할을 해주는 것이다. 만약 E의 고정 핀이 약하다면 다이빙 선수가 도약을 할 때 밑으로 떨어지고 말 것이다.

Question

캔틸레버 지지는 클라스프가 걸리는 회전축 전방의 지대치에 상당히 좋지 못한 힘을 전달할 것으로 보인다. 이런 경우를 무조건 피해야 하는가? 국소의치에서는 어떤 경우에 발생되는가?

Answer

이론적으로 좋지 않은 힘이 지대치에 가해질 가능성이 크지만 항상 피해야 하는 것은 아니다.

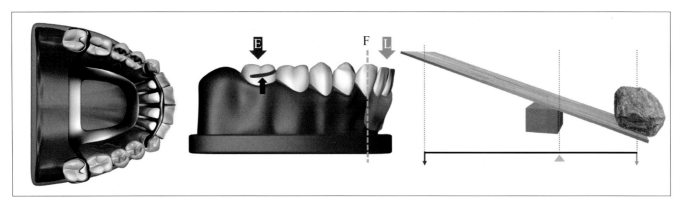

▲ 그림 2 캔틸레버 지지가 긍정적으로 사용되는 Kennedy Class IV 증례.

위 그림과 같이 Kennedy Class IV를 생각해보자. 상악 4전치가 결손되어 국소의치를 만들어야 하는 경우이다. 전치부가 결손된 뒤에 치조골의 흡수가 동반될 것이고, 흡수된 치조골을 보상하고 좀더 심미적인 보철물을 위해 국소의치를 선택할 수 있을 것이다. 이제 만들어진 국소의치의 전치부로 냉면을 끊어 먹는다고 가정해 보자. 4전치 하방에는 골 소실에 따른 치조골 지지의 상실로 양측 견치 레스트를 중심으로 회전이 일어나게 될 것이다. 이때 이 회전을 잡아주는 것은 제1대구치 언더컷에 위치한 클라스프들이다. 즉, 후방 구치에 위치한 클라스프가 캔틸레버 지지 또는 간접 지지의 역할을 하게 되어 전치의 회전을 막아주고, 이러한 캔틸레버 지지의 역할로 냉면을 끊을 수 있게 되는 것이다. 이때 대구치에 걸리는 클라스프의 유지력은 전치의 회전을 막을 수 있을 정도로 강해야 하며, 클라스프가 걸리는 치아나 임플란트 또한 충분히 강해야 할 것이다. 그렇지 않으면 힘을 견디지 못하는 클라스프가 파절되거나 지대치가 과도한 회전력에 손상 받을 것이다. 하지만 이런 경우 국소의치를 제작하는 경우에서는 다른 선택의 여지가 없고 캔틸레버 지지가 반드시 필요하다.

K e y P o i n t

위에서 보여준 Kennedy Class IV의 경우에도 캔틸레버 지지나 간접 지지를 설계함에 있어 1종 지렛대의 원리를 잘 적용해야 한다. 1종 지렛대 시스템에서도 분명한 것은 회전축으로부터 작업점까지의 거리가 멀수록 더 효과적으로 힘을 분산시킨다는 것을 명심하고 디자인하도록 한다. 즉, E-F 사이 거리가 멀수록 같은 L의 힘에서 더 적은 E의 힘으로 움직임을 막을 수 있을 것이다.

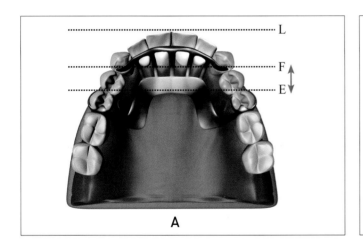 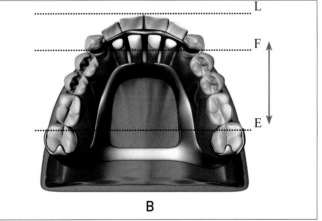

▲ 그림 3 켄티레버 지지를 위한 클라스프의 위치에 따른 차이.

위 그림 3처럼 4전치의 결손을 대체하는 국소의치를 제작한다고 할 때, 클라스프를 양측 소구치에 적용한 경우와 최후방 대구치에 적용한 경우를 비교해 보자. 두 경우에서 차이가 나는 것은 F(지레받침점, 회전축)과 E(클라스프의 저항점) 사이의 거리이다. 같은 1종 지렛대라도 F와 E 사이 거리가 길어질수록 같은 L의 힘에 저항하는 E의 값은 작아지게 될 것이다. 반대로 같은 클라스프의 저항이 있다고 가정했을 때 그 클라스프를 빠지게 만드는 힘은 두 그림 중 B 그림에서 훨씬 더 많은 L의 값이 필요할 것이다. 즉, 1종 지렛대의 원리를 잘 이해한다면 최소한의 힘을 지대치에 전달할 수 있게 되는 것이고 효율적인 캔틸레버 지지를 얻을 수 있겠다.

Question

그렇다면 상악 Kennedy Class IV에서 아래 그림과 같이 두 가지로 디자인하는 경우 그 차이는 무엇인가? 어떤 것이 더 좋은 디자인인가?

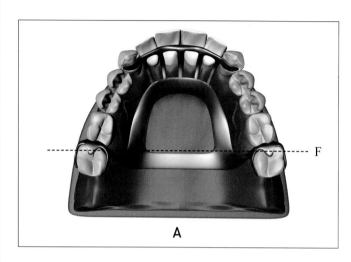

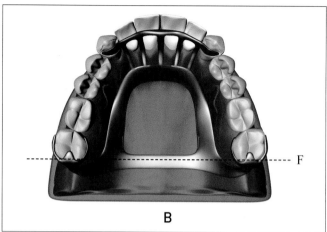

▲ 그림 4 상악 Kennedy Class IV에서 후방 지대치에 설계된 클라스프의 형태에 따른 차이. 같은 치아에 클라스프를 설계하더라도 그 방향에 따라 작용이 달라질 수 있다.

Answer

위 그림 4에서 캔틸레버 지지 및 간접 지지의 의미에서는 제2대구치의 클라스프 역할에서 큰 차이가 없을 듯하다. 하지만 상악에서 제2대구치 후방에서 들어오는 클라스프는 유지 작용에서 더 효율적일 수 있다. 먼저 두 경우 모두 적절한 언더컷 하방에 클라스프가 위치한다면, 전치부의 저작 시 거의 비슷한 캔틸레버 지지의 역할을 해줌으로써 전치부의 지지를 도와준다. 그렇다면 클라스프의 본연의 역할로 돌아가 보자. 앞니로 엿을 씹는다고 생각해 본다. 끈적한 엿을 씹었다가 벌릴 때 의치는 빠지려 할 것이다. 빠지려 할 때 회전축은 어디로 바뀌는가? 양측 견치가 아니라 양측 제2대구치의 레스트를 연결한 선이 회전축이 될 것이다. A 그림에서 틀니가 빠질 때 회전축(양측 제2대구치의 레스트를 연결한 선)을 중심으로 클라스프의 끝은 위로 올라가게 된다. 물론 그 움직임은 크지 않겠지만, 어떤가? 클라스프 본연의 유지(의치가 떨어지는데 저항하는 요소) 요소가 적절히 작동하는가? 반대로 B의 경우 앞쪽 의치가 빠지려 할 때 그 회전축은 제2대구치의 원심에 위치한 레스트를 이은 선이 되고 그 전방에 위치한 클라스프의 끝 부위는 유지력을 발휘하여 의치의 탈락에 저항하게 된다. 즉, 전치부에서 의치가 빠지는 운동이 일어날 때 A는 1종 지레, B는 클라스프를 작용점으로 하는 3종 지레가 된다.

다음 그림 5은 측방에서 보이는 그림이다.

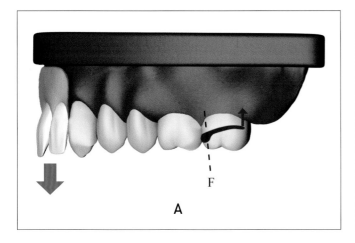
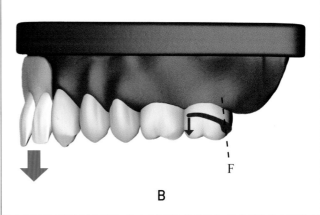

▲ 그림 5   전치부가 떨어지는 운동에서 후방 지대치에 위치한 클라스프 운동의 차이.

위 그림 5와 같이 A보다는 B에서 전치부의 탈락에 저항하는 능력이 더욱 뛰어나다는 것을 알 수 있다. 하지만 항상 그런 것은 아니다. 우리는 앞선 2.4장에서 의치의 이탈로와 삽입철거로에 대한 충분한 이해를 하였다.

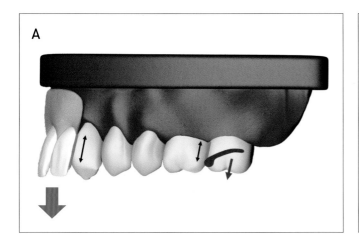
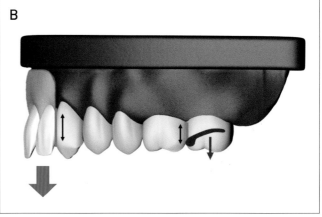

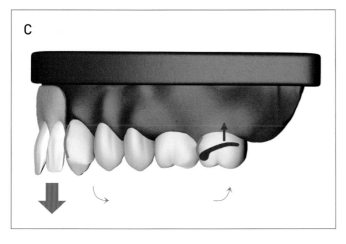

▲ 그림 6   그림 4, 5에 대한 작용을 예방하기 위한 유도면의 정확한 형성.

그림 6은 후방 tilting을 하여 서베잉을 함으로써 의치의 탈락 방향과 다른 의치의 삽입철거로를 견치 근심, 대구치의 인접면(부연결장치의 삽입 철거로)에 형성해 주었다. 이 경우 전치부에서 의치가 탈락하려 하더라도 잘 형성된 유도면 때문에 회전이 발생하지 않으며, 일부 탈락하려는 힘의 벡터가 의치의 삽입철거로를 따라 발생하게 되고, 이는 제2대구치에 위치한 클라스프가 적절히 유지 작용을 함으로써 의치의 탈락을 적절히 막을 수 있다. 만약 B처럼 의치의 이탈로와 삽입철거로를 같은 방향으로 형성하였다면 제2대구치에 걸리는 유지력이 더욱 커야 탈락을 방지할 수 있겠으나 잘 형성된 유도면 덕분에 많은 회전이 발생하지 않는다. 하지만 분명히 A보다는 의치가 더 잘 떨어질 것이 분명하다. 그렇다면 C는 어떤가? 삽입철거로를 결정하는 서베잉의 의미를 모르고 대충 유도면을 만들었다면 의치의 이탈로는 크게 열리게 되고, 의치는 회전을 하게 될 것이며, 이때 제2대구치 근심의 레스트를 중심으로 회전이 일어나게 되고, 결국 클라스프는 위로 들리게 된다. 즉, 초기에 유지 역할을 하지 못하게 된다는 것이다. 이런 의치는 특징적으로 밥을 먹을 때마다 의치가 덜컥덜컥 움직이고 안정감이 없다.

Question

그렇다면 캔틸레버 지지 또는 간접 지지가 지대치에 유해한 힘을 가하는 경우는 언제인가?

Answer

답을 하기 전에 꼭 언급해야 할 중요한 사항이 있다. 뒤에서도 계속 언급하겠지만, 국소의치의 움직임이 작거나 거의 없다면 또는 그 움직임의 양이 간접지지를 부여한 지대치가 극복할 수 있는 정도라면 위험성은 줄어든다. 다음 두 가지를 명심하자.

KeyPoint

(1) 지대치가 임플란트라면 분명히 자연치보다 움직임이 적고, 따라서 더욱 유해한 힘이 전달되지 않도록 조심해야 한다

(2) 국소의치의 금속 구조체 디자인은 의치에 가해지는 힘을 지대치에 효율적으로 전달하고, 의치에 의해 나타나는 힘이 지대치에 손상을 가하는 것을 최소화하도록 해야 한다. 하지만 이것이 디자인으로 불가능하다면, 인상을 잘 뜨고(예, 기능인상), 잘 맞는 의치상을 만들어 무치악 부위로의 회전운동을 최소화해야 하며, 그것도 불가능하다면 교합(예, 양측성 균형 교합 등) 조정을 통하여 의치의 움직임을 최소화해야 한다.

임플란트를 지대치로 이용하고, 지대치의 개수가 작다면 이러한 움직임을 막는 디자인, 인상, 교합에 의한 안정 요소들에 대해 더욱 신경 써야 한다.

이 부분은 앞으로 이 책을 통해 지속적으로 언급될 것이다.

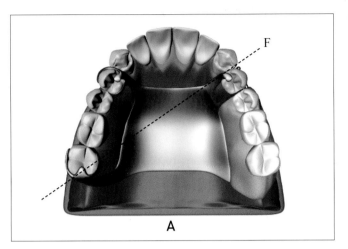
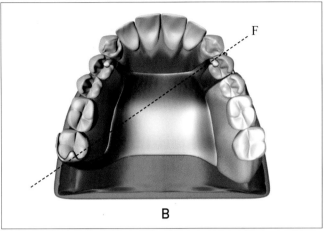

▲ 그림 7　Kennedy Class Ⅱ 증례에서 디자인의 차이에 대한 이해.

위 그림에서 좌측 A의 #14번에 걸려 있는 클라스프를 생각해보자. 만약 #20번대 구치부의 의치 하방 연조직이 견고하지 않다면 저작 시 움직임이 예상된다. 이때 #17, 24의 레스트를 연결한 지점 선을 중심으로 그 전방부에 위치한 #14번의 클라스프는 저작 시마다 치아를 뽑는 운동을 만들 가능성이 있다. 이런 경우 잘못된 캔틸레버 지지 또는 간접 지지의 적용이라고 볼 수 있다. 여기서 중요한 것은 의치상 하방의 연조직을 기능 인상을 통하여 인기하고, 정밀한 의치상을 만들었다면 의치의 움직임은 적을 것이고, 이런 경우 술자의 판단에 따라 클라스프를 만들어 주어도 무방하겠다. 오른쪽 B 그림과 같이 #14에 레스트만 형성하는 것도 좋겠다. 최소한의 유지를 부여하는 것이 치료의 목표라면 #17, 24의 클라스프만으로도 의치의 유지는 충분할 수 있다. #14의 레스트는 간접유지의 역할을 할 것이고, 부수적으로 의치의 수직적 지지를 제공하는 역할을 하게 될 것이다.

여기서 #17의 클라스프도 #20번대 저작 시 치아를 뽑지 않는가? 라고 의문을 갖는다면 디자인에 대한 이해도가 상당히 높은 독자라 생각된다. 대구치는 상대적으로 강하기 때문에 언급하지 않았다. 또한 그림 7의 경우는 상악 구개부에서 지지를 부여하고 있고 지대치가 많아 부연결장치들에 의해 충분한 안정성을 얻을 수 있기에, 잘 제작된다면 움직임이 거의 없는 국소의치가 될 것이다. 이해를 위해 설정한 그림으로 다양한 요소들을 충분히 이해하고 각 임상 상황에서 합리적으로 적용하면 되겠다.

Question

만약 그림 8처럼 2개의 임플란트를 식립하여 임플란트 지대치를 만들고 국소의치를 디자인하였다면 무엇을 고려해야 할까?

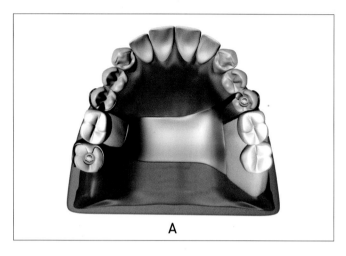

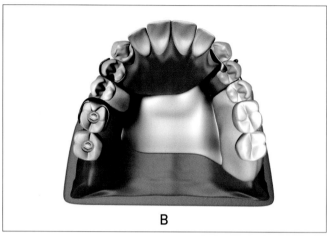

▲ 그림 8 임플란트 지대치를 이용하였을 때 캔틸레버 지지의 설계.

Answer

본 저자는 근본적으로 임플란트 지대치를 사용한다면 반드시 두 개 이상의 임플란트를 스플린팅한다. 본 질문은 어쩔 수 없는 경우에 만약에 이렇게 치료하였다는 가정하에 그림을 그린 것이니 오해 없길 바란다.

먼저 A에서 #17, 25에 임플란트를 식립하고 지대치를 만들었다고 가정해보자. 또한 모든 잔존치의 상태가 좋다고 가정한다. Kennedy Class II modification 1의 경우 #17, 25의 레스트를 연결한 지점 선을 중심으로 전방에 저절로 간접유지장치가 생긴다. #15의 레스트가 간접유지장치이다. 그런데 #15 부위의 클라스프는 간접 지지 또는 캔틸레버 지지의 기능을 할 수 있기 때문에 위험하다. 맞는가? 술자의 판단에 따라 달라질 수 있겠지만 #10번대는 치아 지지이고, #20번대 구치부 두 개가 상실된 경우로 상대적으로 지지 요소가 #17, 15, 25에 3개의 레스트를 가지고 있으며, 유도면도 #17 근심, #15 원심, #25 원심, #25 근심 부연결장치에 4개나 형성될 수 있다. 즉, 대부분의 움직임이 치아나 임플란트에 의해 잡혀 있기 때문에 #25의 캔틸레버 지지의 위험 요소는 거의 없다고 판단할 수 있다. 이런 판단이 술자에 의해 명확하다면 일반적인 클라스프를 달아도 된다고 본다. 만약 임플란트 지대치가 걱정된다면 가공선으로 대체하든지, 아님 과감하게 캔틸레버 지지의 가능성이 있는 클라스프를 제거해도 될 것이다.

상악에서는 B와 같이 두 개 이상의 임플란트를 스플린팅하여 지대치로 쓰는 것을 추천한다.

KeyPoint

국소의치의 디자인에는 명확한 답이 없다. 본 책에서 기술하는 의치의 움직임과 역학적인 이해를 바탕으로 술자가 결정을 내리면 된다. 하지만 발생하는 모든 문제(의치의 파절, 지대치의 손상, 특히 임플란트 지대치의 손상 등)에 대해 술자가 책임을 져야 함으로, 알고 있는 지식을 바탕으로 가장 조심스러운 설계가 필요하다고 생각한다.

다시 한 번 강조하지만 임플란트가 융합되어 있는 국소의치는 더욱 기본에 충실하여야 하며, 효과적인 의치 설계를 할 수 있는 위치에 전략적으로 임플란트를 식립할 수 있는 능력이 필요하다.

참고문헌 >>>

1. Applegate OC. Use of the paralleling surveyor in modern partial denture construction. The Journal of the American Dental Association. 1940;27:1397-1407.

2. Avant WE. Indirect retention in partial denture design. J Prosthet Dent. 2003;90:1-5.

3. Ben-Ur Z1, Aviv I, Maharshak B. Factors affecting displacement of free-end saddle removable partial dentures. Quintessence Int. 1991;22:23-7.

4. Bezzon OL, MATTOS MGC, RIBERO RF. Surveying removable partial dentures: the importance of guiding planes and path of insertion for stability. The Journal of prosthetic dentistry. 1997;78:412-418.

5. Bezzon OL, Ribeiro RF, Pagnano VO. Device for recording the path of insertion for removable partial dentures. The Journal of prosthetic dentistry. 2000;84:136-138.

6. Clark RK1, Chow TW. A reappraisal of indirect retention in removable partial dentures with long bilateral distal-extension saddles. Quintessence Int. 1995;26:253-255.

7. Frank RP, Nicholls JI. An investigation of the effectiveness of indirect retainers. J Prosthet Dent. 1977;38:494-506.

8. LaVere AM1 clasp retention: the effects of five variables. J Prosthodont. 1993;2:126-131.

9. Mijiritsky E1. Implants in conjunction with removable partial dentures: a literature review. Implant Dent. 2007;16:146-54.

10. Preston KP1. The bilateral distal extension removable partial denture: mechanical problems and solutions. Eur J Prosthodont Restor Dent. 2007;15:115-121.

11. Stern WJ. Guiding planes in clasp reciprocation and retention. The Journal of prosthetic dentistry, 1975;34:408-414.

12. 계기성, 권혁신. 가철성 국소의치학. 나래출판사. 2000;121-128.

13. 국소의치 설계의 핵심, 전국치과대학국소의치학교수 공저, 2015, 예낭아이앤씨.

CHAPTER 3

소수 임플란트 융합 국소의치의 성공은 안정 요소의 이해에서 시작한다!

학습목표

Chapter 3 에서는 소수 임플란트를 이용한 국소의치의 디자인에 대해 본격적으로 알아보기 전에 치아 지지 국소의치와 치아 및 조직 지지 국소의치에서 발생할 수 있는 운동을 막는 방법에 대해 구체적으로 생각해보고자 한다. 본 책에서 말하는 치아라 함은 자연치와 임플란트를 포함한 것임을 다시 한 번 언급한다.

본 장에서는 안정이라는 요소를 얻기 위한 디자인적 측면, 인상채득 방법, 교합형성 방법, 첨상의 이해에 대해 심도 있는 설명을 할 예정이다. Chapter 3을 완벽히 이해하고, Chapter 4의 증례들로 넘어가야 이해가 더 쉬울 것이다.

3.1
소수 임플란트 융합 국소의치의 성공은
안정 요소의 이해에서 시작한다!

Q u e s t i o n

국소의치는 앞서 3가지 회전운동이 일어난다고 했다. 임플란트를 추가적으로 심어서 지대치로 이용한다면 그러한 움직임이 최소화되지 않을까?

A n s w e r

이 질문에 대한 답은 정해져 있는 것이 아니므로, 술자가 그때 그때 상황 파악을 잘하여 판단하여야 한다.

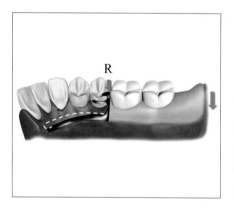 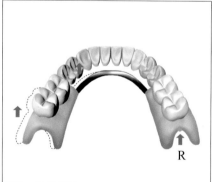 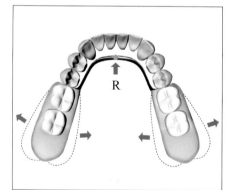

▲ 그림 1 국소의치에서 나타나는 3가지 운동에 대한 이해.

위 그림 1과 같이 국소의치는 3가지 회전운동이 발생할 수 있다. 다시 복습하면, 첫째는 최후방 지대치 레스트를 축으로 하는 운동이다. 이러한 운동은 앞서 설명한 바와 같이 후방연장 국소의치에서 일반적으로 나타난다. 둘째는 한쪽의 무치악부 치조골을 중심으로 반대편 의치가 들리는 회전 운동이다. 이러한 운동은 한쪽 무치악부의 골 흡수가 심하여 치조골정보다 협측으로 나와 있는 인공치아에 교합력이 주어졌을 때 발생될 수 있다. 셋째 운동은 의치의 중심에서 좌우로 흔들리는

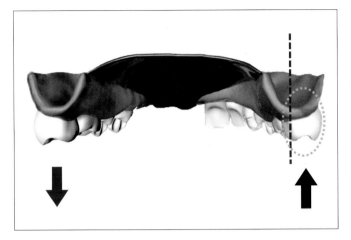 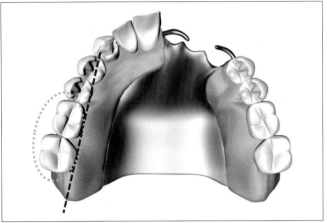

▲ 그림 2 잔존 지대치의 수가 작고, 협측 골 흡수가 심한 상황에서 치조골정보다 협측으로 위치한 치아에 교합력이 작용할 때 나타날 수 있는 운동의 이해(붉은선: 치조골정 위치).

운동이다. 보통 지대치가 적거나 충분한 유도면이 없을 때, 의치상에 적절한 안정 요소가 부여되지 않았을 때 발생할 수 있다.

앞서 설명한 운동의 두 번째 운동은 위의 그림 2와 같은 경우 심각하게 발생할 수 있다. 무치악부의 협측 골이 심하게 흡수되었을 경우 위 그림 2처럼 치조골정(붉은색 라인)보다 인공치가 더 바깥쪽으로 위치하게 된다(노란색 원). 이 경우 우측 인공치에 교합력이 가해질 때 1종 지레가 생기고 치조골정을 중심으로 반대편 의치 부위가 떨어지게 된다. 이런 회전운동은 지대치가 적절히 위치하고 충분히 회전을 막을 수 있는 위치에 있다면 큰 문제가 되지 않을 수 있으나, 지대치가 그 회전을 감당하지 못한다면 양측성 균형 교합을 만들어 주거나 의도적으로 구치부 반대교합을 형성해줄 수 있다. 교합과 관련된 내용은 다음 장에 자세히 다루도록 한다.

이러한 회전운동에 저항하는 요소가 안정 요소이다. 학생 때 배웠듯이 안정 요소는 일차적으로 지대치에 의해 부여된다.

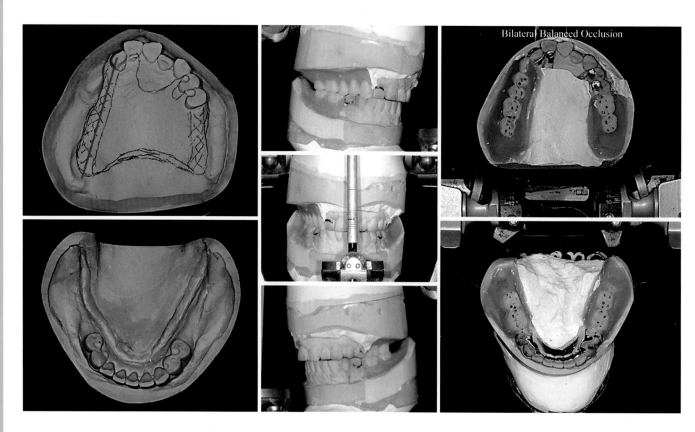

▲ 그림 3 상악 무치악 협측 골의 심한 흡수로 의치의 좌우 회전이 예측될 경우 양측성 균형 교합을 고려. 지대치가 충분하지 못하고, 잔존치조제의 기능인상이 어렵다면 교합적 고려사항으로 해결할 수 있다.

그림 4의 A와 같이 건전한 지대치가 충분히 존재한다면 치아 지지 국소의치로 디자인이 가능하며, 4개의 지대치의 인접면에 의치의 삽입로와 평행한 유도면이 형성된다. 또한 지대치 설면에는 보상암이 놓이게 되고, 이들 클라스프와 레스트를 연결해 주는 부연결장치(인접판도 부연결장치)가 지대치에 긴밀히 접촉함으로써 앞서 언급한 운동들을 모두 잡아줄 수 있다. 완전 무치악 환자에서 B와 같이 4개의 임플란트를 식립하여 overdenture를 만들었다면 이 또한 4개의 임플란트에 의해 모든 움직임이 차단되는 치아 지지 국소의치와 동일한 개념으로 받아들일 수 있다(물론 4개의 임플란트로 bar를 만들더라도 움직임을 허용하는 구조로 제작할 수 있다. 이 부분은 chapter 4에서 자세히 설명된다). 하지만 C와 같이 2개의 임플란트를 식립한다면 두 임플란트를 중심으로 연결한 회전축이 생기게 되고 이는 후방연장 국소의치와 동일한 개념으로 이해해야 한다.

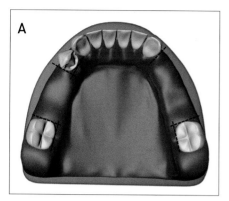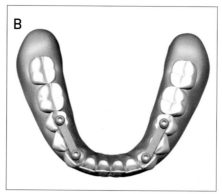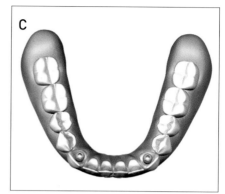

▲ 그림 4 지대치(자연치나 임플란트) 개수에 따른 안정 요소의 이해.

K e y P o i n t

임플란트를 이용하여 국소의치를 제작하더라도 움직임이 생길 수 있는 경우(그림 4의 C)에는 그 움직임이 지대치로(특히 임플란트) 그대로 전달되도록 해서는 안 된다. 임플란트 지대치를 이용하는 경우에는 더욱 신중하게 판단하여 그 회전운동이 최소화 되도록 의치자체에 안정 요소를 충분히 부여하는 것이 중요하다.

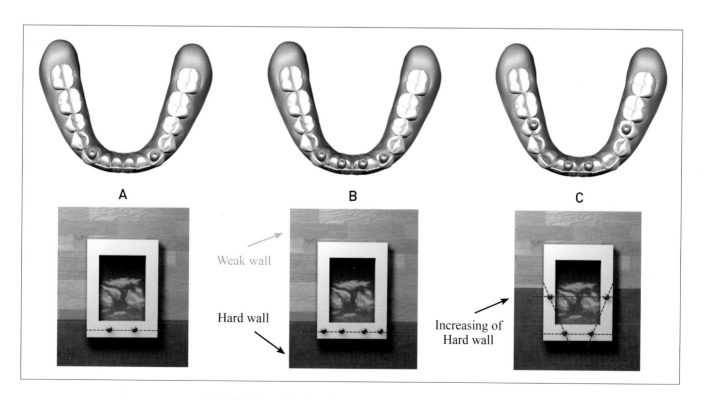

▲ 그림 5 임플란트 식립 개수와 위치에 따른 overdenture의 안정성 비교.

그림 5의 B와 같이 4개의 임플란트를 식립하였고 움직임을 허용하는 solitary type의 attachment 를 사용하더라도, B의 경우처럼 4개를 일직선으로 식립한다면 유지만 증가하는 것이지 안정 요소 측면에서는 A와 동일하다. 반면 C의 경우처럼 전후방으로 거리를 두고 식립한다면 임플란트에 의한 안정 요소가 증대되게 되고 액자 그림처럼 딱딱한 벽의 영역이 커지게 되어 의치의 움직임이 적어질 것이다. 하지만 임플란트 지대치에 가해지는 지지 및 안정 요소는 더욱 커질 수 있겠다.

K e y P o i n t

임플란트의 개수가 의치의 안정에 절대적인 영향을 주는 것이 아니다. 적절한 개수와 적절한 위치에 식립된 임플란트가 충분히 안정 요소를 부여하게 된다.

Q u e s t i o n

지대치에 의해 완전히 지지되지 못하고 안정 요소가 부여되지 못하는 국소의치에서 디자인 시 꼭 고려되어야 하는 것은 무엇인가?

A n s w e r

지대치에 의해 완전히 잡혀 있지 않은 국소의치는 필연적으로 회전운동이 발생하게 된다. 이러한 회전운동을 무조건 막으려 한다면 그 만큼 지대치에 과도한 힘이 전달되게 된다. 중요한 것은 어쩔 수 없이 회전운동이 발생된다면 그 운동을 허용하여 지대치 뿐만 아니라 잔존치조제에도 힘을 전달하게 해야 하며, 운동을 허용할 수 밖에 없다면 지대치에 가해지는 외력을 최소화하는 방향으로 디자인해야 한다는 것이 중요하다.

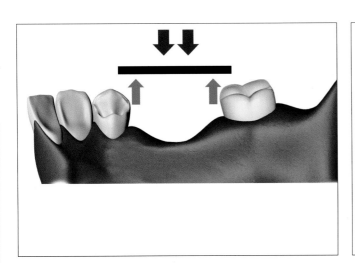
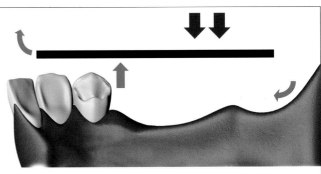

Memorize!
Posterior extension RPD
: Direct retainer must be stress breaker.
  Indirect retainer is essential.

▲ 그림 6 치아 지지 국소의치와 후방연장 국소의치에서 나타나는 움직임의 차이. 후방연장 국소의치에서 회전에 의해 발생되는 힘이 지대치에 전달되는 것을 최소화하기 위해 의치의 기능 운동을 허용하는 형태의 직접유지장치와 그 직접유지장치가 수직적으로 작용하도록 도와주는 간접유지장치를 반드시 가져야 한다.

그림 6과 같이 치아 지지 국소의치에서는 수직적인 침하는 레스트만 적절히 잘 부여한다면 충분히 막을 수 있다. 하지만 후방연장 국소의치에서는 최후방 지대치의 지점선을 축으로 한 수직적 회전운동은 피할 수 없다. 앞서 말한 3가지 국소의치의 움직임에서 지점선을 중심으로 위, 아래로 동요하는 움직임은 적절한 국소의치 디자인으로 막을 수도 있고, 또는 이 움직임으로 지대치에 전달되는 좋지 못한 외력을 줄일 수 있다.

KeyPoint

다음은 무조건 외운다!
후방연장 국소의치에서는 회전에 의해 발생되는 힘이 지대치에 전달되는 것을 최소화하기 위해 국소의치의 기능운동을 허용하는 형태의 직접유지장치와 의치가 탈락될 때 직접유지장치가 수직적으로 작용하도록 도와주는 간접유지장치를 반드시 가져야 한다.

Question
교합력에 대해 국소의치가 침하하는 것을 막아 주어 의치의 동요를 최소화하기 위한 고려사항은 무엇인가?

Answer

먼저 국소의치의 침하를 최소하기 위한 고려사항은 다음과 같다.
(1) 적절한 위치와 형태를 갖는 레스트.
(2) 충분한 강도를 가지는 주연결장치와 부연결장치.
(3) 의치상을 충분히 연장하고 필요에 따라 기능 인상을 채득하여 무치악부 치조제에 힘을 분산.
(4) 충분한 지대치가 없고, 무치악 부위에 효과적인 힘의 배분이 어렵다고 판단될 때 교합적 고려를 통한 움직임의 최소화.

본 책에서는 2번 항에 대해 구체적으로 언급하지 않겠다. 기본적인 내용으로 다양한 주연결장치들, 부연결장치들에 대한 내용은 교과서를 참조하길 바란다.

먼저 적절한 위치와 형태를 갖는 레스트에 대해 두 가지만 언급하고자 한다.
첫째, 레스트와 레스트를 연결하는 부연결장치는 수직적인 교합력을 견딜 수 있도록 아주 튼튼해야 한다. 레스트와 연결되는 부연결장치의 최소 두께는 1~1.5 mm가 되도록 한다.

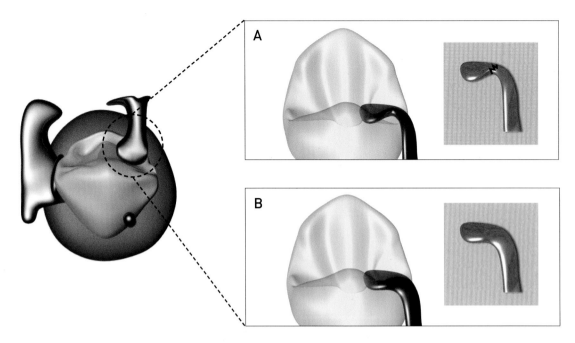

▲ 그림 7   레스트와 연결되는 부연결장치의 두께가 충분하지 않아 파절되는 경우가 빈번.

또한 레스트는 부연결장치와 예각으로 만나야 하는데, 그렇지 않으면 저작압이 가해질 때마다 지대치를 수평적으로 미는 힘이 작용하게 된다.

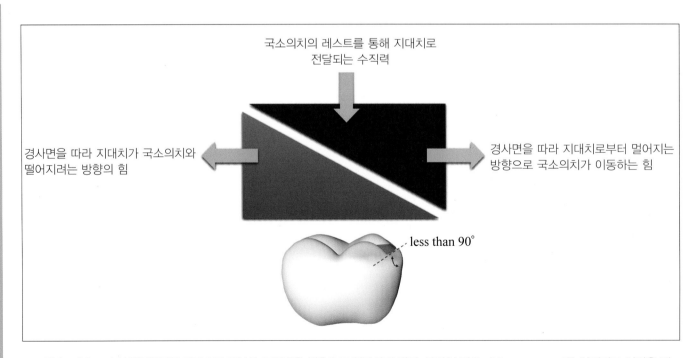

▲ 그림 8   레스트가 부연결장치와 예각으로 만나야 교합력을 장축으로 전달하게 된다. 둔각일 경우 sliding movement를 야기하고 이것은 지대치에 수평력을 증대시키게 된다.

둘째, 후방연장 국소의치에서 무치악 부위에 인접한 지대치의 교합면 레스트는 근심에 놓여야 교합력을 더 수직적으로 잔존치조제에 전달한다.

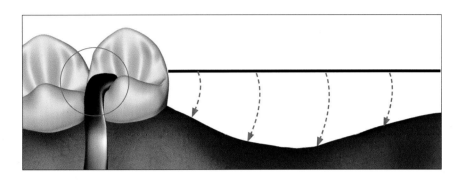

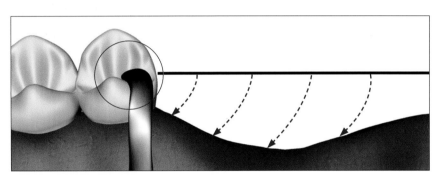

▲ 그림 9　후방연장 국소의치에서 최후방 지대치의 레스트 위치에 대한 이해. 후방연장 국소의치에서 최후방 지대치의 교합면 레스트가 근심에 위치하는 것이 원심에 위치하는 것보다 회전축에 대한 회전운동이 크므로 잔존치조제에 더욱 수직적 외력을 가할 수 있다.

또한, 지대치의 관점에서도 지대치의 원심에 레스트가 위치할 경우 저작압이 가해졌을 때 레스트보다 전방에 위치한 클라스프가 1종 지레 작용으로 지대치를 잡아 뽑는 운동을 할 가능성이 있다. 만약 근심에 레스트가 위치한다면 레스트보다 후방에 위치되는 클라스프는 의치가 회전되는 전하방으로 이동함으로써 지대치에 유해한 힘을 최소화할 수 있을 것이다. 이러한 클라스프를 의치의 기능 운동을 허용하는 클라스프라고 한다.

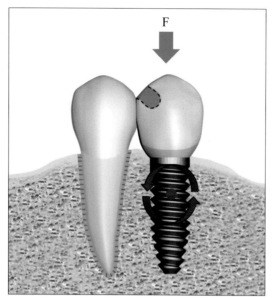
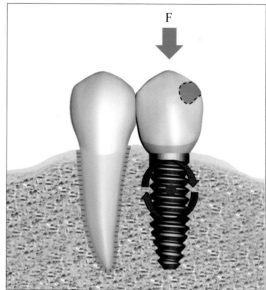
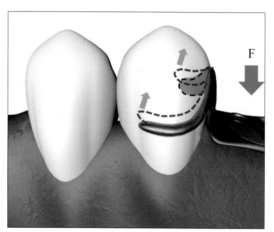
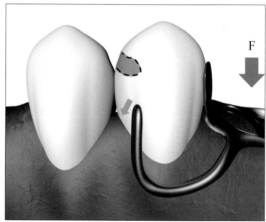

▲ 그림 10　후방연장 국소의치에서 근심 레스트를 부여함으로써 얻는 이득. 위 그림과 같이 시계반대방향으로 회
　　　　　전력이 지대치에 작용하여 전방의 잔존치아 쪽으로 스트레스를 전달할 수 있다. 반대로 원심에 위치할
　　　　　때는 시계방향의 회전력이 작용하여 지대치를 원심으로 이동시키는 외력이 작용된다. 또한 레스트가 근
　　　　　심에 위치함으로써 클라스프는 의치의 수직력이 작용 시 즉시 지대치에서 전하방으로 떨어져서 지대
　　　　　치에 외력을 줄일 수 있게 된다.

Question

후방연장 국소의치의 침하를 막기 위해 최선을 다하였다 하더라도 후방 연조직으로의 침하를 피할 수 없는
경우가 있을 것이다. 그렇다면 의치의 침하에 있어 지대치가 손상 받지 않도록 배려하는
디자인적 고려 사항은 무엇인가?

Answer

　　　　앞서 기술한 바와 같이 후방연장 국소의치에서 유지장치를 디자인할 때 국소의치의 침하 운동을

허용하는 클라스프를 디자인하여 치아를 보호하는 것이 중요하다. 이러한 클라스프 디자인은 이전에 배운 RPI, RPA, 가공선(wrought wire) 클라스프 등이 포함된다.

RPI나 RPA 시스템은 형태적인 고려를 통해 지대치에 힘을 최소화하는 것이고, 가공선의 이용은 재료의 물성(탄성이 높은 소재의 사용)을 통해 지대치에 전달되는 힘을 줄이고자 하는 것이다.

그렇다면 RPI와 RPA에 대해 좀더 구체적으로 알아보자.

RPI는 근심 레스트, 인접판, I-bar를 갖는 클라스프 복합체이고, RPA는 I-bar 대신 Arm-shaped retentive 클라스프를 갖는 것이다. 두 가지 모두 원리는 같으나 대부분의 임상가가 알고 있듯이 조직부 언더컷이 심하거나 I-bar를 설계할 만큼의 공간이 부족할 때(vestibule의 깊이가 얕을 때) RPA를 쓰게 된다.

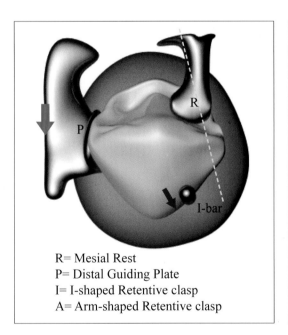

R= Mesial Rest
P= Distal Guiding Plate
I= I-shaped Retentive clasp
A= Arm-shaped Retentive clasp

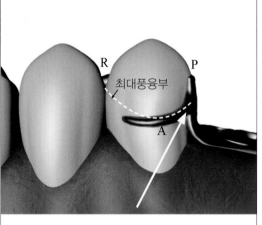

클라스프의 기시부는 회전운동을 방해하지 않도록 최대풍융부를 따라 위치하거나, 충분히 릴리프(relief) 되어야 한다.

▲ 그림 11 RPI와 RPA의 비교. 두 시스템 모두 반드시 근심 레스트를 만들어야 하고, 보상암이 없으므로 인접판이 치아의 설측으로 약간 연장되도록 하여 안정을 부여해야 한다. 무치악 부위에 교합력이 가해지면 근심 레스트를 중심으로 약간의 회전을 허용하게 하여 I-bar가 전하방으로 떨어지게 함으로써 지대치에 유해한 힘의 전달을 막는다. RPA에서는 클라스프의 기시부가 회전운동을 방해하지 않도록 최대 풍융부를 따라 시작되거나 충분히 릴리프가 되어야 한다. 그렇지 않으면 약간의 회전운동에서 클라스프 기시부가 지대치 최대 풍융부에 접촉하게 되고, 이 부분이 회전축으로 변하게 되어 근심 레스트가 뜨고, 이어서 클라스프는 지대치를 잡아 뽑는 운동을 하게 되는 것이다. 술자는 금속 구조체 시적 시 이 부분을 잘 확인해야 한다.

RPI 시스템은 레스트, 클라스프, 인접판 요소들을 적절히 조절함으로써 저작 시 후방연장 국소의치에 가해지는 힘을 지대치로 전달할 것인지 아니면 잔존치조제 쪽으로 전달할 것인지를 결정지을 수 있다. 여기에는 Kratochvil, Krol, Demer의 개념(concept)이 있는데, 어떤 개념이 더 좋고 나쁘냐 하는 것은 규정할 수 없으며 지대치의 상태에 따라 술자가 적절히 선택해야 한다.

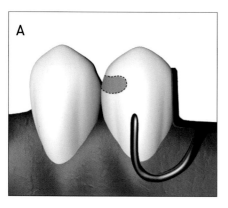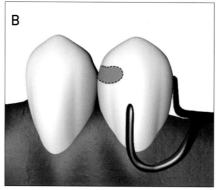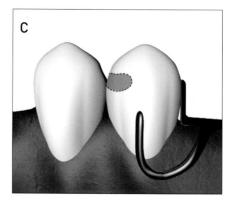

▲ 그림 12 RPI 개념 차이의 이해. A. 크고 명확한 레스트를 부여하고, 유도면은 치은 가까이까지 내리고 인접판을 완전히 밀착시켜 공간을 허용하지 않는다. 이 경우 무치악부 교합력에 대한 힘의 수평력을 모두 지대치로 전달하게 된다. 지대치가 아주 건강하거나, 임플란트 다수를 지대치로 묶어 사용하는 경우라면 사용해도 무리가 없을 것이다. B. 레스트를 작게 만들고 유도면은 교합면 1/3 부위에 2~3 mm 길이로 형성해 주었다. 인접판은 단지 1 mm 정도만 접촉하게 만들어 줌으로써 저작압이 가해지면 인접판이 즉시 인접면 언더컷으로 빠져나가게 만들었다. 이 개념은 운동을 최대한 허용하고 교합력을 잔존치조제로 최대한 전달하겠다는 의도이다. C. 임상에서 일반적으로 적용하는 개념이다. A와 B의 중간 정도로 운동을 적절히 허용한다고 보면 된다.

위 그림 12의 B의 경우 약간의 문제가 있는데, 교합력에 의해 의치가 회전할 때 인접판이 바로 지대치에서 떨어진다는 것이다. 이 경우 인접판이 떨어지면서 클라스프 tip 부위가 지대치에 먼저 걸리면서 1종 지레를 만들어 레스트를 뜨게 만들 수 있다. 즉, 안정성이 많이 떨어지고 오히려 지대치에 잘못된 외력이 주어질 수 있다. 명심할 것은 인접판은 부연결장치이고 안정의 역할을 담당한다. 따라서 의치를 삽입할 때부터 완전히 삽입될 때까지, 의치가 기능할 때도 항상 지대치에 붙어 있어야 모든 구성요소들이 절적한 기능을 할 수 있게 된다.

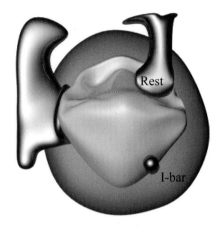

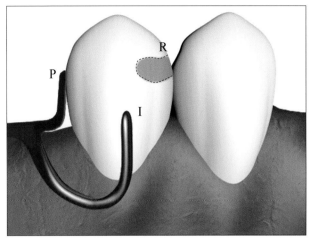

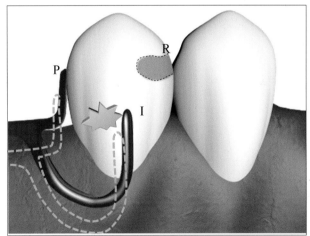

▲ 그림 13 Krol의 RPI 개념. 인접판은 부연결장치이자 안정 요소로써 의치의 착탈 시, 의치의 기능 운동시 항상 지대치에 붙어 있어야 안정을 얻을 수 있다. 이 개념은 인접판이 작은 회전운동에도 바로 지대치와 떨어질 수 있고, 클라스프 끝부분이 지대치에 밀접하게 접촉함으로써 새로운 회전축으로 작용할 가능성이 너무 크다.

따라서 본 저자는 자연치와 임플란트 지대치를 사용하는 모든 경우에 있어 너무 과도한 측방 외력을 지대치에 전달할 가능성이 있는 Kratochvil의 개념과, 안정성이 상실될 가능성이 큰 Krol의 개념은 가급적 피하고, 그 중간인 Demer의 개념을 따라 RPI나 RPA를 디자인한다.

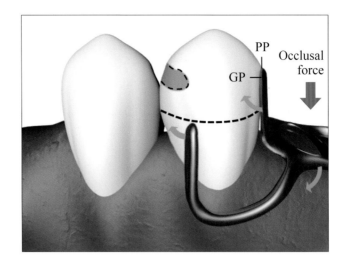

▲ 그림 14 Demer의 개념. 지대치의 원심 변연 융선에서부터 치경부 1/3과 중간 1/3의 경계부까지 유도면을 형성한 후 인접판은 유도면 전체 길이에 접촉하도록 한다. 접촉 유도면에 인접판의 접촉을 유지하며 약간의 회전을 허용하며, 저작 시 기능력을 지대치와 치조제에 좀더 균등하게 분산시킬 수 있다. 이때 중요한 것은 운동을 어느 정도 허용하더라도 인접판은 기능 중에 지대치의 인접면에서 절대로 떨어져서는 안 된다는 것이다.

또한 **RPI**를 디자인할 때 한가지 더 고려할 사항은 레스트를 연결하는 부연결장치의 근심쪽 운동을 약간 허용해 주라는 것이다.

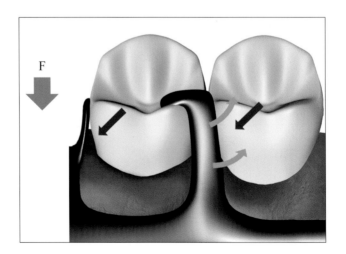

▲ 그림 15 RPI에서 레스트를 연결하는 부연결장치의 설측 모습. 무치악에 교합력이 가해졌을 때 의치의 운동을 약간 허용한다면 설측에 위치한 부연결장치가 전상방으로 회전하려 할 것이다. 이때 부연결장치의 근심면이 완전히 치아와 접촉해 있다면 이러한 회전운동을 방해하고, 주 지대치 전방 치아에 수평력을 전달하게 될 것이다. 만약 두 치아가 브릿지로 묶여 있지 않다면 치아 사이가 벌어지거나 인접한 치아가 손상을 받을 가능성도 있겠다. 또는 종종 레스트를 연결하는 부연결장치가 파절되는 경우도 있다.

마지막으로 주의할 점은 RPI 시스템에서 I-bar의 위치이다.

그림 16에서와 같이 I-bar는 B-C 사이에 위치시키는 것을 추천한다.

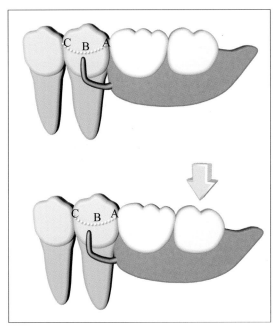
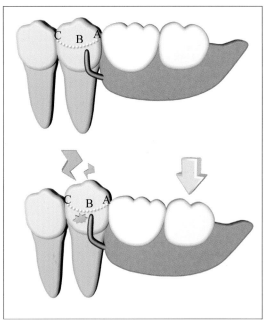

▲ 그림 16 RPI 시스템에서 약간의 운동을 허용할 때 I-bar의 적절한 위치. 회전운동이 일어날 때 클라스프는 전하방 또는 전상방으로 약간의 회전이 발생한다. 이때 I-bar가 A에 위치한다면 저작 시마다 I-bar는 지대치를 미는 힘이 발생할 것이다. 따라서 B-C위치가 적절하다고 하겠다. 하지만 너무 C 방향으로 위치한다면 회전축인 레스트보다 전방으로 클라스프가 위치할 수 있고, 이 경우 1종 지레가 생겨 지대치를 뽑는 힘이 작용될 가능성이 있으니 주의해야 할 것이다.

Q u e s t i o n

그렇다면 후방연장 국소의치에서 RPI나 RPA를 최후방 지대치에 적용한다면 의치의 기능 운동 중에 자연치나 임플란트 지대치는 항상 안전하겠군?

A n s w e r

절대로 그렇지 않다.

앞서 기술한 내용을 충분히 이해하였다면, RPI나 RPA를 잘만 설계한다면 의치의 기능 시에 지대치에 유해한 힘이 줄어들 것이라 생각할 것이다. 하지만 RPI나 RPA의 설계도 중요하지만 그러한 클라스프 복합체의 위치도 중요하다는 것을 잘 이해하여야 한다. 이러한 내용은 혹시나 술자가 소수의 임플란트를 식립하여 지대치로 사용하고자 할 때 어디에 임플란트를 심어야 하는지에 대한 답을 제시하는 것이니 확실히 이해하고 넘어가야 한다.

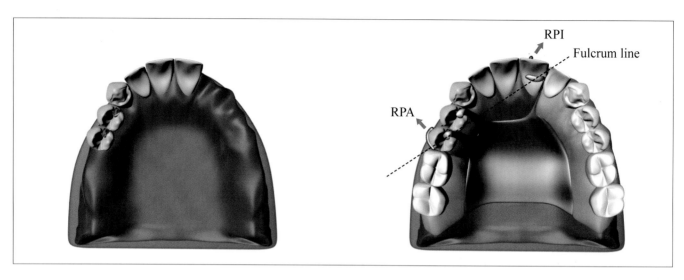

▲ 그림 17 #15=11까지 지대치를 가지는 국소의치에서 RPI, RPA의 사용. #15와 #11을 따로 보면 분명히 의치의 움직임을 허용하는 RPI와 RPA 디자인을 적용하였다. 하지만 지점선(fulcrum line)을 중심으로 무치악부가 침하되는 방향으로 회전할 때 RPI와 RPA 클라스프가 지대치를 잡아 뽑는 방향으로 움직인다.

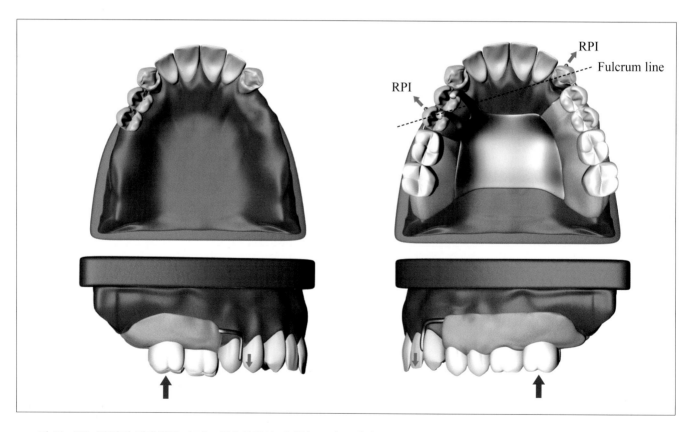

▲ 그림 18 #15=23까지 지대치를 가지는 국소의치의 디자인. 그림 17에서 #22, 23 치아를 첨가해보았다. 이 경우도 #23, #15는 I-bar가 지점선(fulcrum line)의 전방에 위치하여 1종 지레를 만들고 구치부 저작 시 I-bar가 지대치를 뽑는 작용을 할 가능성이 존재한다.

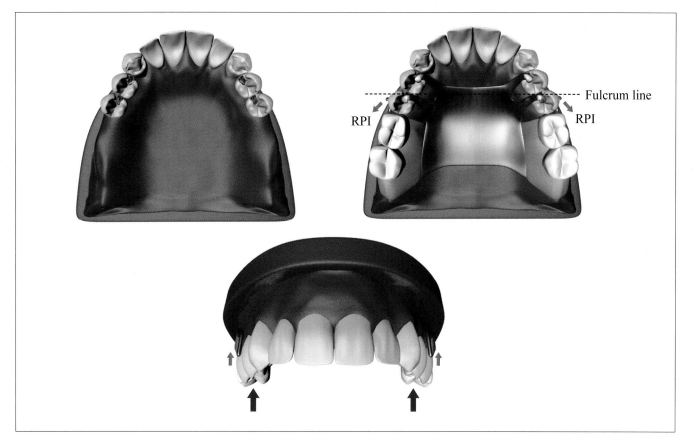

▲ 그림 19 #15=25까지 지대치를 가지는 경우의 디자인. 이 경우 지점선(fulcrum line) 후방으로 클라스프가 위치하여 무치악부 의치
상 하방 침하 시 어느 정도 운동을 허용할 수 있는 진정한 RPI 시스템을 만들게 된다.

K e y P o i n t

술자는 후방연장 국소의치를 디자인할 때 저작 시 의치의 움직임을 허용하는 클라스프를 디자인
하고자 한다면 최후방 지대치의 레스트를 중심으로 하는 회전 운동을 머릿속으로 그려보고 국소
의치의 전체적인 움직임을 예측할 수 있어야 한다. 만약 디자인으로 의치의 움직임을 허용하는 구
조가 만들어지기 어려우면 조합형 클라스프(가공선)를 사용하든지, 후방연장 부위의 기능 인상 및
교합 안정화를 통해 의치의 움직임을 최소화하도록 노력해야 할 것이다.

그림 17, 18, 19에서 알 수 있듯이 운동을 허용하는 직접유지장치는 양측으로 대칭성을 이루고 소
구치 정도까지는 지대치가 존재하여야 부여할 수 있다는 것을 꼭 이해해야 한다.

참고문헌 >>>

1. Applegate OC. Essentials of removable partial denture prosthesis. Saunders. 1965.

2. Avant WE. Fulcrum and retention lines in planning removable partial dentures. The Journal of prosthetic dentistry. 1971;25:162-166.

3. Ben-Ur Z1, Aviv I, Maharshak B. Factors affecting displacement of free-end saddle removable partial dentures. Quintessence Int. 1991;22:23-27.

4. Boucher LJ, Renner, RP. Treatment of partially edentulous patients. CV Mosby. 1982.

5. Cecconi BT. Effect of rest design on transmission of forces to abutment teeth. The Journal of prosthetic dentistry. 1974;32:141-151.

6. Clark RK1, Chow TW. A reappraisal of indirect retention in removable partial dentures with long bilateral distal-extension saddles. Quintessence Int. 1995;26:253-255.

7. Craig RG, FARAH JW. Stresses from loading distal-extension removable partial dentures. The Journal of prosthetic dentistry. 1978;39:274-277.

8. De Aquino AR1, Barreto AO, de Aquino LM, Ferreira ÂM, Carreiro Ada FJ, Longitudinal clinical evaluation of undercut areas and rest seats of abutment teeth in removable partial denture treatment. Prosthodont. 2011;20:639-642.

9. Demer WJ. An analysis of mesial rest-I-bar clasp designs. The Journal of prosthetic dentistry. 1976;36:243-253.

10. Eliason CM. RPA clasp design for distal-extension removable partial dentures. The Journal of prosthetic dentistry. 1983;49:25-27.

11. Frechette AR. The influence of partial denture design on distribution of force to abutment teeth. The Journal of Prosthetic Dentistry. 1956;6:195-212.

12. Jensen C1, Meijer HJA2, Raghoebar GM3, Kerdijk W4, Cune MS. Implant-supported removable partial dentures in the mandible: A 3-16 year retrospective study. 5 J Prosthodont Res. 2017;61:98-105.

13. Kotowicz WE, Fisher RL, Reed RA, Jaslow C. The combination clasp and the distal extension removable partial denture. Dental clinics of North America. 1973;17:651.

14. Kratochvil FJ. Influence of occlusal rest position and clasp design on movement of abutment teeth. The Journal of Prosthetic Dentistry. 1963;13:114-124.

15. Krol AJ. clasp design for extension-base removable partial dentures. J Prosthet Dent. 1973;29:408-415.

16. Krol AJ. RPI (Rest, Proxim~ Plate, I Bar) clasp Retainer and Its Modifications. 1973.

17. McGivney GP, Castleberry DJ. McCracken's Removable Partial Prosthodontics. C.V. Mosby Inc. 1995;9:166-331.

18. Preston KP1. The bilateral distal extension removable partial denture: mechanical problems and solutions. Eur J Prosthodont Restor Dent. 2007;15:115-121.

19. Robinson C. clasp design and rest placement for the distal extension removable partial denture. Dental clinics of North America. 1970;14:583.

20. Suenaga H, Kubo K, Hosokawa R, Kuriyagawa T, Sasaki K. Effects of occlusal rest design on pressure distribution beneath the denture base of a distal extension removable partial denture-an in vivo study. Int J Prosthodont. 201;27:469-471.

21. Zach GA. Advantages of mesial rests for removable partial dentures. The Journal of Prosthetic Dentistry. 1975;33:32-35.

22. Zancopé K1, Abrão GM2, Karam FK3, Neves FD4. Placement of a distal implant to convert a mandibular removable Kennedy class I to an implant-supported partial removable Class III dental prosthesis: A systematic review. J Prosthet Dent. 2015;113:528-533.

3.2
국소의치의 안정을 얻기 위해
적절한 위치에 소수 임플란트를 식립하자.

앞서 우리는 안정 요소를 증대시키고, 치아나 임플란트 지대치에 외력을 최소화하는 방법에 대해 이해하였다. 이번에는 실질적으로 소수 임플란트를 심어서 지대치로 사용하고자 할 때 어느 부위에 식립하고 어떻게 디자인하는 것이 좋은지 살펴보도록 한다. 또한 간접유지의 필요성과 적절한 위치에 대해서도 이해해 보도록 하자.

이번 장에서는 다양한 증례 중에 엇갈린 교합을 가지는 환자에 대해 고려해 본다. 다양한 상황에서 임플란트 식립 부위 및 적용방법은 chapter 4에서 증례 별로 다루도록 할 것이다.

Question

그림과 같이 50대 후반 여자환자가 치료를 받으러 왔다. 일반적인 국소의치 치료는 어떻게 할 수 있으며, 어떤 점을 고려해야 하는가?

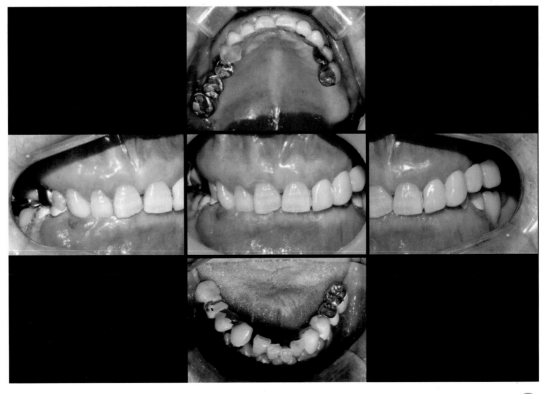

그림 1 초진 구강 내 사진. 본원 상담 후 타병원에서 진행하겠다고 갔다가 2개월 후 그림 2와 같이 발치를 하고 왔다.

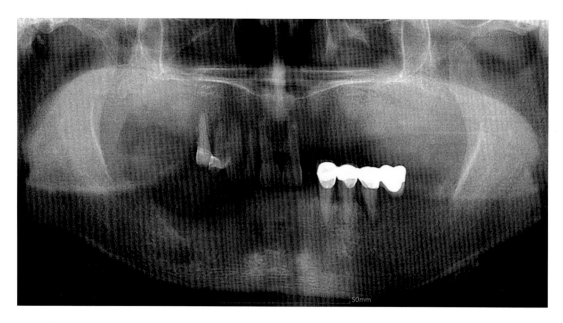

▲ 그림 2 발치 후 파노라마 사진. 개인병원에서 대학병원으로 가라고 하여 다시 내원하였다. 전형적인 엇갈린 교합의 환자이다.

Answer

엇갈린 교합의 환자의 경우 편측으로 잔존치를 가지면서 상하악 대합되는 치아가 없는 경우로, 국소의치를 진행하는 경우 고려해야 할 점이 너무 많다. 환자는 의사에게 수직 고경에 대한 정보를 제공하지 않는다. 또한 편측으로 치아가 위치함으로써 의치의 안정 요소를 충분히 얻기가 불가능하다.

일반적인 국소의치 치료방법은 occlusal rim을 이용하여 적절한 수직 고경을 정하고, 진단 wax-up을 통해 적절한 치아 형태와 교합 평면을 설정한다. 진단 wax-up을 참고하여 임시 치아와 임시의치를 제작한다. 제작된 임시 의치는 환자가 수직 고경에 충분히 적응할 수 있도록 최소 2~3개월 평가해야 한다.

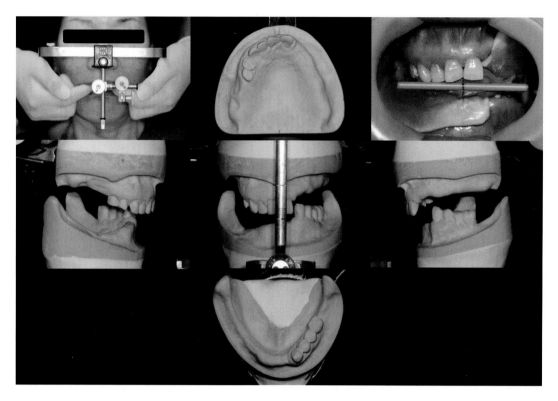

▲ 그림 3 임의의 수직 고경 설정 및 CR로 유도된 상태로 진단 모형을 교합기에 mounting.

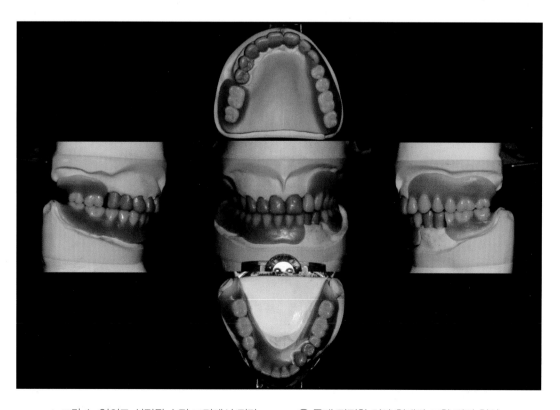

▲ 그림 4 임의로 설정된 수직 고경에서 진단 wax-up을 통해 적절한 치아 형태와 교합 평면 형성.

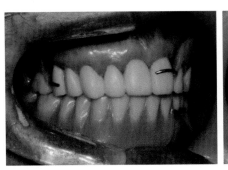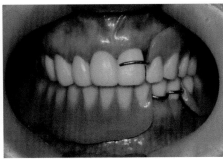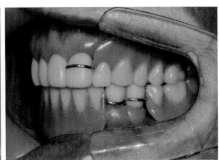

▲ 그림 5 진단 wax-up을 바탕으로 제작된 임시 치아 및 임시 의치의 장착. 적절한 수직 고경 및 교합 관계 평가를 위하여 최소 2개월 이상 관찰하고 필요시 교합을 조정한다.

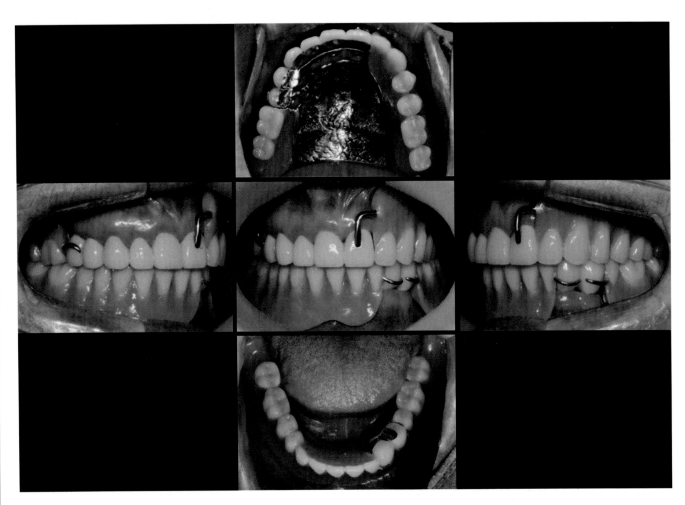

▲ 그림 6 최종 보철물 장착.

위 증례는 보철치료에서 상당히 어려운 증례이다. 먼저 진단과정과 임시 치아 및 임시 의치로 평가하는 과정에서도 어려움이 있겠지만, 치료 후 국소의치의 안정 요소를 지대치가 충분히 감당하지 못하므로 장기적으로 합병증이 생길 가능성이 크다. 상악의 경우 잔존치의 스플린팅을 통해 지대치를 강화하였고, 지대치마다 레스트를 부여하여 수직적인 지지를 부여하였다. 하지만 잔존치가 편측으로 위치하기 때문에 부여된 클라스프 디자인이 RPI와 RPA이지만 클라스프의 운동을 허용하지 않는 구조로 되어 있다(3.1장 참조). 즉, 만약 환자가 주기적인 의치상 첨상을 받지 않는다면 저작 시 움직임이 많아질 것이고 지점선보다 전방으로 나와 있는 클라스프가 저작 시마다 지대치를 잡아 뽑는 운동을 만들 것이다. 더욱이 #21은 심미성을 위해 I-bar를 사용하였지만, 전치부에서 지점선 전방으로 위치하기에 전치를 잡아 뽑는 운동이 더욱 많을 수 있겠다.

하악의 경우에는 #33, 34 두 개의 치아에 레스트와 유도면을 형성하였으므로 잔존 지대치에 상당한 외력이 가해질 것이라 사료된다. 클라스프는 가공선을 이용하였지만 의치의 움직임에 대한 안정 요소를 의치에 충분히 부여하지 않는다면 지대치의 수명은 길지 않을 듯하다.

Question
그렇다면 이러한 치료에서 고려해야 할 주의점은 무엇인가?

Answer
환자의 구강 상태에 따라 술자의 판단 하에 국소의치에 더욱 많은 주의를 기울여 국소의치의 움직임을 최소화할 수 있도록 해야 한다.

첫째, 저작 시 의치의 회전운동이 많이 발생될 수 있는 상황이며, 그 경우 지대치에 유해한 외력이 예측되기 때문에 양측성 균형 교합을 고려하였다. 양측성 균형 교합은 전방운동 시 후방구치가 닿고, 측방운동 시 균형측 치아가 닿게 됨으로써 저작 시 의치의 회전운동을 최소화할 수 있다.

둘째, 상하악 무치악 부위의 인상채득을 신경 써서 조직부 지지 및 의치의 안정을 얻을 수 있도록 해야 한다. 또한 주기적인 첨상이 반드시 이루어져야 할 것이다.

양측성 균형 교합

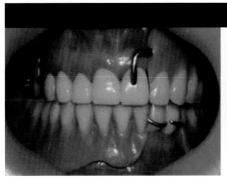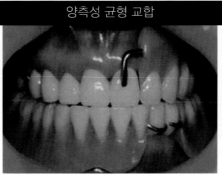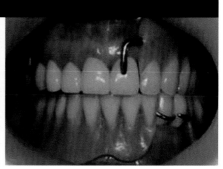

▲ 그림 7 의치의 움직임을 최소화하기 위해 형성된 양측성 균형 교합.

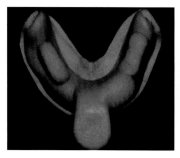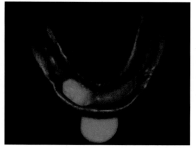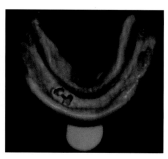

▲ 그림 8 무치악 부위의 기능 인상을 채득하여 조직 지지를 확실히 하고 의치의 안정을 얻도록 노력해야 함.

Q u e s t i o n

만약 이 환자에서 2개의 임플란트를 식립하여 지대치를 만들고 국소의치를 제작한다면
어디에 식립하는 것이 좋을까?

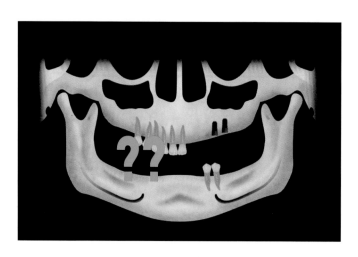

▲ 그림 9 상악에 2개의 임플란트 지대치를 고려한다면 어느 부위가 적절할 것인가?

A n s w e r

저자는 이 부분에 대해 많은 고민을 해보았다. 먼저 임플란트를 식립하고 attachment를 사용하는
경우도 있겠지만 본 답에서는 임플란트 지대치를 이용하는 경우로 한정하여 생각해보기로 한다.
또한 임플란트 지대치를 이용할 경우 반드시 2개 이상을 스플린팅해야 한다고 생각하기에(특히
상악에서는) 그 기준에 맞추어 고려해 보기로 한다.

먼저 상악의 경우를 생각해보자. 두 개의 임플란트를 #10번대에 식립한다면 편측으로만 지대치
가 놓이게 됨으로 좋은 선택이 아니라고 생각된다. 그렇다면 나머지 선택은 다음의 세 가지이다.

첫째, 임플란트 2개를 그림 10과 같이 #20번대 후방 부위에 식립한다. 이 경우 Kennedy Class II modification 1으로 #20번대에는 치아 지지 형태로 디자인이 가능하다. 보철물을 계획하는 데 있어 치아 지지 보철물로 가는 것이 가장 우선시되는 목표이긴 하다. 하지만 이번 증례에서 #21과 후방 임플란트 지대치 사이에 너무나 긴 무치악 부위가 존재하게 된다. #21에 확실한 레스트를 부여한다고 가정하더라도 너무나 긴 무치악 부위는 국소의치의 지지가 지대치에 과도하게 의존하는 형태가 될 수도 있겠다. 특히 하악의 잔존치가 적다고 하지만 #33, 34에 건강한 자연치가 남아 있는 상태에서 #20번대 무치악 부위에 교합력이 집중될 가능성도 배제할 수 없다. 이렇게 디자인했을 때 문제가 될 수 있는 것은 간접유지장치의 위치이다. 간접유지장치는 직접유지장치가 수직적으로 빠지면서 효율적으로 유지력을 발휘하도록 돕는 것이다. 보통 최후방 지대치의 레스트를 연결한 지점선의 전방에 위치한 레스트의 형태이다. 이 경우 #21의 레스트가 #10번대 후방 무치악 부위를 위한 간접유지장치의 역할을 하게 될 것인데 전치부에 아무리 레스트의 형태를 잘 만든다 하더라도 치아를 밖으로 미는 측방력이 발생할 수 있고, 이를 방지하기 위해서는 잔존치를 스플린팅해야 하는 부가적 치료도 필요할 수 있다.

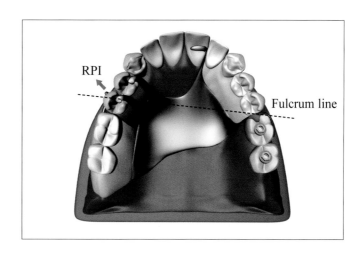

▲ 그림 10 2개의 임플란트를 무치악부 최후방 구치 부위에 식립한 경우.

둘째, 임플란트 2개를 그림 11과 같이 #22, 23 부위에 식립할 수도 있겠다. 이 경우 국소의치를 장착하지 않았더라도 전치부가 있기 때문에 심미적인 이점이 있다. 하지만 Kennedy Class I으로, 특히 간접유지장치를 위해 상악 전치부의 구개면을 모두 덮는 국소의치 주연결장치가 필요할 수 있고, 운동을 허용하는 클라스프는 지점선 전방에 위치되는 관계로 부여가 불가능하다. 3.1장을 참조하라.

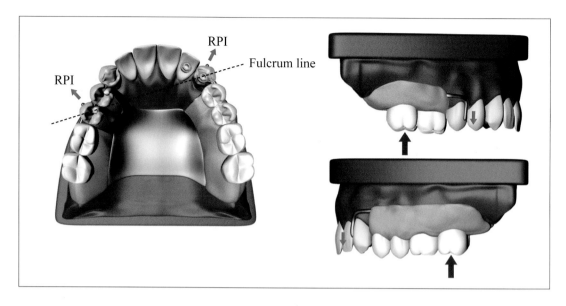

▲ 그림 11 #22, 23에 임플란트를 식립하였을 때 나타나는 문제점.

셋째, 그림 12와 같이 #24, 25 부위에 임플란트를 식립하여 지대치를 만든다고 가정해 보자. 이 경우에 상악 국소의치를 만드는데 상당한 장점을 얻을 수 있다고 생각한다. 가장 큰 장점은 좌우 최후방 지대치의 대칭성이다. 이런 대칭성을 통하여 앞장에서 언급했듯이 지점선을 중심으로 회전할 때 움직임을 허용할 수 있는 클라스프 디자인이 가능해진다. 또한 치아 지지를 위한 무치악 부위를 최소화하여 잔존 치아에 가해지는 수직력을 줄일 수 있고, 일부 수직력을 잔존치조제로 분산함으로써 지대치에 외력을 최소화할 수 있을 것이다. 또한 #33,

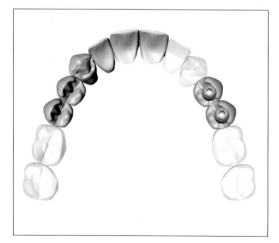

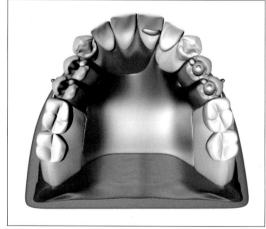

▲ 그림 12 두 개의 임플란트를 #24, 25에 식립하여 디자인한 모습. 전치부의 무치악 부위가 #22, 23으로 짧게 형성되어 치아 지지 부위의 외력을 줄인다. 좌우 대칭 구조를 이루어 지대치에 운동을 허용하는 클라스프 디자인이 효율적으로 적용된다. #33, 34 잔존 치아와 교합을 이루는 부위에 전략적으로 임플란트를 위치시킴으로써 교합력을 효율적으로 분산시킬 수 있다.

34 자연치와 대합되는 부위에 임플란트를 위치시킴으로써 교합력을 적절히 분산시키는데 도움이 될 수 있겠다. 그림 13과 같이 임플란트를 식립한 경우 임플란트 지대치에 형성될 유도면, 근심 레스트, 그리고 양측으로 균형감 있는 지대치의 형성으로 의치의 안정에 긍정적인 디자인이 가능하고, 지대치에 외력을 최소화할 수 있는 디자인이 될 수 있다. 단 후방 무치악 부위의 인상 채득을 더욱 정교하게 하여 조직 부위의 지지를 더욱 증대하여야 할 것이다.

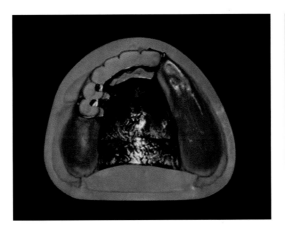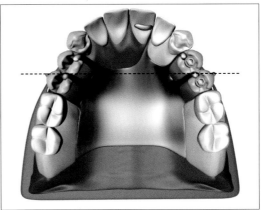

▲ 그림 13 임플란트 식립 이후 지점선의 후방이동은 기능운동 시 운동을 허용하는 클라스프를 가지는 형태로 디자인 가능하다.

위 증례에서 하악도 상악과 동일한 이유로 #44, 45 또는 #43, 44 부위에 식립할 수 있다. 그림 14와 같이 양측에 대칭적인 위치에 임플란트를 식립함으로써 지점선을 재형성하고, 움직임을 허용하는 클라스프를 디자인할 수 있다. 전방부 무치악의 말단에 위치한 레스트에 의해 전치부 수직적 지지와 간접유지장치의 역할을 얻을 수 있겠다. 또한 식립된 임플란트와 대합되는 #10번대 자연치가 서로 맞물리는 위치를 제공할 수 있어 교합 분산에 유리하다 하겠다.

여기서 중요한 사항은 후방 양측성 무치악 부위의 기능 인상을 잘 채득하고, 주기적인 첨상 및 교합 검사가 필요할 것이다. 술자의 선택에 따라 양측성 균형 교합을 형성해줄 수 있다.

환자의 치료에 있어 정답은 없다! 본 증례에 대한 답도 술자에 따라 다를 수 있을 것이다. 하지만 그 치료에 바탕이 되는 기본 개념은 반드시 정립하여 적용하여야 할 것이다.

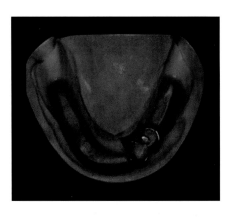 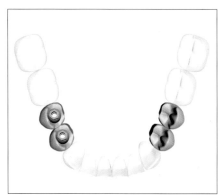 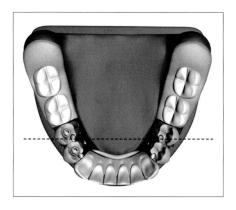

▲ 그림 14　임플란트를 #40번대 식립하여 잔존 자연치와 대칭성을 이루도록 설계. 대칭적 임플란트 식립과 국소의치의 설계는 간접 유지장치, 운동을 허용하는 클라스프의 설계, 대합치와의 교합 분산 등의 다양한 장점을 제공할 수 있다. 하지만 반드시 후방 무치악 부위의 조직 지지에 대한 정성을 들이도록 해야 한다.

KeyPoint

편측으로 소수의 치아가 잔존하는 경우 임플란트를 이용한 지대치를 추가로 고려한다면 좌우 대칭성을 고려하여 식립 위치를 정하는 것을 추천한다. 이를 통해 지점선을 재형성하고, 간접유지장치 및 움직임을 허용하는 클라스프를 적절히 위치시킬 수 있겠다. 하지만 이 경우 조직지지 부위의 인상 채득에 신중해야 하며, 경우에 따라서 교합적 안정 요소도 고려되어야 한다.

참고문헌 >>>

1. Avant WE. Fulcrum and retention lines in planning removable partial dentures. The Journal of prosthetic dentistry. 1971;25:162-166.

2. Avant WE. Indirect retention in partial denture design. The Journal of prosthetic dentistry. 1966;16:1103-1110.

3. Steffel VL. Planning removable partial dentures. The Journal of Prosthetic Dentistry. 1962;12:524-535.

4. Stewart KL, Rudd KD, KUEBKER WA. Clinical removable partial prosthodontics. Ishiyaku EuroAmerica. 1992.

3.3
후방연장 국소의치에서 지지를 증대하고
안정을 얻기 위한 인상 채득을 이해하자.

앞선 3.1, 3.2장에서는 안정을 얻기 위한 국소의치의 디자인과 임플란트의 적절한 사용에 대해 알아보았다. 임플란트를 사용하는 경우 소수 임플란트에 의해 지지, 유지, 안정의 요소를 모두 얻으려 한다면 임플란트에 과도한 힘이 전달될 수 있고, 이는 임플란트의 실패를 야기할 수 있다. 어쩔 수 없이 소수의 임플란트를 국소의치에 이용하고자 한다면 국소의치 자체가 가져야 할 역할을 충분히 부여해야 한다는 것을 꼭 명심해야 한다. 이 판단은 합리적 생각을 바탕으로 술자에 의해 내려져야 한다. 이번 장에서는 후방연장 국소의치에서 인상의 역할을 고려해 보고자 한다. 인상은 국소의치의 금속 구조체의 디자인으로 의치의 움직임을 막을 수 없거나 임플란트나 지대치에 안정 요소를 충분히 부여할 수 없다고 판단될 때 고려해야 하는 중요한 단계이다. 앞에서 서술한 바와 같이 치아나 임플란트는 유지, 지지, 안정의 3요소를 가지며 이들 요소를 적절히 분배하는 것이 필요하다. 하지만 치아나 임플란트의 역할이 충분치 않을 때는 적절한 인상을 통해 의치상으로 이런 3요소를 추가적으로 보상해 줄 수 있을 것이다.

Question

국소의치의 인상과 총의치의 인상은 동일한가? 최대한 넓게 채득하면 되는 것인가?

Answer

기본적으로 국소의치의 인상과 총의치의 인상은 이론적으로 같다고 할 수 있다. 하지만 저자는 국소의치의 인상은 총의치의 인상보다 주위 연조직의 운동을 방해하지 않는 범위 내에서 채득하여야 한다고 생각한다. 그림 1과 같이 총의치는 의치상을 통해 전적으로 유지, 지지, 안정을 얻기 때문에 약간의 과도한 연장을 필요로 한다. 하지만 국소의치는 경우에 따라 주위 연조직의 과도한 피개는 오히려 안정 요소를 저해하는 효과를 가져올 수 있다. 즉, 국소의치는 지대치에 위치하는 유지장치에 의해 의치의 탈락을 방지하고 있기 때문에 과도하게 연장될 필요가 없으며 과도하게 연장되었을 때 하품을 하거나 말을 할 때 연조직에 의해 지속적으로 의치가 들리게 되고, 이것은 클라스프 등의 유지장치가 지속적으로 지대치를 잡아 뽑는 작용을 할 가능성이 있어 주위 조직의 운동 한계 내에서 최대한 넓게 인상 채득이 이루어져야 한다는 것이다.

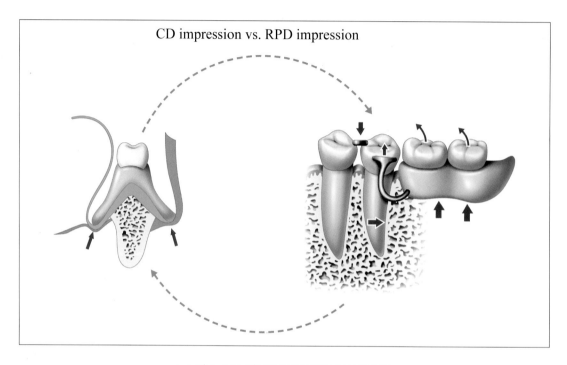

▲ 그림 1 국소의치와 총의치에서 인상의 차이.

하지만 오해를 하면 안 되는 것은 너무나 작은 의치상이 형성되지 않도록 주의해야 한다는 것이다. 그림 2와 같이 최소한 retromolar pad를 피개하고 buccal shelf 지역은 확실히 눌러주며, 설측으로의 연장은 혀의 운동이 방해 받지 않는 한도 내에서 최대한 연장되어야 한다. Buccal shelf 지역은 지지를 담당하는 중요한 부분이고, retromolar pad와 설측 연장은 안정 요소로써 중요한 역할을 한다는 것을 기억해야 한다. 보통 환자가 국소의치에 의해 연조직이 아프다고 호소한다면 술자는 무조건 길이를 줄이기 보다 fit checker 등을 이용하여 내면 검사를 시행하고 과도하게 닿는 부위를 선택적으로 삭제해 준다. 또한 인상 전 border molding 과정에서 충분히 연조직을 움직이면서 시행하여 과도한 길이 연장을 피하도록 주의한다.

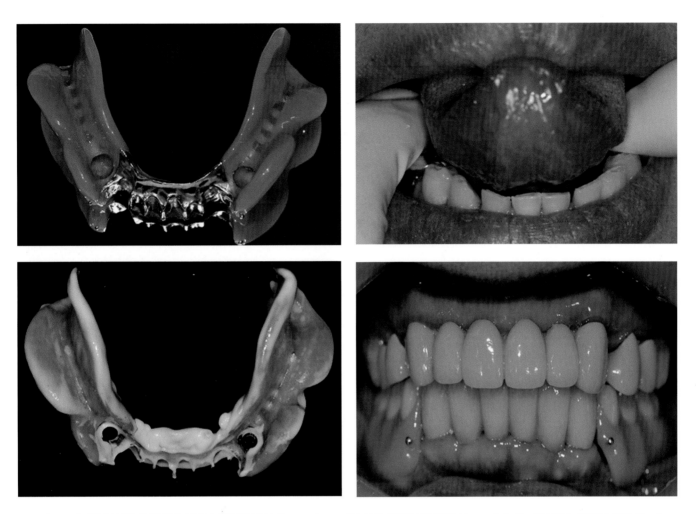

▲ 그림 2 적절한 인상을 통한 국소의치의 의치상 형성. Retromolar pad와 설측 연장이 필요하고 buccal shelf는 확실히 눌러줘야 한다. Border molding 과정에서 연조직(뺨과 혀)의 과도한 운동을 유도하고, 반드시 교합면 레스트 만을 꽉 눌러서 시행해야 한다.

K e y P o i n t

의치상의 border를 정확히 하기 위해 반드시 교합면 레스트를 꽉 누른 상태에서 뺨과 혀의 운동을 시행한다. 의치상의 적절한 형태라 함은 의치가 완전히 장착되었을 때(교합면 레스트가 완전히 접촉되었을 때) 연조직의 움직임에 방해 받지 않는 범위 내에서 형성해야 함을 명심하자. 국소의치에서 인상 채득, 내면 검사, 의치상의 첨상 과정 등의 모든 술식에서 무치악부를 누르면 절대로 안되고 반드시 교합면 레스트만을 손으로 눌러 open bite technique으로 시행함을 명심하여야 한다.

Q u e s t i o n

그러면 상악과 하악 후방연장 국소의치의 인상에서 어디를 눌러 주고 어디를 피개해야 하는가?

A n s w e r

그림 3은 학생 때 많이 보았던 중요한 그림이다. 여기서 간단히 복습을 하고 넘어가야 한다. 먼저 상악을 보면 노란색 부분은 눌러서는 안 되는 부분이고, crestal ridge 부분은 수직적 지지를 담당하는 부분이다. 학생 때 일차 지지 부위라는 용어로 배웠었다. 이 부분은 수직적인 지지를 담당하는 부분으로 보통 상대적으로 단단한 cancellous bone 상방에 cortical bone이 위치하고 그 위에 단단한 fibrous connective tissue가 덮고 있어 수직적 힘에 저항이 용이하다. 물론 모든 경우에 그런 것은 아니므로 술자는 이 부분이 적절한 지지 부위인지 꼭 확인해야 한다. 점선으로 찍혀 있는 부분(slope 부분)은 안정 요소를 부여하는 영역이다. 경사가 급하고 길 때 안정 요소는 더욱 뛰어날 수 있다. 저자의 경우 상악에서 지지 부위의 인상 채득이 크게 어려웠던 적은 많지 않다. 물론 골 흡수가 심한 경우가 있지만 이 경우는 아주 어려운 경우로 반대교합이나 양측성 균형 교합 등을 병행하여 고민해야 한다. 이 부분은 다음 장에서 다시 설명한다.

임상에서 자주 접하는 어려움은 하악 후방연장 부위의 인상 채득이다. 그림 3의 우측 그림을 보면, 하악은 상악과 달리 crestal ridge 부분과 retromolar pad를 압박해서는 안 된다. 간혹 retromolar pad를 압박하는 경우가 있는데 이 상방에 단단한 결합조직이 있을 때 가능한 것이고, 대부분은 두껍고 유동적인 연조직으로 덮여 있기에 일반적으로 릴리프(relief)한다고 생각하면 된다. 선으로 표시되어 있는 부분이 buccal shelf이고, 이 부분은 지지를 담당하게 된다. 또한 이 부분은 부가적으로 안정 요소를 얻을 수도 있다. 점선으로 표시된 부분은 설측 의치상 부분으로 적절히 연장되었을 때 의치의 수평 회전을 막아 안정 요소를 얻게 되는 중요한 부분이다.

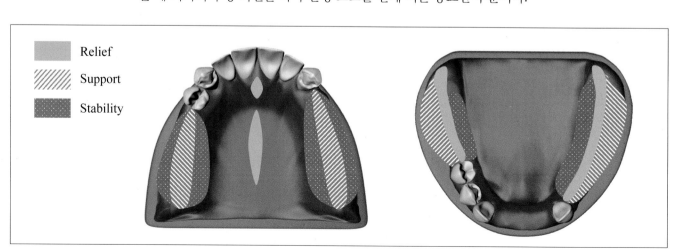

Relief

Support

Stability

▲ 그림 3 상하악 무치악 부위의 역할.

하악 후방연장 국소의치에서 환자의 불편이 많은 것 같다. 하악의 인상에서 술자는 무엇을 통해 연조직의 지지 및 안정을 얻을 수 있는가?

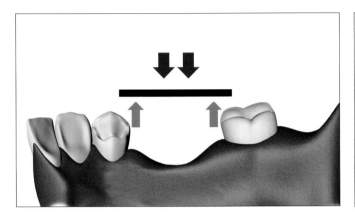 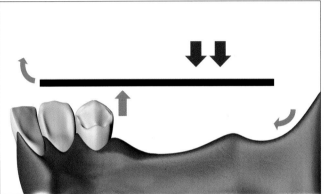

▲ 그림 4 치아 지지와 치아 및 조직 지지 의치에서 지지의 차이.

A n s w e r

그림 4에서와 같이 치아 지지 국소의치에서는 수직적인 지지를 치아가 감당하므로 연조직에서의 지지 요소는 크게 중요하지 않다. 하지만 후방연장 국소의치의 경우 저작력에 의해 의치의 후방이 하방으로 침하됨으로 조직의 지지가 중요한 역할을 하게 된다. 학생 때 기능인상, 선택적 가압인상 등을 배웠는데 이러한 인상법이 연조직의 지지를 증대시키는 방법이다. 여기서 짚고 넘어갈 것은 후방연장 국소의치의 경우도 결손치가 적고, 잔존치에 의해 충분한 지지와 안정 요소를 부여할 수 있다면 의치상을 통한 지지를 크게 고려하지 않아도 된다는 것이다. 이러한 판단은 술자에 의해 이루어지며 많은 임상경험과 지식이 있어야 그 판단에 자신감이 있을 것이다.

하악 후방연장 국소의치의 경우는 앞서 설명한 바와 같이 buccal shelf 지역의 지지 부여가 중요한데 이 부분을 적절히 눌러서 인상을 채득하기가 쉬운 것이 아니다.

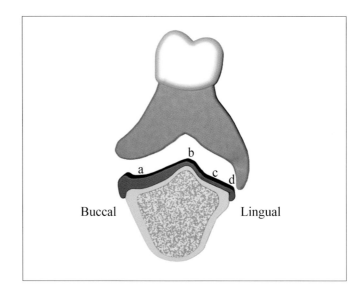

▲ 그림 5 하악의 단면. buccal shelf 지역은 두꺼운 연조직, crestal과 설측은 얇은 연조직으로 피개.

그림 5는 하악의 단면을 나타낸 그림이다. Buccal shelf 지역은 두껍고 탄력 있는 연조직으로 덮여 있어 저자는 아기 볼 살에 비유한다. 치조정과 설측의 연조직은 아주 얇고 탄력이 없는 노인의 피부로 비유할 수 있겠다. 즉, buccal shelf 지역의 연조직은 탄성이 좋아서 많이 눌려지고, 또 눌려져 변형된 부위가 의치를 제거하면 빨리 원상태로 회복된다.

그림 5, 6을 보면서 구체적으로 설명을 해보면 국소의치를 장착하는 과정에서 그림 6의 A처럼 협측의 buccal shelf 지역이 먼저 눌려지게 된다. 환자가 기능을 하게 되면 buccal shelf 지역의 연조

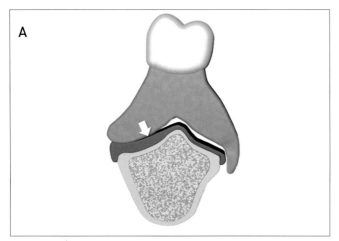
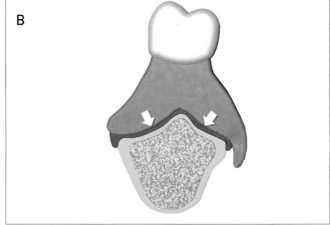

▲ 그림 6 의치가 저작력에 의해 연조직을 압박하는 모식도.

직이 가지는 최대 탄성 한계까지 눌려지고, 이때 그림 6의 B처럼 그림 5의 b, c, d 부분이 연조직에 contact되게 된다. 이런 contact 상태가 교합력을 부여하였을 때 전체적으로 나타나야 한다.

그림 6의 A는 약간 과장된 그림이지만 처음 의치를 장착하고 저작력을 가하지 않은 상태라고 생각하면 된다. 이때 buccal shelf 지역은 contact이 되고 있고 나머지 부분은 떠 있다고 생각해 보자. 저작력이 가해지면 B처럼 buccal shelf 지역이 눌려지고 연조직의 최대 생리적 한계까지 눌려졌을 때 나머지 부분도 contact되는 것을 볼 수 있다. 이 그림처럼 되려면 어떻게 인상을 채득해야 하는 지 답이 나올 것이다. 결국 buccal shelf 지역의 인상은 해부학적 형태보다 더 눌려진 상태로 인상이 채득되어야 하고, 그 인상을 통해 만든 모형 상에서 의치상을 만들어야 무치악 부위의 의치상이 연조직을 눌러주는 형상을 갖게 될 것이다. 이런 방법으로 인상을 채득하는 것이 학생 때 배웠던 선택적 가압인상법이다. 선택적 가압인상은 기능인상의 한 종류이지만 이 방법만이라도 잘 활용한다면 임상에서 충분히 좋은 결과를 얻을 수 있다.

Question

하악의 후방연장 국소의치에서 기능인상이 국소의치의 지지를 증대시킬 수 있다는 것은 이해하였다. 그런데 앞에서 서술하기를 후방연장 국소의치의 안정 요소까지도 증대할 수 있다고 했는데 그 이유는 무엇인가?

Answer

앞서 설명한 국소의치의 세가지 운동에서 첫 번째 운동인 최후방 지대치를 중심으로 후방이 침하하는 운동을 막을 수 있겠다. 이것은 하악 후방 무치악 부위의 지지가 증대되었기에 당연히 얻을 수 있는 안정 요소이다.

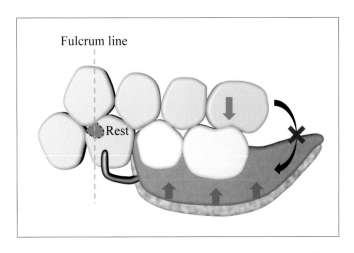

▲ 그림 7 Buccal shelf 부위의 지지가 증대되었기에 후방 무치악 부위의 침하 운동을 방지.

두 번째는 양측성 후방연장 국소의치의 경우 한쪽 무치악 치조정을 축으로 반대편 의치상 부위가 들리는 두 번째 운동에 안정 요소를 부여할 수 있다.

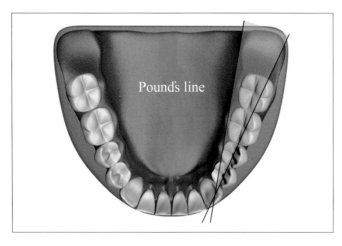 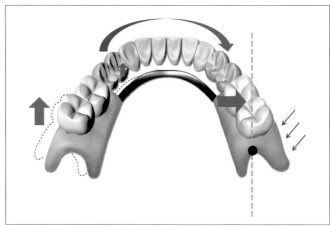

▲ 그림 8 양측성 후방연장 국소의치에서 한쪽 무치악 치조정을 중심으로 회전하려는 운동을 일부 막을 수 있음.

그림 8을 보면, 기공사는 후방연장 국소의치에서 후방 무치악 부위에 인공치 배열의 기준을 Pound's line을 기준으로 한다. Pound's line은 하악 견치와 후방 retromolar pad의 협, 설측 경계를 이은 선으로 이 선이 만드는 삼각형 지역에 인공치의 설측 교두를 위치시키게 된다. 즉, 구치부 발치를 시행한 지 오랜 시간이 경과되고 하악 협측 골이 많이 흡수되었다 하더라도, 인공치는 항상 일정한 위치에 놓인다. 이 경우 하악의 기능 교두인 협측 교두는 잔존치조제의 치조정보다 더 협측에 위치하게 되어 측방 교합력이 발생하였을 때 치조정을 중심으로 좌우 관계에서 1종 지레를 만들게 된다. 이때 기능인상을 채득해 형성한 협측 의치상은 경사진 buccal shelf를 누르게 되면서 의치의 회전을 줄여주게 되는 것이다. 실제로 임상에서 buccal shelf를 잘 누르게 제작된 의치상의 경우, 저작 시 환자가 의치의 안정감을 더 느낀다는 것을 확인할 수 있다.

Q u e s t i o n

그런데 우리는 신이 아니다. 얼마나 연조직을 눌러야 적당하게 buccal shelf를 형성할 수 있는가? 학생 때는 wax 한 장 정도의 두께를 buccal shelf 지역에 형성한 개인 트레이를 이용한다고 배웠다. 그렇다면 적절하게 눌려진 상태가 wax 한 장 정도의 두께로 눌러 뜨는 것인가?

A n s w e r

학생 때 배운 선택적 가압인상법은 개념을 이해시키기 위한 과정이었다고 생각된다. 본 장에서는 실질적인 방법을 그림을 보면서 설명해 보고자 한다.

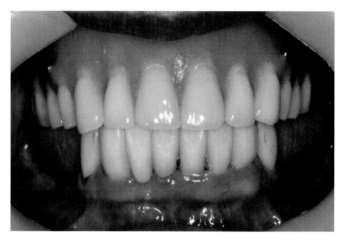
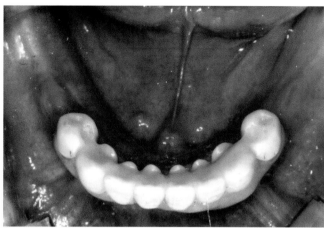

▲ 그림 9 하악 양측성 후방 무치악을 가지는 환자. 하악 무치악 부위 골 흡수 심하고, 양쪽 제1소구치까지 지대치를 가지며 지대치는 스플린팅
되어 있고 모든 치아의 설측에는 명확한 설측 레스트들이 형성되어 있음.

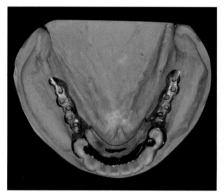
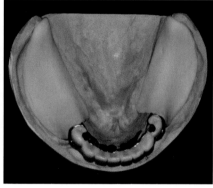
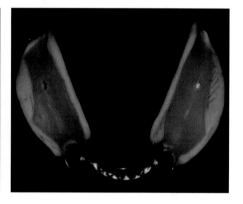

▲ 그림 10 금속 구조체의 무치악 부위에 레진 트레이를 부착. Border molding을 위하여 모형상에 보이는 변연보다 0.5~1.0 mm 짧게 트레이
의 border를 형성한다. 모형의 무치악부에 base plate wax를 한 장 깔고 트레이를 제작하는데 이는 인상재 공간을 만들어 주기 위
함이다.

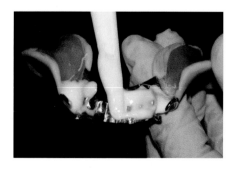
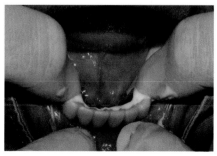

▲ 그림 11 금속 구조체의 적합도 검사. 이 과정은 선택적 가압인상을 위한 정말 중요한 과정이다. 금속 구조체가 정확하게 안착되지 않은 상
태로는 절대로 기능인상을 정확하게 인기할 수 없음을 명심하자.

그림 11에서 중요한 것은 fit checker를 금속 구조체에 도포하고, 구강 내에서 반드시 레스트를 꽉 눌러 정확히 안착시킨다는 것이다. 절대로 후방 무치악 부위를 누르면 안 된다. 앞서 설명한 바와 같이 결국 선택적 가압인상은 국소의치가 저작 시 레스트를 통해 치아에 수직적 지지를 부여하고, 이때 적절히 눌려진 무치악 부위의 연조직으로 수직력을 분산하여야 한다. 따라서 금속 구조체를 평가할 때는 레스트와 부연결장치(인접판 등)의 완전한 밀착을 방해하는 부위를 모두 릴리프하여야 한다. 선택적 가압인상의 성공은 결국 이 과정에서 결정되는 것이므로 금속 구조체가 passive하게 들어가고, 레스트가 완전히 안착될 때까지 반복적으로 시행한다. 완전히 안착되지 못하는 국소의치는 결국 지대치에 외력을 집중시키고 임플란트를 사용하는 경우 측방 회전력을 그대로 임플란트에 전달되게 될 것임을 명심하자.

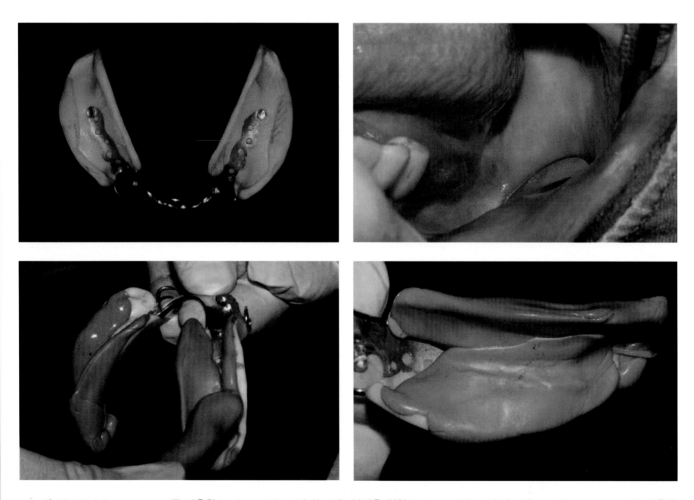

▲ 그림 12 Modeling compound를 이용한 border molding. 저자는 기능인상을 위한 border molding 시 반드시 modeling compound를 이용한다. 최근 실리콘 재료를 이용한 one-step border molding 재료가 나오고 있으나, 가압인상을 위해서는 추천하지 않는다.

그림 12에서 중요한 것은 트레이 내면의 wax를 제거하고, modeling compound를 내면에 많이 적용하여 border molding을 하는 것이다. 보통 골 흡수가 심한 환자는 눈으로 보기에 buccal shelf 지역이 아주 작아보인다. 눈으로 보는 것이 다가 아니다. 위 그림처럼 손으로 뺨을 밀어내면 넓은 buccal shelf 지역이 나오고 외사선(external oblique ridge)이 느껴지는데 이 부분까지 인상이 연장되어야 한다. 내면에 가득 채운 modeling compound는 적당히 연조직을 밀어내는 힘을 가지므로 border의 길이를 길게 인기하고, 내면의 연조직을 압박한 상태를 인기하게 된다. 여기서 중요한 것, border molding 과정에서도 반드시 레스트만 누른 상태에서 연조직 운동을 시행한다는 것을 절대로 잊어서는 안 된다.

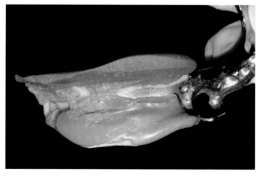 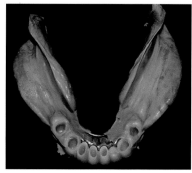 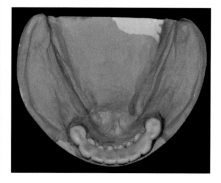

▲ 그림 13 Border molding 이후에 인상 채득, altered cast 제작. 눌러서 인상을 채득해야 할 buccal shelf 부위를 남기고 modeling compound의 길이와 내면을 적당히 제거한다.

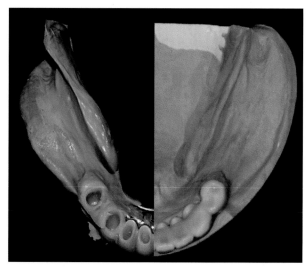

◀ 그림 14 선택적 가압인상을 통해 채득된 인상은 적절히 눌려진 altered cast에 그 정보를 전달. Buccal shelf 지역에 적절히 선택적 가압인상이 채득되었다면 왼쪽 그림과 같이 modeling compound가 살짝 비춰보여야 한다.

그림 13과 같이 술자는 눌러서 인상을 채득할 부위를 선택한다. 이 과정은 반드시 술자에 의해 행해져야 한다. 술자만이 구강 내에서 어디를 눌러야 할지를 알기 때문이다. 누를 부위를 제외한 나머지 부위는 모두 릴리프하여 인상을 채득하면 그림 14와 같이 buccal shelf 지역에 modeling compound가 비춰 보인다. 만약 인상체에서 술자가 의도하지 않은 부분이 눌려졌다면 비춰 보이는 modeling compound로 확인이 가능하고, altered cast를 만든 상태에서 약간의 릴리프를 부여하거나, 최종 국소의치가 나오고 장착하는 시점에서 추가로 삭제하여 릴리프를 할 수 있겠다.

KeyPoint

이 방법은 술자가 익숙해진다면 전혀 어려운 과정이 아니다. Modeling compound를 트레이 내면에 적용하고 구강 내에 장착한 뒤 반드시 교합면 레스트만 눌러 border molding을 해야 함을 명심하자. 또한 연화가 충분히 되지 않은 modeling compound는 너무 과도한 압박을 만들 수 있으므로 주의해야 한다.

이러한 선택적 가압인상은 적절히 시행된다면 실제 압박해야 할 양보다 더 많은 양을 압박할 수 있다. 저자도 임상에서 그런 경험을 많이 하게 된다. 하지만 분명한 것은 buccal shelf는 처음에 많이 압박하여 인상 채득하는 것이 좋다는 것이다. 그래야지 더 큰 의치가 만들어지고 과도한 부위는 삭제하면서 조절 가능하다. 삭제가 쉬운가, 첨가가 쉬운가?

저자가 독자에게 질문을 해보고자 한다.

Question

1. 만약 환자가 국소의치를 장착하고 첫 내원 시 설측 의치상 내면과 닿는 연조직에 넓은 상처나 발적이 있었다. 이유는 무엇이고 어떻게 처치해야 하는가?
2. 환자가 국소의치를 장착하고 첫 내원 시 buccal shelf 부위가 많이 눌려져서 동통을 호소하였다. 이유는 무엇이고 어떻게 처치해야 하는가?

Answer

1의 상황은 buccal shelf 지역의 지지를 충분히 부여하지 못해 설측 연조직이 눌려진 것으로 설측 동통 부위의 의치상 내면을 삭제한다고 해결될 것이 아니라 근본적으로 buccal shelf를 더 눌러서 재 인상을 떠야 한다.

2의 상황은 buccal shelf가 너무 과도하게 눌려진 것으로 buccal shelf 부위를 조심스럽게 선택 삭제한다.

의치상 내면을 더하는 것이 쉬운가 아님 삭제하는 것이 쉬운가? 독자의 판단에 맡기겠다.

저자는 국소의치를 장착하기 전 환자에게 항상 예언을 한다. "어머니, 이 틀니는 제가 일부러 바깥쪽 이 부위 (buccal shelf 지역을 손으로 만져주면서)가 아프도록 만들었으니 다음에 아픈 부위를 보고 제가 삭제해 드리겠습니다. 이 부위가 안 아프고 혀 쪽이 아프면 제가 손보는데 시간이 많이 걸릴 수 있습니다. 다시 만들어야 할 수도 있고요. 제가 어디가 아플지 미리 말씀 드렸으니 화내시고 들어오시면 안 됩니다 (미소 가득)" 라고. 보통 80%는 저자의 말이 맞다.

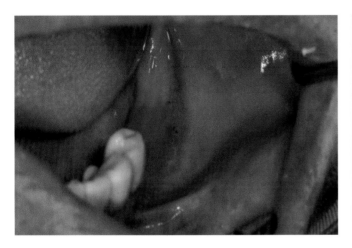 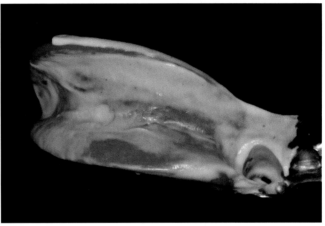

▲ 그림 15 Buccal shelf 지역을 과도하게 눌러 인상 채득했을 경우. 이 경우 환자는 첫 내원 시 buccal shelf 지역이 발적이 되어 있다. Buccal shelf를 약간 과도하게 눌러서 인상 채득하는 것이 첫 내원 시 수정이 용이하다. 우측 그림과 같이 fit checker로 검사하고 buccal shelf 지역에 과도한 접촉 부위를 선택적으로 삭제해 준다.

Question
그렇다면 후방연장 국소의치에서는 항상 선택적 가압인상을 채득해야 하는가?

Answer

많은 고려사항들이 있으나 저자는 그림 16과 같이 Kennedy Class I에서 잔존치가 충분하지 않고 양측으로 3개 이상의 구치부가 상실되어 있을 경우, Kennedy Class II에서는 하악의 3개 이상 구치부 결손일 때 선택적 가압인상을 고려한다. 치아 지지 국소의치에서는 당연히 해부학적 인상을 채득하고, 그 외 후방연장 국소의치의 경우에는 개인 트레이를 이용하여 1회법으로 border molding 과 동시에 해부학적 인상과 약간의 선택적 가압인상을 병행하여 인상 채득한다.

Key Point

후방연장 국소의치라고 항상 선택적 가압인상을 채득하는 것은 아니다. 잔존 지대치가 충분한 지지와 안정 요소를 부여하지 못할 때, 또한 금속 구조체 디자인으로 이러한 요소를 적절히 지대치에 전달하지 못할 때, 선택적 가압인상과 같은 기능인상을 통해 얻은 의치상을 통해 지지와 안정 요소를 부가적으로 부여한다.

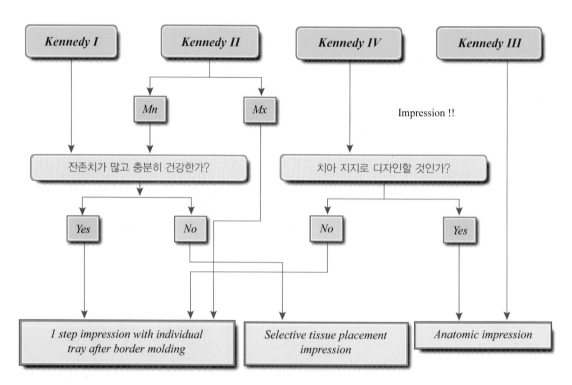

▲ 그림 16 저자의 일반적인 국소의치 인상 protocol.

개인 트레이를 이용한 1 step impression은 무엇이며 위에 기술한 방법과 어떠한 차이가 있는가?

A n s w e r

앞서 설명한 선택적 가압인상에서는 잘 맞는 금속 구조체를 제작하고, 후방부에 트레이를 만들어 무치악부의 기능인상을 채득하는 2단계 인상법을 소개하였다. 우리가 일반적으로 치아 지지 국소의치의 인상 채득 시에는 지대치와 무치악 부위를 하나의 트레이로 동시에 채득한다. 이러한 방법이 1 step 인상 채득술이다. 본 장에서는 Herman 등이 소개한 싱글 트레이를 이용한 반기능인상 (selective-pressure single impression procedure)에 대해 알아보고자 한다.

왜 선택적 가압인상 채득 시 금속 구조체를 만들고 난 뒤 시행했는가? 그것은 정확한 기준을 설정하기 위한 것이다. 즉, 국소의치가 완전히 장착되었을 때 기능인상을 채득하기 위한 기준을 금속 구조체가 설정해 주는 것이다. 레스트가 완전히 안착되어 있는 상태, 그 상태가 국소의치가 완전히 장착되어 움직임이 없는 상태의 기준이다. 그렇다면 하나의 트레이로 지대치의 해부학적 인상과 무치악부 기능인상을 동시에 채득할 수 있는 방법이 있을까? 가능은 하지만 여전히 그 기준에 대한 모호성으로 반기능인상이라는 용어를 사용한다.

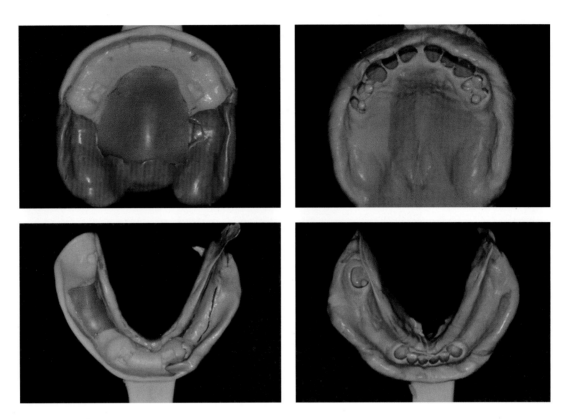

▲ 그림 17 반기능인상(selective-pressure single impression procedure). 하나의 트레이로 자연치아의 해부학적 인상과 무치악부 선택적 가압인상을 동시에 진행하였다.

그림 17에서 보는 바와 같이 2가지 인상을 동시에 채득할 수 있는 조건은 움직이지 않고 안정감 있는 트레이를 제작할 수 있어야 한다는 것이다. 앞서 금속 구조체가 의치가 완전히 장착되었을 때 움직임이 없는 안정성과 무치악부의 선택적 가압을 위한 기준을 제시한다고 했다. 마찬가지로 하나의 트레이를 이용할 때에는 반드시 안정성을 보장하는 2~3개 정도의 지대치 stop이 존재하여야 한다.

그림 18과 같이 안정된 3개의 지대치 stop들을 가질 때 트레이는 정확히 위치되고 움직임이 없는 상태로 위치할 수 있다. 이 경우에도 인상을 채득 시 트레이의 무치악부는 절대로 눌러서는 안 될 것이다. 지대치 stop 부위를 손가락으로 꾹 눌러서 트레이가 움직임이 없는 상태로 후방 무치악부의 선택적 가압인상을 채득해야 함을 명심하자.

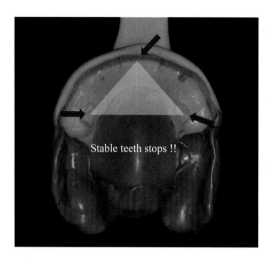
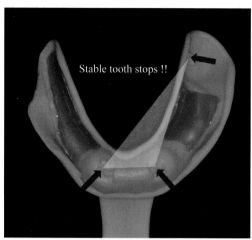

▲ 그림 18 지대치에 위치한 stop들을 이용하여 움직이지 않는 안정된 트레이를 제작.

Key Point

1 step 인상에서 중요한 것은 트레이의 안정성을 확보하는 적절한 tooth stop들을 가져야 한다는 것과 인상 채득 시에도 stop 부위만 누르고 무치악 부위는 절대 누르면 안 된다는 것이다. 결국 금속 구조체를 이용한 2 step 인상법과 원리는 동일하다. 만약 이런 stop을 트레이에 형성 불가능할 정도로 잔존치가 적다면 총의치에 준하는 인상 채득을 시행하게 된다. 이때도 1 step 인상 채득이 된다.

참고문헌 >>>

1. Chen MS, Eichhold WA, Chien CC, Curtis DA. An altered-cast impression technique that eliminates conventional cast dissecting and impression boxing. The Journal of prosthetic dentistry. 1987;57:471-474.

2. Herman B. Selective pressure single impression procedure for tooth-mucosa-support removable partial dentures. Journal of Prosthetic Dentistry. 1998;80:259-261.

3. Jacobson TE, Krol AJ. A contemporary review of the factors involved in complete dentures. Part III: support. The Journal of prosthetic dentistry. 1983;49:306-313.

4. Leupold RJ, Flinton RJ, Pfeifer DL. Comparison of vertical movement occurring during loading of distal-extension removable partial denture bases made by three impression techniques. The Journal of prosthetic dentistry. 1992;68:290-293.

5. Leupold RJ, Kratochvil FJ. An altered-cast procedure to improve tissue support for removable partial dentures. The Journal of prosthetic dentistry. 1965;15:672-678.

6. Lund PS, Aquilino SA. Prefabricated custom impression trays for the altered cast technique. The Journal of prosthetic dentistry. 1991;66:782-783.

7. McCarthy JA, Moser JB. Tissue conditioning and functional impression materials and techniques. Dental Clinics of North America. 1984;28:239.

8. Metty AC. Obtaining efficient soft tissue support for the partial denture base. The Journal of the American Dental Association. 1958;56:679-688.

9. Monteith BD. Management of loading forces on mandibular distal-extension prostheses. Part I: Evaluation of concepts for design. The Journal of prosthetic dentistry. 1984;52:673-681.

10. Monteith BD. Management of loading forces on mandibular distal-extension prostheses. Part II: Classification for matching modalities to clinical situations. The Journal of prosthetic dentistry. 1984;52:832-836.

3.4
국소의치의 안정을 얻기 위한
교합 형성을 이해하자.

계속적으로 언급하지만, 임플란트 융합 국소의치 환자를 치료하는데 있어서 가장 중요한 것은 국소의치의 안정을 증대시켜 측방 회전력을 임플란트에 최소한으로 전달하자는 것이다. 이를 위해 디자인에 신경을 많이 써야 하고, 디자인으로 극복이 불가능하면 앞서 서술한 인상을 통한 지지와 안정을 부여할 수 있고, 그래도 불안하다면 마지막 단계로 기능적이고 조화로운 교합 관계를 확립하는 것이다. 국소의치와 지대치 사이에 교합 조화를 이루는 것은 주위 조직의 건강을 보존하고 적절한 기능을 하는데 아주 중요한 요소이다.

일반적으로 보철물의 교합을 형성함에 있어 중요한 것은 "기존에 환자가 균형과 조화를 잘 이루고 있는 교합을 가지고 있다면 그것을 절대 변경하지 말라"는 것이다. 물론 총의치와 같이 기존에 존재하는 치아가 없을 때는 턱관절 과로를 제외한 다른 부분을 치과의사가 변경하여 교합의 개념에 따라 편심위에서 교합이 균형과 조화를 이루도록 해야 함은 당연하다. 따라서 국소의치의 경우 남아 있는 잔존치의 교합이 균형과 조화를 잘 이루고 있는지 반드시 살펴보고 그렇지 않을 경우에 한해서 교합을 변경해야 한다. 또한 국소의치의 교합 관계를 확립하고자 할 때 인공치 교합면 형태도 기본적으로 잔존 자연치의 교합면 형태를 따르도록 해야 한다.

Question

임플란트 융합 국소의치의 교합을 형성할 때 어떤 원칙을 지켜야 하는가?

Answer

임플란트 융합 국소의에서의 교합 안정성은 학생 때 배웠던 국소의치의 바람직한 교합 관계와 다를 것이 없다. 자연치를 지대지로 하는 일반적인 국소의치보다 오히려 더욱 안정을 높이기 위한 신중한 교합조정을 시행할 것을 제안한다.

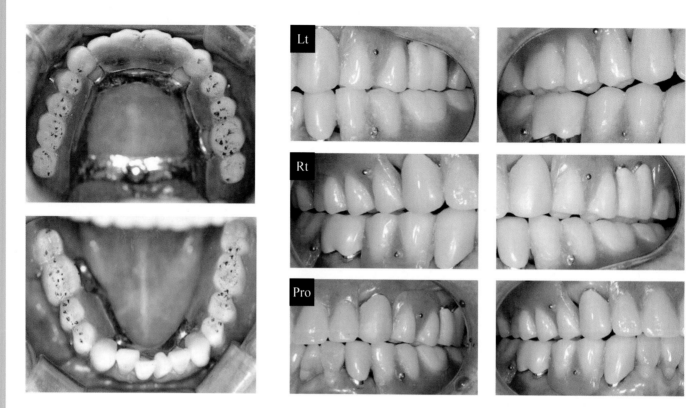

▲ 그림 1 중심위나 최대 교두감합위에서 상하악 구치의 확실한 교합접촉 및 양측성 균형 교합.

(1) 중심위나 최대 교두감합위에서 상하악 구치의 교합 접촉은 양측에서 동시에 균등하게 일어나야 한다. 이것은 보철치료의 원칙이고, 특히 임플란트 융합 국소의치에서 국소의치에 의한 구치부 지지를 확실히 부여하지 않으면 잔존 지대치나 임플란트에 많은 교합력이 집중될 가능성이 있겠다.

(2) 국소의치가 상악 총의치와 대합될 때에는 편심위 운동시 양측성 균형 교합이 이루어져야 한다. 또한 임플란트 융합 국소의치에서 무치악부가 넓어 움직임이 많을 것으로 예상되는 경우 그림 1의 경우와 같이 양측성 균형 교합을 고려한다.

일반적으로 양측성 균형 교합은 측방운동 시 상악 총의치의 안정성에 중요하다. 그러나, 전방운동 시에 구치부와 전치부가 동시에 접촉하였을 때 교합평면의 부조화가 종종 나타나기 때문에 전방운동 시에는 균형교합을 꼭 우선시 하지 말고 환자의 외관과 발음 및 교합 평면의 부조화를 잘 염두해 술자가 적절한 결정을 내리도록 해야 한다.

또한 하악의 Kennedy Class I의 경우에서도 국소의치의 움직임이 많을 것으로 예상된다면 양측성 균형 교합을 고려할 수 있다.

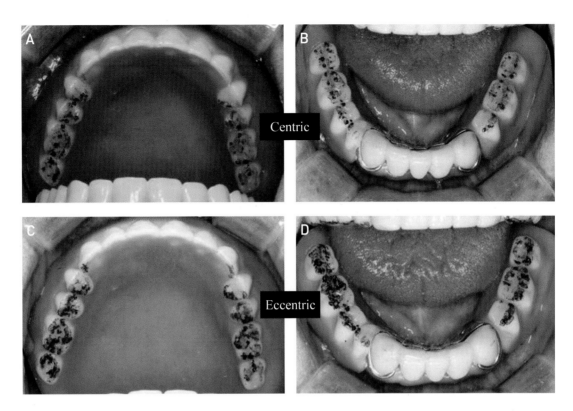

▲ 그림 2 움직임이 많을 것으로 예상되는 임플란트 융합 국소의치가 상악 총의치와 대합될 때 양측성 균형 교합을 형성한 경우.

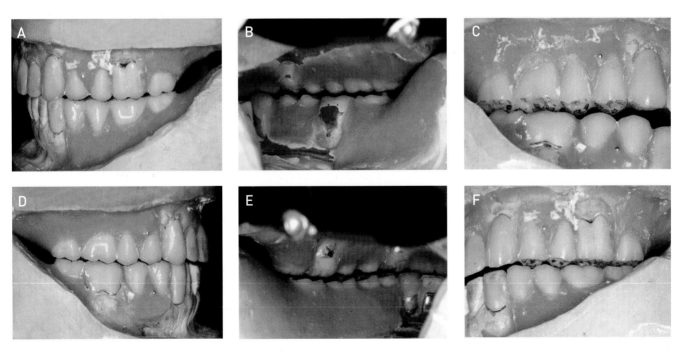

▲ 그림 3 하악 양측성 후방연장 국소의치(특히 임플란트 융합 국소의치의 경우)에서 인공치와 대합하는 임플란트 지대치에서 동시에 작업측 접촉이 일어나고 지대치가 너무 적어 임플란트에 과도한 회전측방력이 발생될 가능성이 있다면 움직임을 줄이기 위한 양측성 균형 교합을 고려함.

(3) 일반적으로 상악 양측성 후방연장 국소의치에서 무치악 부위가 크고 발치 후 오랜 시간이 경과되었을 때 그림 4와 같이 치조골의 협측이 많이 흡수된 양상을 보인다. 이 경우 치조정의 바깥쪽에 상악 인공치를 배열하게 되고, 그림 4와 같이 측방 운동이 발생시 잔존치조제 축을 중심으로 회전운동이 발생한다. 따라서 이 경우 의치상이 점막지지부에 밀착되어 적합이 양호하게 유지되고 있다는 전제 하에 양측성 균형 교합을 형성해 주어야 한다. 따라서 대합치가 총의치인 경우에서만 양측성 균형 교합을 형성해야 한다는 편견을 가져서는 안 되고, 회전축을 중심으로 한 생역학을 고려하여 적절한 교합관계를 형성할 수 있어야 한다. 이런 경우 임플란트를 추가 식립하여 지대치로 사용함으로써 국소의치의 운동을 효과적으로 막을 수 있다.

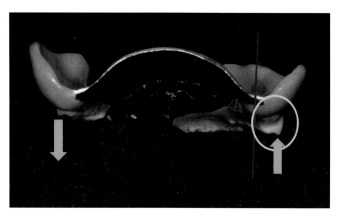 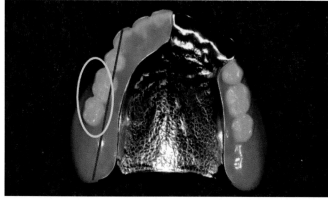

▲ 그림 4 무치악 부위가 크고 발치 후 오랜 시간이 경과되었을 때 치조골 흡수에 따른 국소의치의 회전. 치조골의 흡수로 인공치가 치조정 바깥으로 많이 벗어나 있다면 과도한 1종 지레 운동이 발생할 수 있고 이런 경우 교합으로 안정 요소를 추가 부여 가능하다.

하지만 유의할 점은 환자의 전치부가 수평 피개교합이 적으면서 심한 수직 피개교합을 갖고 있는 경우에는 이러한 양측성 균형 교합을 형성하기 위해서는 전치부의 삭제 및 재수복이 불가피하다. 중요한 것은 기존에 가지고 있던 잔존치의 교합 관계를 환자가 불편해 하지 않는다면 임의로 변경하지 않아야 한다. 따라서 이런 경우 잔존 자연치아가 치주적으로 이상 없이 건강하다면 또는 임플란트를 적절한 위치에 2개 이상 식립하여 스플린팅하였다면 견치 유도, 군기능교합, 편측성 균형교합 혹은 교차교합 등으로 국소의치의 움직임을 절충할 필요가 있다.

KeyPoint

교합 형성의 1차 목적은 저작이 잘 되게 하는 것이다. 하지만 임플란트 융합 국소의치의 경우 국소의치의 회전운동이 발생할 가능성이 큰 경우, 임플란트를 포함한 지대치의 위치가 좋지 못하거나 그 개수가 작아 측방 회전력이 지대치로 많이 가해질 상황이 예측된다면 양측성 균형 교합을 통해 국소의치의 안정을 도모할 수 있다.

소수 임플란트를 자연치와 융합한 국소의치에서 안정성이 떨어질 것으로 판단될 때 적절한 교합 형성을 위해 실질적으로 임상에서 어떠한 과정을 거쳐야 할까?

Answer

적절한 교합 형성을 위해 다음의 과정을 추천한다. 기본적인 내용이지만 임플란트 융합 국소의치에서 움직임이 많을 것이라 판단된다면 다음의 과정을 꼭 지켜야 할 것이다.

(1) 금속 구조체 제작 후 구강 내 시적 시 반드시 필요 없는 접촉을 제거하여 passive하게 금속 구조체가 삽입되도록 해야 한다. 단, 구조물의 유지장치와 보상 부위의 접촉은 잘 유지시켜야 한다.

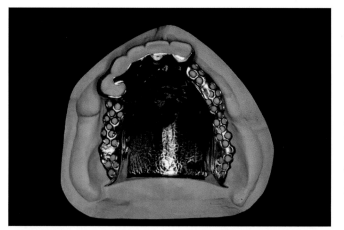
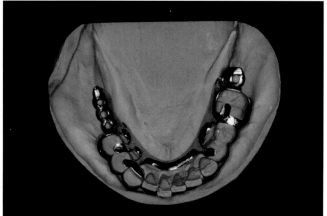
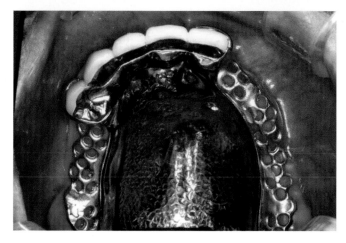
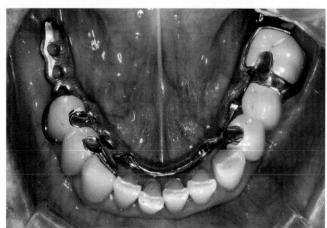

▲ 그림 5 금속 구조체 제작 후 구강 내 시적 및 조정.

(2) 금속 구조체 상에 레진을 이용한 occlusal rim을 형성하고 정확한 교합관계를 채득하는 것은 적절한 교합을 형성하는 기본적인 과정이다. 금속 구조체 상에 wax로만 base와 rim을 만들어 악

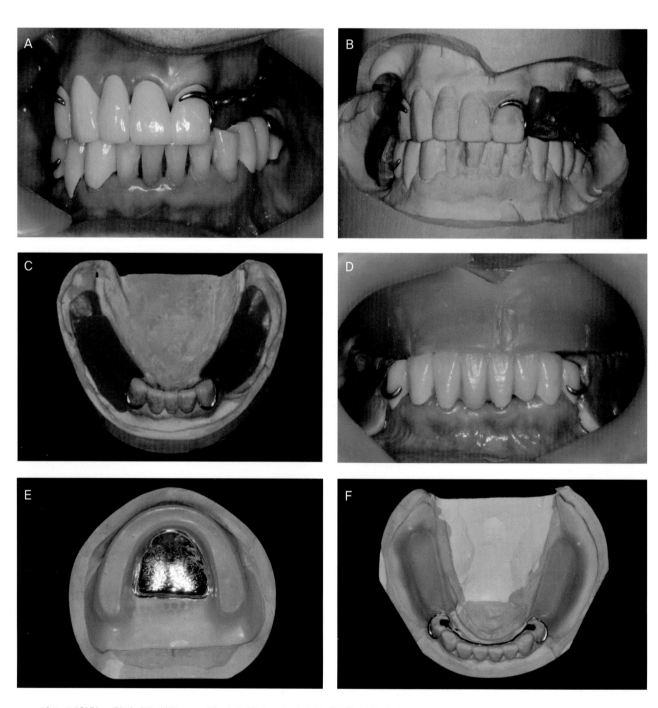

▲ 그림 6 정확한 교합관계를 채득: A, B 와 같이 임의로 술자가 실리콘을 이용하여 record base를 만들고 교합인기를 한다면 탄성을 가지는 재료의 특성으로 교합관계 채득 시 변형의 가능성이 있다. 또한 C, D와 같이 base를 wax로 제작하면 교합관계 채득 시 변형의 가능성이 있으므로 반드시 그림 E, F처럼 금속 구조체로 보강된 상태나, 레진 base를 만들어 교합관계를 채득해야 한다.

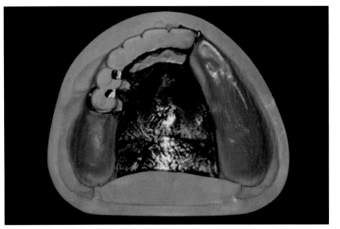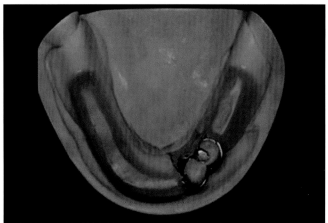

▲ 그림 7 Record base는 반드시 레진으로 형성해야 함.

간 관계를 채득하는 경우도 있는데, 이는 wax의 변형으로 인해 부정확한 교합관계를 인기할 가능성이 있으니 피해야 한다.

(3) 상하악 구치부에 인공치아를 배열하여 납의치 완성 이후 구강 내 교합 조정의 과정은 사실 술자에 의해 이루어져야 하며, 구강 내에서 교합이 잘 맞지 않을 때 교합관계를 다시 채득하여 remounting을 시행하도록 해야 한다. 만약 술자가 이러한 과정을 할 수 없다면 기공사에게 충분히 상황을 설명하고, 반드시 반조절성 교합기 상에서 교합조정을 시행하게 한다. 만약 양측성 균형 교합을 형성할 필요가 있다면 기공사에게 작업측에서 모든 치아의 균일한 접촉, 비작업측에서 최소한 3점 이상의 구치부 접촉을 요구한다.

양측성 균형 교합이 반드시 비작업측에서 모든 치아가 접촉해야 한다는 것은 임상적으로 또는 제작과정에서 어려움이 많다. 저자는 개인적으로 비작업측에서 1, 2점만 닿아도 국소의치의 안정이 증대된다고 생각한다. 기공사에게 평균치 마운팅을 한 반조절성 교합기에서 비작업측 3점 이상의 교합접촉을 요구한다면, 실제 구강 내에서 비작업측에서 대부분 1, 2점이 닿게 됨을 많이 경험하였다. 이것은 저자의 경험을 바탕으로 한 것이고 항상 그런 것은 아니니 술자는 효과적인 방법을 기공사와 잘 상의하도록 한다.

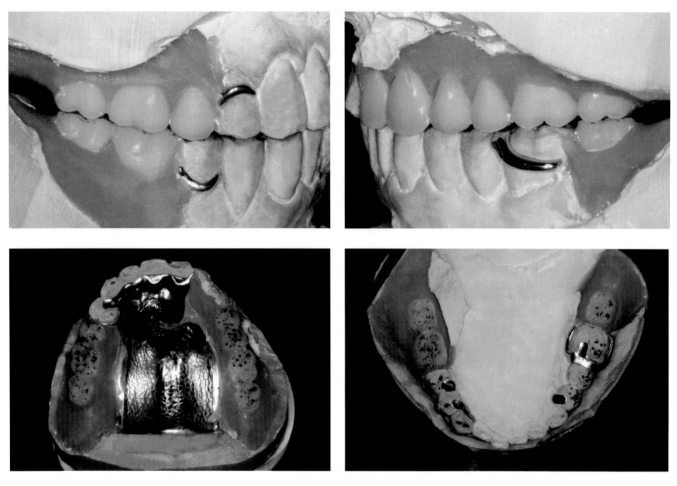

▲ 그림 8 Laboratory remounting을 시행하여 교합조정 시행.

(4) 납의치를 온성 후 그림 8과 같이 기공실 재부착(laboratory remounting)을 시행하여 교합조정을
하는 과정은 온성 과정 중에 발생하는 변형을 수정하는 단계이다. 일반적으로 기공소에서 조
정을 하게 되나 술자가 의도한 교합이 형성되었는지를 술자가 검사한 후에 연마 마무리를 시
행하도록 지시하는 것이 바람직하다. 이 과정에서 적절한 수정이 이루어지지 않는다면 최종
국소의치의 수정 시 많은 노력이 필요할 수 있다. 기공사와 치과의사 간의 적절한 협력이 필요
한 단계이다.

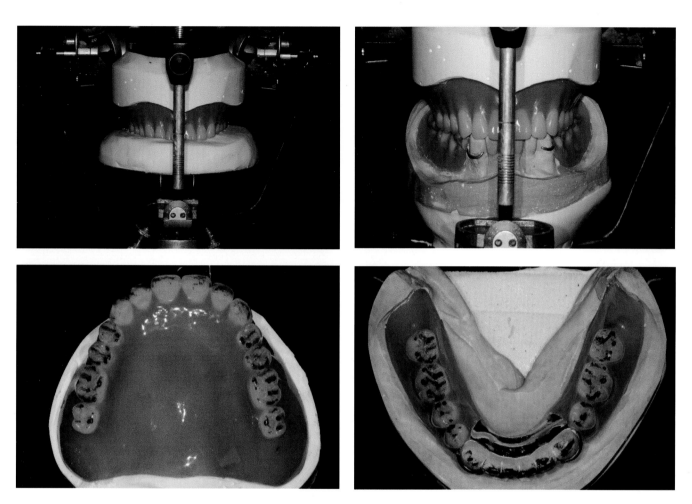

▲ 그림 9 Clinical remounting. 임플란트 융합 국소의치를 구강 내 시적 후 구강 내에서 조절이 불가능할 정도로 큰 오차가 발견된 경우 clinical remounting을 시행하고 술자가 직접 조절할 수 있다. 하지만 술자가 조절할 수 있는 여건이 안 된다면 구강 내에서 교합을 인기하여 기공사에게 다시 조절을 의뢰하는 과정을 선택할 수 있다.

(5) 최종 국소의치를 연마 마무리하여 구강 내 시적 후 교합조정을 위해 진료실 재부착(clinical remounting)을 시행 후 교합기상 교합조정을 시행하는 단계는 앞서 laboratory remounting 상에서 교합조정이 적절히 이루어졌다면 저자의 경우는 보통 시행하지 않는다. 하지만 구강 내에서 조정하기에는 너무 많은 노력이 필요하다고 판단될 정도로 교합이 맞지 않다면 진료실 재부착을 고려해야 하며, 구강 내에서 의치를 장착한 상태로 교합 관계를 인기하여 기공소에 보내면 교합기에 재부착하여 그림 9와 같이 부가적인 교합조정을 시행할 수 있다.

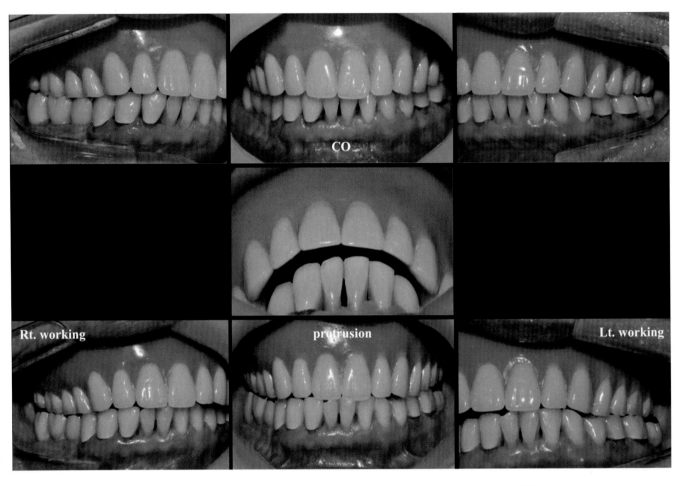

▲ 그림 10 Clinical remounting 하에서 양측성 균형 교합을 위한 조정 후 구강 내 확인.

(6) 구강 내에서 마무리 교합조정 과정은 앞서 시행한 단계를 잘 거친다면 거의 할 것이 없을 것이다.

KeyPoint

임플란트를 이용한다고 가철성 보철물의 기본 개념이 바뀌는 것이 아니다. 오히려 더 잘 지키고 과정마다 정성을 다 하여야 치료의 성공을 높일 수 있고 환자의 만족도도 커질 것이라 생각한다. 교합을 통한 안정의 부여는 디자인, 인상으로 안정 요소를 충분히 얻지 못할 때 최후의 수단으로 시행하는 것이다.

참고문헌 ≫≫

1. Hämmerle CH, Wagner D, Bragger U, Lussi A, Karayiannis A, Joss A, Lang NP. Threshold of tactile sensitivity perceived with dental endosseous implants and natural teeth. Clinical Oral Implants Research. 1995;6:83–90.

2. Isidor F. Loss of osseointegration caused by occlusal load of oral implants. A clinical and radiographic study in monkeys. Clinical Oral Implants Research. 1996;7:143–152.

3. Mericske-Stern RD, Taylor TD, Belser U. Management of the edentulous patient. Clinical Oral Implants Research. 2000;11:108–125.

4. Misch CE. Occlusal considerations for implant supported prostheses. Contemporary implant dentistry. 1999;609-628.

5. Peroz I, Leuenberg A, Haustein I, Lange KP. Comparison between balanced occlusion and canine guidance in complete denture wearers – a clinical, randomized trial. Quintessence International. 2003;34:607–612.

6. Wismeijer D, van Waas MA, Kalk W. Factors to consider in selecting an occlusal concept for patients with implants in the edentulous mandible. Journal of Prosthetic Dentistry. 1995;74:380–384.

3.5
국소의치의 안정을 얻기 위한
첨상(relining)을 이해하자.

소수 임플란트를 이용한 국소의치의 경우 조직지지 부위의 치조골 흡수에 따라 의치상의 적합도가 떨어지고, 이런 경우 특히 Kennedy Class I 국소의치의 경우 최후방 지대치를 중심으로 하는 회전축에 의해 전후방적 회전이 커지게 된다. 따라서 치조골의 흡수에 따라 적절한 첨상을 해주지 않는다면 지대치에 혹은 임플란트에 많은 측방 회전력을 줄 수 있고, 적절한 교합지지가 상실되어 임플란트에 과도한 수직력을 전달할 수 있으므로 임플란트 융합 국소의치에서 운동이 발생되는 경우는 철저히 첨상을 해주어야 한다.

총의치와 마찬가지로 국소의치에서 첨상은 의치상의 적합을 증진시키기 위하여 단순히 의치상 내면에 레진을 재이장시켜 주는 술식을 말한다. 교합적 상태나 의치의 상태에 따라 그림 1과 같이 첨상(relining)만이 필요한 경우도 있고, 개상(rebasing), 혹은 다시 만들어야 하는 경우도 있다.

▲ 그림 1 국소의치의 적합도 상태와 교합의 안정도에 따라 의치상의 수리 및 재제작.

본 책에서는 임상적으로 잘 사용하지 않는 개상은 다루지 않고 첨상만을 다루도록 한다. 임플란트 융합 국소의치의 경우 개상까지 할 정도로 치조골이 흡수될 때까지 방치하면 절대로 안 된다. 최소 1년에 한 번 정도는 첨상을 주기적으로 해주어 국소의치의 회전을 막아주어야 한다.

Question

상하악에서 첨상을 해야 하는 시기를 어떻게 알 수 있는가?

Answer

우리는 학생 때 그림 2와 같이 Kennedy Class I 하악 국소의치에서 구치부를 눌렀을 때 지점선을 중심으로 전방에 있는 레스트가 뜨게 되는 현상이 보이면 첨상을 해야 하는 시기라고 배웠다. 물론 fit checker 등으로 내면 검사를 해보아도 알 수 있을 것이다.

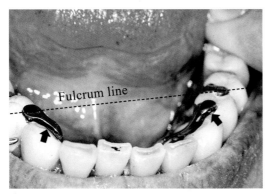
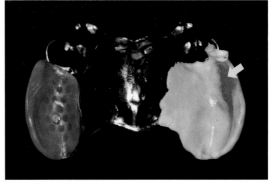

▲ 그림 2 상하악의 첨상의 시기를 결정하는 방법.

하지만 상악의 경우 첨상의 시기가 되었지만 국소의치 후방 무치악 부위를 눌러도 레스트가 뜨지 않는 경우가 많다. 이는 수직적인 지지를 제공하는 구개 부위가 있기 때문이다. 저자는 상악의 경우 국소의치의 후방 부위를 눌러 전방 레스트가 뜨는 것으로 첨상의 시기를 결정하지 말 것을 권고한다. 상악은 반드시 주기적으로 fit checker 등을 이용하여 내면검사를 시행하도록 하고 치조골 흡수가 관찰되면 즉각 첨상을 해주어야 한다.

저자는 이번 장에서 꼭 강조하고 싶은 것이 있다. 소수 임플란트 융합 국소의치에서는 위 그림 2와 같이 레스트가 완전히 뜨기 전에 내면 검사를 시행하여 주기적으로 첨상을 시행해야 한다는 것이다. 만약 소수의 임플란트 지대치나 attachment를 이용하여 국소의치를 제작하였고, 그 경우에 그림 2의 왼쪽 그림과 같이 구치부를 눌렀을 때 레스트가 확연히 뜨는 것이 보인다면, 이미 임플란트에 많은 측방 회전력이 가해지고 있을 것이다.

Answer

첨상의 과정은 간접법과 직접법이 있다. 두 방법이 큰 차이가 있는 것이 아니라 간접법은 그림 3과 같이 의치상 내면에 인상재를 넣고 인상을 뜬 다음 가공소로 보내서 레진으로 교체하는 것이고, 직접법은 chairside 첨상 술식으로 레진을 구강 내에서 바로 채워 넣는 방법이다. 두 방법 모두 장단점이 있지만 저자의 경우 내면에 더해질 레진의 양이 많다고 생각되면 간접법을, 그 양이 적다면 직접법을 이용한다. 사실 저자의 경우 최소 1년마다 모든 국소의치 환자의 첨상을 시행하기

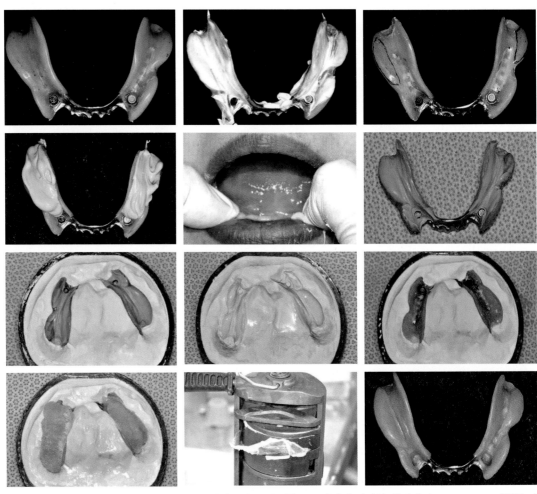

▲ 그림 3 간접법으로 첨상하는 과정. 내면 적합도가 좋지못한 국소의치의 의치상 내면에서 buccal shelf 지역을 제외하고 1 mm 정도 두께를 제거해서 인상재를 위한 공간을 만들어 준다. 이때 buccal shelf 지역은 선택적 가압인상법과 동일하게 적용하기 위해 삭제를 하지 않는다. 필요하다면 border molding을 병행한다. 의치상 내면에 regular type의 silicon 인상재를 적용하고 구강내에서 인상을 채득한다. 이때 중요한 것은 레스트만 눌러야 한다는 것이다. 인기된 인상재 부위만큼 레진으로 바꿔주는 과정을 기공실에서 진행한다. 이것이 간접법으로 첨상하는 과정이다.

때문에 주로 직접법을 많이 이용한다. 그리고 임상에서 저자가 느끼는 것은 국소의치에서는 간접법이 변형이 많아 첨상 후 수정 횟수가 직접법보다 더 많다는 것이다.

본 책에서는 직접법을 이용한 첨상 과정을 위주로 소개할 것이다.

KeyPoint

저자가 생각하는 첨상 과정에서 중요한 3가지 포인트는 다음과 같다

(1) 반드시 open mouth technique을 사용한다

(2) 반드시 지대치에 놓이는 레스트를 꽉 눌러준다. 절대로 국소의치 무치악부를 누르지 않는다.

(3) 반드시 첨상 후에는 교합조정을 시행한다.

이 세가지 중요 포인트는 절대로 잊어버려서는 안 된다. 꼭 명심해야 한다.

각각의 중요 포인트를 증례를 보면서 구체적으로 알아보자

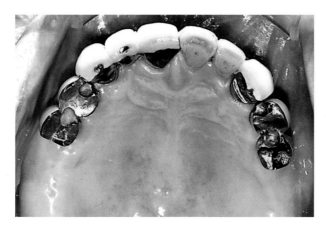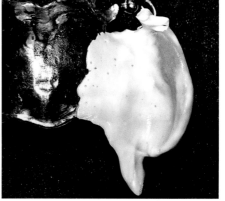

▲ 그림 4 양측 소구치 2개씩을 임플란트 지대치로 가지는 국소의치의 의치상 평가.

그림 4는 6년전 상악 양측 제1, 2소구치 부위에 임플란트를 식립하고 지대치를 제작한 뒤 국소의치 치료를 한 경우이다. 6개월 정기검진 시 별 불편함을 호소하지 않았으나, shim stock이 구치부에서 살짝 빠지고, 무치악부 협측 부위가 약간 발적이 있는 것을 발견하고 내면 검사를 시행해보았다. 그림과 같이 약간의 무치악부 치조제의 골흡수가 관찰되었다.

KeyPoint

상악의 경우 무치악부가 작을 때는 첨상의 시기가 되었음에도 환자분의 불편함이 없는 경우가 많다. 상악 구개부에서 넓은 지지를 얻고 있기 때문이다. 하지만 구치부 교합이 약해지고 의치상의 내면 적합도가 조금이라도 부족하면 반드시 조기에 첨상을 해주어야 한다. 그대로 방치하면 그림 4와 같은 환자는 국소의치로 저작하지 않고 전방부 임플란트 지대치에 의해 저작하게 될 것이고, 설사 국소의치를 장착한다 하더라도 측방 회전력이 임플란트에 지속적으로 전달될 것이다.

또한 중요한 점은 내면 평가를 할 때는 fit checker를 적용한 뒤 반드시 입을 벌린 상태에서 술자는 국소의치의 레스트만을 꽉 눌러서 내면을 인기하여야 한다. 절대로 환자에게 입을 다물게 해서는 안 되고 술자가 후방 무치악부를 누르면 안 된다. 이것이 open mouth technique이며 국소의치 제작을 위한 인상, 첨상, 내면 평가 등의 모든 과정에서 공통적으로 적용되니 절대로 잊어버려서는 안 된다.

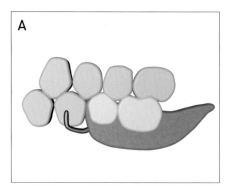 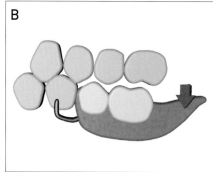 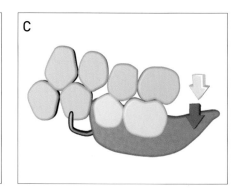

▲ 그림 5 반드시 open mouth technique을 사용해야 하는 이유.

 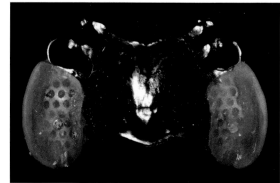

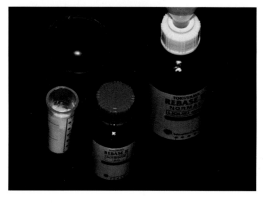 

▲ 그림 6 내면 적합 검사 후 첨상 면의 삭제, denture primer 도포.

그림 5는 내면 검사나 첨상의 과정에서 open mouth technique을 사용해야 하는 이유를 설명한다. 처음에 국소의치를 만들었을 경우 A와 같이 상하악 교합관계가 적절하게 형성되었을 것이다. 그 후 B처럼 후방부 치조제가 흡수되고 국소의치의 후방부가 회전하여 상악 구치부와 하악 국소의치 사이의 교합점이 없어지면 그림 C와 같이 상악 치아가 이동할 수 있다. 이런 상태에서 내면 검사나 첨상 시 환자에게 bite를 시켜버리면 결국 변형된 교합에 의해 C처럼 의치상을 눌러버릴 것이다. 결국 내면 검사나 첨상의 의미가 없어지는 것이다.

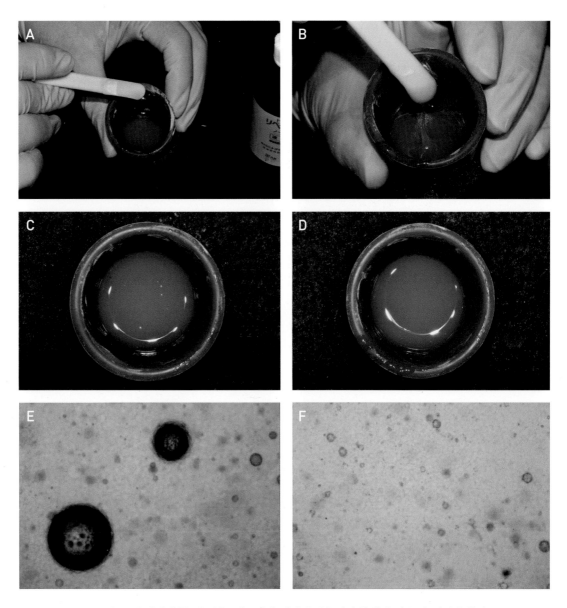

▲ 그림 7 레진의 혼합 및 적용. 제품마다 정해진 파우더와 용액의 비를 잘 지켜야 한다.

　　그림 6과 같이 첨상할 부위를 덴쳐 버로 삭제한다. 보통 충분한 두께를 확보하기 위해 1 mm 이상 삭제하는 것을 권장한다. 이러한 과정은 오염된 레진 표면을 제거하고, 새로 이장될 레진에 충분한 두께를 부여하게 된다. 직접법의 경우 너무 얇게 이장된 레진은 뜯어져 나가는 경우를 많이 보게 된다.

　　직접법으로 레진을 적용하는 경우 레진의 혼합방법이 아주 중요하다. Chairside 첨상(직접 첨상법)에서 가장 큰 단점은 기포의 함입일 것이다. 사실 이 문제에 대해서는 뚜렷한 해결책은 없지만 파우더와 용액을 믹스하는 방법에 따라 기포의 함입 양이 분명히 차이가 나기 때문에 술자는 믹스 과정에서 기포를 최소화하도록 노력해야 한다. 그림 7-A는 처음 재료를 믹스하였을 때의 사진이다. 대부분의 시판되는 재료에서 처음 믹스한 후 아주 묽은 경향을 보이는데 30초~1분 정도 지나면 그림 7-B와 같이 꿀처럼 흘러내리는 상태가 되고 이 상태에서 구강 내에 적용하는 것을 추천한다. 그림 7-A의 처음 믹스 시 절대로 과도한 믹스를 하지 않는다. 부드럽고 간단히 믹스한 뒤 자세

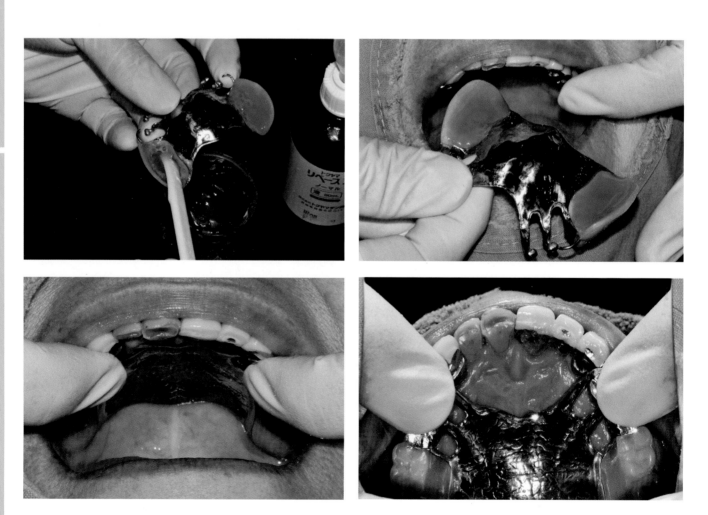

▲ 그림 8 　첨상 레진의 구강 내 적용. 의치상의 내면에 그림 7-B, D 상태의 레진을 적용한 뒤, 구강 내에 넣고 반드시 레스트를 꽉 눌러준다.

히 보면 그림 7-C처럼 기포가 관찰될 것이다. 한 번 믹스한 뒤 지속적인 믹스나 추가적인 믹스는 하지 않는다. 처음 믹스 후 rubber cup을 바닥에 치면 내부에 있는 기포가 위로 올라오게 되고, 이 기포들을 spatula로 살짝 제거해 준다(절대 믹스를 추가하지 않는다). 그림 7-D처럼 표면의 큰 기포들을 모두 제거한 뒤 의치상 내면에 적용하게 된다. 그림 7-E, F는 저자가 직접 광학현미경으로 찍어본 사진으로 E는 C 상태에서 바로 적용한 상태이고, F는 처음 믹스 후 충분히 기다리면서 기포를 제거한 뒤 B와 D 상태에서 적용하였을 때의 사진이다. F 그림에서 큰 기포들이 모두 사라진 것을 확인할 수 있다.

그림 8과 같이 레진을 적용할 때는 너무 묽은 상태로 바로 적용하지 말고 앞서 설명한 그림 7-B, D 상태로 약간 과량을 넣어 적용해야 한다. 이런 작업과정은 약간의 압력을 재료 자체에 가하게 됨으로써 결손이나 기포를 줄일 수 있는 방법이 될 수 있다. 하지만 이 부분은 명확한 근거가 없으며 저자의 경험에 의해 서술되었으니 술자마다 자기에게 맞는 방법을 적절히 확립하여 적용하면 좋겠다.

KeyPoint

첨상 레진을 구강 내 적용할 때 가장 중요한 것은 그림 8과 같이 반드시 open mouth technique으로 술자가 레스트와 주연결장치를 눌러서 재위치시키고, 기다리는 동안은 반드시 레스트만을 꽉 눌러주고 있어야 한다는 것이다. 절대로 후방 무치악 부위를 눌러서는 안 된다는 것과 환자에게 bite를 시켜서는 안 된다는 것을 다시 한 번 강조한다.

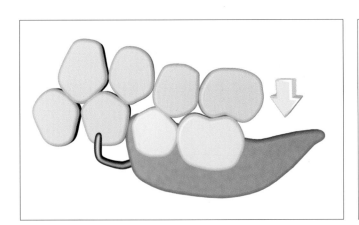
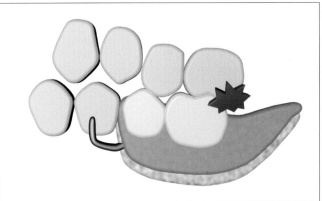

▲ 그림 9 첨상의 시행 후 교합조정의 필요성.

그림 9와 같이 첨상이 필요한 국소의치는 후방 무치악부 의치상이 침하하고 대합되는 자연치가 약간 위치 이동이 발생했을 가능성이 크다. 첨상을 제대로 시행하였다면, 즉 레스트가 완전히 장

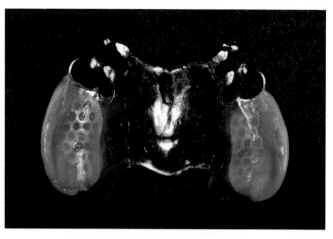
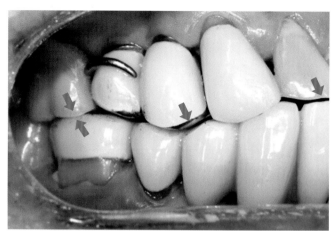
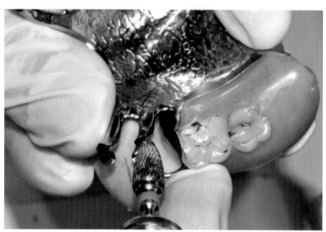
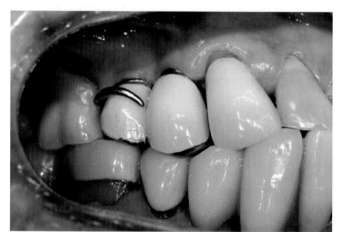

▲ 그림 10　첨상 후 국소의치 인공치 부위가 조기 접촉하여 교합조정을 시행.

착된 상태로 레스트만을 눌러서 첨상을 시행했다면, 그림 9의 오른쪽과 같이 회전 침하되었던 구치부 무치악부 의치상이 원래 위치로 상승하게 될 것이다. 그러면 이전 침하되었던 상태로 적응되어 있는 대합치와 조기접촉을 만들게 된다.

그림 9와 같은 이유로 그림 10과 같이 첨상 이후 보통은 인공치에서 조기접촉이 일어난다. 그림 10의 화살표와 같이 구치부 인공치의 조기접촉으로 전방 자연치들이 살짝 뜨고 있는 것을 관찰할 수 있다. 직접 조절 가능할 정도라면 그림 10과 같이 덴쳐 버로 조정하면 된다. 하지만 상당히 광범위한 교합조정이 필요하다면 구강 내 상태의 교합을 인기하고, 국소의치가 장착된 상태에서 pick-up 인상을 채득하여 기공실에서 반조절성 교합기에 장착하여 교합조정을 시행하도록 한다.

저자의 경우 최소 1년에 한 번은 대부분의 임플란트 융합 국소의치로 치료한 환자에서 첨상을

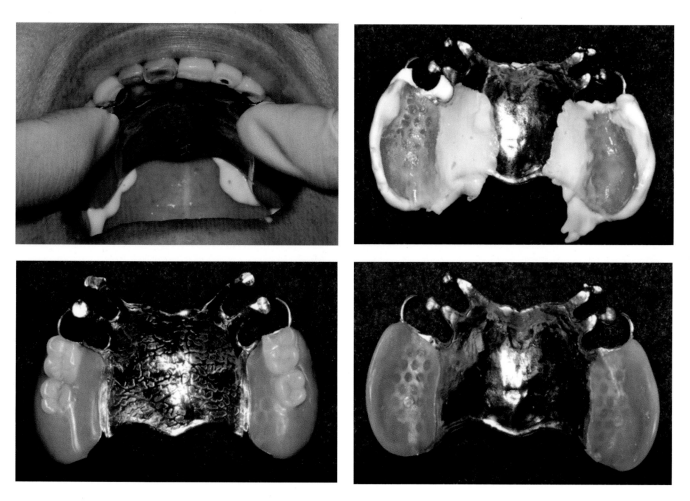

▲ 그림 11　첨상 후 내면 적합도의 재평가.

시행하는데, 주기적인 첨상은 교합조정도 간단하고, 새로운 의치상 내면에 대한 환자의 적응도 더욱 쉽다는 장점이 있다. 주기적인 첨상은 소수 임플란트 융합 국소의치의 장기적 성공을 증대시키는데 아주 중요한 요소임을 다시 강조한다.

　그림 11은 첨상이 잘 되었는지 의치상 내면을 확인하는 과정이다. 꼭 확인 과정을 시행할 필요는 없다. 하지만 하악의 경우 후방 무치악부 인공치를 꽉 눌러서 전방 레스트가 뜨지 않는다면 첨상이 적절히 이루어졌다고 판단이 되지만 상악의 경우는 국소의치의 움직임으로 판단이 잘 안 되므로 최종 내면 적합 검사를 fit checker로 시행해 보는 것이 좋다. 첨상 이후 국소의치의 삽입철거로를 방해하는 조직부 언더컷까지 레진이 채워진 경우가 있는데 이 부분은 적절히 릴리프하도록 한다. 그림 10에서와 같이 교합조정이 잘 되었다면 환자에게 bite를 시켜서 내면 평가를 해도 된다. 그림 4와 비교하여 의치상 내면 적합도가 우수한 것을 확인할 수 있다.

참고문헌 >>>

1. Da Cruz Perez LE, Machado AL, Canevarolo SV, Vergani CE, Giampaolo ET, Pavarina AC. Effect of reline material and denture base surface treatment on the impact strength of a denture base acrylic 레진. Gerodontology. 2010;27:62-9.

2. Mutluay MM, Ruyter IE. Evaluation of adhesion of chairside hard relining materials to denture base polymers. J Prosthet Dent. 2005;94:445-52.

3. Takahashi JM, Machado FM, Nuñez JM, Consani RL, Mesquita MF. Relining of prosthesis with auto-polymerizing hard denture reline 레진s: effect of post-polymerization treatment on flexural strength. Gerodontology. 2009;26:232-6.

4. Tanoue N, Matsuda Y, Yanagida H, Matsumura H, Sawase T. Factors affecting the bond strength of denture base and reline acrylic 레진s to base metal materials. J Appl Oral Sci. 2013;21:320-6.

5. Tewary S, Pawashe KG. Evaluation of linear dimensional accuracy of hard chairside and laboratory heat cure reline 레진s at different time intervals after processing. Indian J Dent Res. 2014;25:686-91.

6. 정창모. Atlas of Chairside Relining Technique. 신흥인터내셔날, 2001.

CHAPTER 4

국소의치에서 임플란트를 융합해보자!
(증례를 중심으로)

학습목표

Chapter 4 에서는 국소의치에서 임플란트가 적용 가능한 경우를 고려하여 5개의 소분류로 구분하고 각각 상황에 따른 치료방법을 증례를 통해 생각해 본다. Chapter 1, 2, 3를 통해서 충분히 이해하였다면 치료방법의 이해가 쉬울 것이다. 정답을 보여주는 치료들이 아니며, 환자 치료에서 정답이란 있을 수 없다. 저자가 이 책에서 꼭 말하고자 하는 것은 기본적인 지식을 바탕으로 다양한 응용을 통해 최상의 치료 결과를 얻을 수 있다는 것이다. 왜 이렇게 치료했을까? 이 치료도 어떤 문제가 있을 듯 한데... 등의 비판적 사고로 증례들을 같이 고민했으면 한다.

4.1
후방연장 국소의치에서 구치부에 임플란트를 식립하여
국소의치의 전후방 회전을 막고자 할 때.

Question

하악 Kennedy Class I 국소의치에서 후방 무치악 부위에 임플란트를 식립함으로써 어떤 장점을 얻을 수 있는가?

Answer

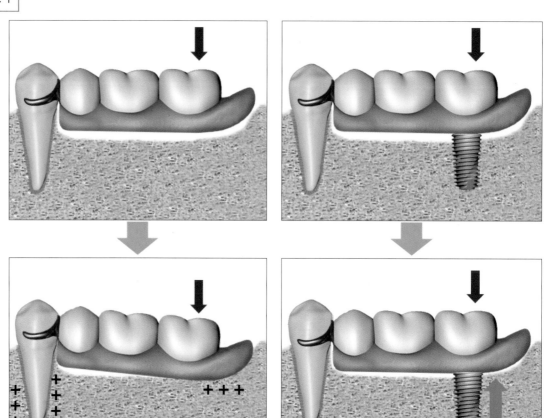

▲ 그림 1 Kennedy Class I 국소의치에서 후방 무치악 부위에 임플란트 식립을 통해 얻는 장점.

임플란트는 치아 및 조직 지지 국소의치(Kennedy Class I 또는 II)를 좀더 안정적인 치아 및 임플란트 지지 국소의치(Kennedy Class III)로 전환하게 하는 장점이 있다. 앞서 반복적으로 설명한 바와 같이 후방에 무치악을 가지는 치아 및 조직 지지 국소의치의 경우 최후방 지대치를 중심으로 하는 회전이 생기게 되고, 이러한 회전은 연조직을 압박하여 동통을 야기할 수 있고, 회전이 클 경우 지대치에 과도한 측방 회전력을 가하게 되는 단점을 가진다. 결국 그림 1과 같이 후방 무치악 부위에 식립된 임플란트는 수직적인 지지를 제공하게 되고, 이런 수직적 지지는 국소의치의 회전운동을 막게 되어 일반적으로 발생되는 많은 부작용을 예방할 수 있다.

많은 연구에서 후방 무치악 부위의 임플란트가 (1) 국소의치의 안정을 증가시키고, (2) 잔존치조제 흡수를 감소시키며, (3) attachment를 같이 사용할 때 유지를 증가시키며, (4) 잔존 지대치에 측방 회전력을 감소시키며, (5) 환자의 편안함과 기능을 증가시키는 등의 장점이 있다고 보고하고 있고, 연구가 상당히 많이 보고되고 있어 과학적 증거가 충분하다고 생각된다. 또한 상악 총의치와 하악 후방연장 국소의치를 사용하는 환자에서 발생 가능한 combination syndrome의 발생도 이 치료를 통해 예방 가능하다는 보고가 있다.

최근 Zancopé 등이 시행한 systematic review에서는 2014년까지 하악의 Kennedy Class I RPD에서 후방연장 부위에 임플란트를 식립하여 Kennedy Class III로 바꿔주는 술식에 대한 관련 임상연구들을 모두 조사하여 보고하였다. 이 연구를 통해 양측성 후방연장 국소의치에서 후방 무치악 부위에 임플란트를 식립하여 Kennedy Class I을 Class III로 바꿔주었을 때, 임플란트 생존률이 감소되는 증거는 어떤 연구에서도 발견할 수 없었으며, 대부분의 경우에 환자의 만족도가 증가하고 저작 효율이 증대되었다는 결과를 보고하였다. 결론적으로 양측성 후방연장 국소의치에서 후방으로 침하되는 회전운동을 막고, 치료비용을 절감한다는 측면에서 유용한 치료방법으로 사료된다고 하였다.

Q u e s t i o n
하악 Kennedy Class I 국소의치에서 후방 무치악 부위에 임플란트를 이용해 지지를 부여하면 왜 combination syndrome이 발생하지 않는 건가?

A n s w e r
1972년 Kelly에 의해 combination syndrome의 발생 이유가 처음 소개되었다. 이것은 상악 총의치와 하악 양측성 후방연장 국소의치를 사용하는 환자에게서 자주 발생한다. 그림 2와 같이 하악 후방연장 국소의치에 지속적인 교합력이 가해지면서 인공치의 마모와 함께 최초 치조골의 흡수가 시작됨에 따라 하악 구치부 지지가 감소하게 된다. 특히 후방연장 국소의치를 사용해 본 적이 없거나 적절한 첨상이 이루어지지 않은 경우 구치부 치조제의 흡수는 더욱 빨라진다. 이러한 하악 하방 무치악 부위의 골 흡수는 하악 국소의치를 후방으로 침하시키게 되는 것이다. 이러한 상하악 의치의 위치 변화는 하악의 전방 이동을 만들며 상하악 전치 간의 공간을 증대시키고, 전치는 서서히 맹출하게 된다. 이런 현상이 좀더 심해지면서 하악 자연치가 상악 총의치의 전치 부위를 접촉하는 힘이 증대되고, 하악 잔존치가 상악 의치상을 상방으로 밀면서 상악 전방부의 치조제가 급속히 흡수되게 되는 것이다. 이러한 현상이 반복되면 상악 의치는 전 상방으로 이동하면서 더욱 마모될 것이고, 교합 평면을 후방으로 경사지게 되면서 수직 고경이 감소하게 된다. 임상적으로 술자가 관찰할 수 있는 combination syndrome의 일반적인 증상은 상악 전방부의 섬유성 결합조직이 과증식되어 있고, 후방 maxillary tuberosity가 증대되어 있는 것이다.

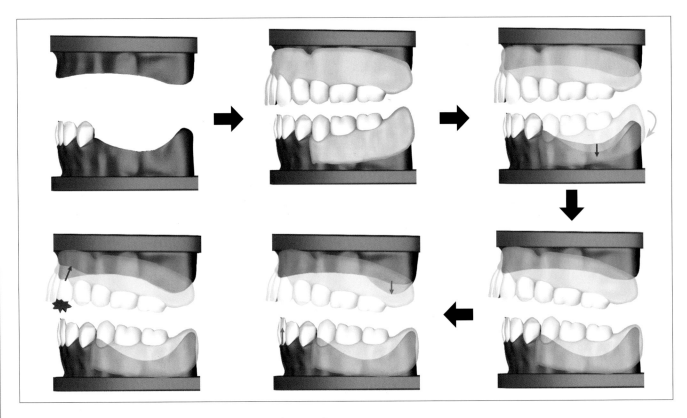

▲ 그림 2 Kelly's combination syndrome.

결국 combination syndrome의 근본 원인은 하악 후방연장 국소의치의 후방 무치악 부위 골 흡수인 것이다. 가끔 combination syndrome을 예방하기 위해 상악 전치부에 임플란트를 식립하는 것을 추천하는 임상가가 있다. 하지만 그림 3과 같이 하악 후방 무치악 부위의 임플란트 식립이나 주기적인 하악 의치의 첨상이 근본적으로 combination syndrome을 막는 방법이 될 것이다.

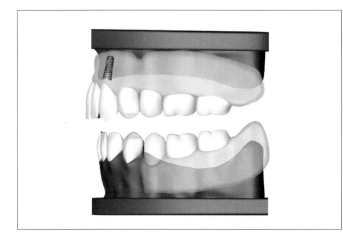 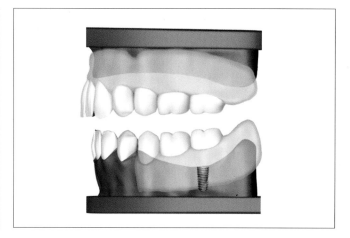

▲ 그림 3 Combination syndrome의 근본적인 예방책. 상악 전치부에 임플란트를 식립하는 것보다 하악 후방 무치악 부위에 임플란트를 식립하는 것이 근본적인 예방책이 될 수 있다.

KeyPoint

후방 무치악 부위의 임플란트 식립은 하악 후방연장 국소의치의 회전을 방지하여 combination syndrome을 효과적으로 예방할 수 있다. 하지만 임플란트를 식립하지 않더라도 주기적인 의치상의 첨상을 시행한다면 이 또한 예방책이 될 수 있다. 또한 후방 부위의 임플란트가 있다고 하더라도 의치상의 마모로 인해 후방 침하가 발생 가능함으로 반드시 주기적인 점검을 통해 첨상이 필요할 때는 시행하도록 하는 것이 중요하겠다.

Question

하악 Kennedy Class I 국소의치에서 무치악 부위에 임플란트를 심어서 attachment를 쓰는 경우와 healing abutment만을 장착하는 경우 어떤 것이 더 좋은가?

Answer

이전 연구들에서 하악 후방연장 국소의치의 후방 무치악 부위에 임플란트를 식립하고 healing abutment를 이용한 경우와 attachment를 부착한 경우에서 임플란트나 국소의치의 예후에서 차이가 없음을 보고하고 있다. 하지만 저자는 이 부분에서 약간 조심스럽다. 중요한 것은 임플란트 식립의 목적이 무엇이냐는 것이다. 후방 부위에 임플란트를 식립하여 구치부 지지를 부여하는 것이 목적인가? 자연치의 클라스프를 줄이거나 유지를 증대시키기 위한 목적인가? 아니면 이 둘을 모두 얻기 위함인가?

(1) 후방연장 국소의치의 구치부에 지지를 부여할 목적이라면?

하악의 후방연장 국소의치에서는 구치부의 지지가 부족하여 수직적으로 침하가 발생한다. 이러한 침하를 막기 위해서 임플란트를 식립하였다면 healing abutment 만 장착하여도 된다고 생각한다. Healing abutment는 의치상과 직접적인 접촉을 가능하게 하며 직접적인 접촉이 있어야 치아 및 임플란트 지지 국소의치인 Kennedy Class III 로 변형 가능하다.

(2) 임플란트를 통해 유지를 증대시키고자 한다면?

하악의 후방연장 국소의치에서 단순히 유지를 얻고자 한다면 attachment를 사용해야 할 것이다. 치과시장에는 너무나 많은 attachment 시스템이 있는데 이들은 제품마다 수평적 움직임, 수직적 운동 허용 범위, 유지력 등이 다르므로 명확한 답이 없을 수 있다. 하지만 한가지 분명한 사실은 attachment는 움직임을 어느 정도 허용한다는 것이다. 대부분의 attachment는 overdenture를 위해 개발된 것으로 움직임을 어느 정도 허용해야 임플란트로 전달되는 응력을 줄일 수 있기 때문이다.

　본 책에서는 저자가 개인적으로 많이 사용하고 있는 ball type이나 locator type에 국한되어 설명해 보고자 한다.

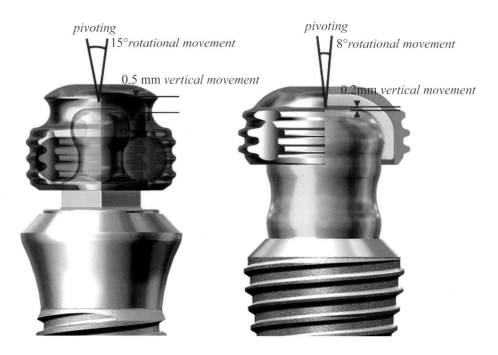

▲ 그림 4 Ball type과 locator type attachment의 예시. 대부분의 attachment는 10도 전후의 회전운동과 0.5 mm 전후의 수직적 침하 운동을 허용한다. 제품마다 운동 허용 범위는 다르나 대표적인 attachment의 예시를 든 것으로 술자는 사용하는 제품의 특성을 잘 파악해야 한다.

그림 4와 같이 대부분의 attachment는 약간의 회전운동과 수직적인 운동을 허용한다. 즉, 어떤 attachment를 사용하느냐에 따라 움직임이 다양할 것이고 이런 움직임의 허용은 구치부에서 수직적인 지지를 바로 전달하지 못할 수도 있다. 예를 들어 ball type의 attachment는 그림 4와 같이 수직적인 움직임을 더욱 많이 허용하기 때문에 연조직의 지지를 위한 움직임을 허용한 후 임플란트에 의한 지지를 얻을 가능성이 있다(사실 ball attachment는 수직적인 지지를 줄 수 없고, 주어서도 안되는 attachment이다). 우리가 신이 아닌 이상 연조직의 움직임에 맞는 적절한 위치에 attachment를 부착할 수가 없다는 것이 문제이고, 이런 부분은 치료의 예지성을 어렵게 만들 수 있다.

그래서 저자는 만약 유지만을 얻고자 의도한다면 임플란트를 최대한 전방 잔존치 근처에 식립할 것을 추천한다.

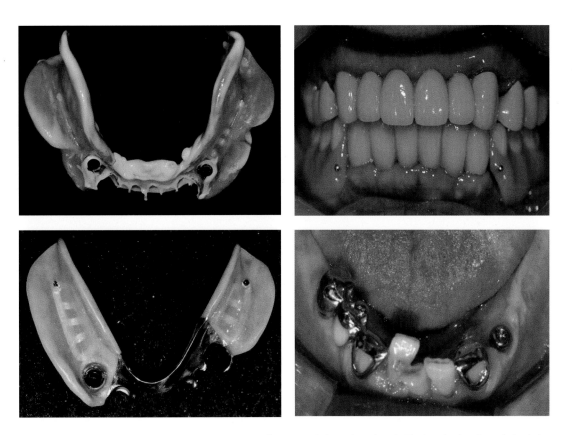

▲ 그림 5 국소의치에서 임플란트 attachment를 이용하여 유지의 증대를 얻고자 할 경우의 임플란트 식립 위치.

그림 5의 두 경우처럼 임플란트를 전방 잔존치 근처로 이동하여 식립한다면 임플란트 attachment는 그림 4와 같이 약간의 회전운동을 허용하기 때문에 후방 무치악부의 연조직 지지의 과정에서 발생하는 회전운동을 허용하면서 임플란트에 가해지는 회전 응력을 최소화할 수 있다.

또한 attachment는 유지장치이므로 본연의 임무인 유지력의 부여가 가능해지겠다. 이런 경우 부가적으로 지대치에 클라스프를 생략해도 된다.

하지만 이 경우에도 분명히 고려해야 할 점이 있다. 다음 장에 구체적으로 다시 설명할 예정이지만, 잔존 차연치가 만드는 국소의치의 삽입로와 attachment의 삽입로가 일치하도록 해야 한다. 국소의치의 삽입로는 소수의 임플란트보다 잔존하는 자연치에 의해 정해지는 경우가 더 많다. 만약 두 삽입로가 일치하지 않다면 국소의치의 삽입 철거 시마다 attachment를 짓누르면서 들어갈 가능성이 있고, 이 경우 attachment의 수명이 짧아질 것이다. 또 한가지 중요한 고려사항은 반드시 조직부 지지를 위해 필요한 경우 기능인상을 채득하고, 충분한 안정을 부여하기 위해 의치상의 설측을 충분히 연장하여야 할 것이다(3.3장 참조).

그림 6은 식립된 임플란트와 자연치가 만드는 국소의치의 삽입로를 평가하는 모습이다.

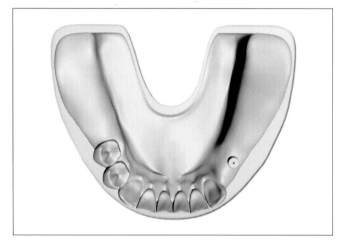 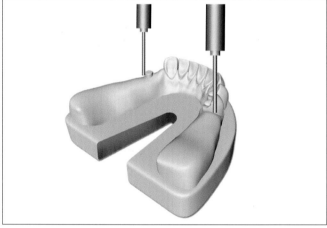

▲ 그림 6 임플란트 식립각도의 확인 과정. 식립된 임플란트의 식립각도와 surveyor로 확인한 국소의치의 삽입로가 유사할 경우 attachment 의 역할이 증대되고 수명이 길어질 것이다.

(3) 구치부의 지지와 국소의치의 유지 증대를 모두 얻고자 한다면?

앞서 설명한 내용들을 모두 만족할 수만 있다면 구치부의 지지와 동시에 국소의치의 유지 증대의 두 마리 토끼를 다 잡을 수 있을 것이다. 만약 구치부에 임플란트를 심고 attachment까지 계획하였다면 다음의 세가지를 고려한다.

첫째, 구치부에 식립되는 임플란트가 2개 이상이라면 반드시 임플란트들의 식립각도는 서로 일치해야 한다. 물론 attachment마다 식립각도를 보상할 수 있는 범위가 있을 수 있으나 식립각도가 거의 일치하는 것이 가장 이상적일 것이다. 저자의 연구들에 따르면 제조사가 지시하는 보상 각도의 범위보다 작은 두 임플란트 간 각도의 차이에서도 attachment 유지력의 급격한 감소를 관찰하였다(reference Choi et al (2017) and Kim et al (2015) 참조).

둘째, 첫 번째 조건이 만족되면 자연치가 만드는 국소의치의 삽입로와 임플란트들의 식립각도가 일치해야 한다. 정확히 일치할 필요는 없겠지만 최대한 그 방향이 유사하여야 국소의치가 쉽게 삽입될 것이고 attachment의 수명이 길어질 것이라 생각한다.

저자는 이 두 조건을 맞추기가 너무 어렵다고 판단한다. 이 두 조건을 맞추기 위해서는 구치부에 충분한 골량이 있어야 할 것이며 술자의 경험과 능력에 따라 결과에 많은 차이가 있을 수 있다.

셋째, 수직적인 움직임이 작은 또는 없는 attachment를 사용하도록 추천한다. 앞서 설명한 바와 같이 수직적인 움직임을 많이 허용하는 attachment는 적절한 시점에 임플란트에 지지를 부여하기가 어렵다. 저자는 그나마 움직임이 적은 locator를 사용하지만, magnetic attachment를 사용하는 것도 좋은 방법이 될 수 있다.

저자의 경우는 대부분 후방연장 국소의치의 전후방 회전을 막을 목적으로, 지지만을 얻을 목적으로 사용하기 때문에 대부분의 경우 healing abutment를 체결하는 방식을 선호한다. 위의 세가지를 모두 충족시키기 너무 어렵지 않은가?

그림 7은 앞서 설명한 세가지 경우를 종합적으로 설명해 볼 수 있는 증례이기에 이번 장에 넣었다. 먼저 꼭 다시 언급하고 싶은데, 저자는 서론에서 기술한 바와 같이 임플란트가 하나라도 들어간다면 국소의치와 동일하다고 생각한다. 두 개 임플란트로 유지되는 overdenture는 임플란트 및 조직 지지 국소의치, 전후방으로 넓게 분포된 4개의 임플란트에 의한 overdenture는 임플란트 지지 국소의치로 분류하고 치료한다. 이런 분류 방법이 치료를 더 효율적으로 할 수 있게 해준다.

만약 그림 7과 같이 4개의 임플란트를 식립하고 overdenture를 제작한다고 하자. 4개의 임플란트에 모두 attachment를 장착한다면 의치가 정말 안정적일 것 같다. 하지만 4개의 attachment를 다 적용하기 위해서는 어떤 조건이 충족되어야 하는가? 먼저 4개의 임플란트 식립각도가 거의 일치해

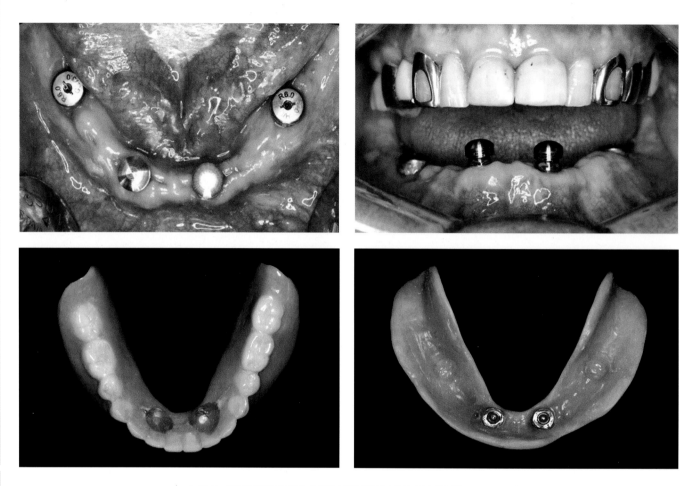

▲ 그림 7   4개의 임플란트를 이용한 임플란트 지지 국소의치(overdenture).

야 한다. 둘째, 4개의 임플란트에 의해 지지, 유지, 안정이 모두 다 부여되는 완전한 임플란트 지지 국소의치가 된다. 만약 대합치가 자연치라면 과도한 교합력과 측방력이 임플란트에 그대로 전달될 것이다. 셋째, 4개의 attachment에 의한 유지력은 너무 과도할 수 있다. 실제로 4개의 locator를 적용한 환자에서 의치가 빠지지 않아 힘들었던 적이 있다.

그림 7과 같이 전방 두 개의 임플란트에 attachment를 부착하고 후방 두 개의 임플란트는 healing abutment를 장착하여 지지만을 부여한다면 어떨까? 먼저 전방 2개의 임플란트는 회전을 허용하는 ball type attachment를 사용하였으므로 회전축을 만든다. 그 회전축에 의한 전후방적 회전을 구치부 임플란트 2개가 지지해준다. 측방 회전을 막아주는 안정 요소의 부여를 위해 의치상의 설측 변연을 최대한 연장하고 retromolar pad를 잘 덮어준다. 그리고 구치부 임플란트에는 지지만 부여하게 하고 healing abutment의 측벽 부위는 철저히 릴리프 한다(이 부분은 뒤에서 다시 자세히 설명한다). 그러면 구치부 임플란트의 식립각도까지 신경 쓸 필요가 없을 것이고, 임플란트에도 수직

력만 가하게 되니 임플란트에 큰 부작용을 만들 일이 없을 것이고, 2개의 **attachment**에 의해 적절히 유지될 것이다. 과도한 유지는 국소의치에서 좋지 못하다는 것은 우리가 모두 알고 있는 중요한 점이다. 그런데 단점이 있다. 임플란트에 의해 충분히 안정 요소가 부여되지 않는다는 것이다. 따라서 의치 자체에 안정 요소를 증대시켜야 한다. 그런데 이것이 단점일까? 환자 상황마다 너무 답이 다를 수 있겠다.

KeyPoint

그림 7의 치료는 Kennedy Class I 국소의치에서 구치부에 임플란트를 식립하여 지지만을 부여하는 경우와 동일한 치료이다. 만약 이 증례에서 4개의 임플란트에 4개의 attachment를 모두 사용하였다면, 유지, 지지, 안정을 모두 임플란트가 감당하는, Kennedy Class III 국소의치가 될 수 있다. 이 설명이 반드시 이해되어야 한다.

Question

하악 Kennedy Class I 국소의치에서 무치악 구치부의 지지를 목적으로 임플란트를 식립한다면 후방 무치악 부위에서 힘을 가장 많이 받는 부위인 구치부에 식립하는 것이 좋은가?
어디에 임플란트를 심는 것이 좋은가?

Answer

환자 만족도 측면에서 Jensen 등의 2016년 발표한 3개월의 짧은 임상연구에서는 대구치 부위에 식립한 경우가 소구치 부위에 식립한 경우보다 환자 만족도가 더 컸다고 한다. 하지만 이 연구에 대해 독자들은 절대로 오해를 해서는 안 된다. 모든 경우에 항상 구치부가 추천되는 것이 아니다. 후방부로 식립된 임플란트와 전방의 자연치 사이의 거리가 길면 길수록, 즉 무치악부가 길면 길수록 위험하다. 또한 대합치의 상태를 잘 관찰해야 한다. 대합치가 건전한 자연치이거나, 고정성 보철물 또는 임플란트 고정성 보철물이라면 하악 구치부 임플란트가 문제가 될 수 있다. 너무 과도한 교합이 구치부 임플란트로 직접 지지된다면 임플란트의 실패를 야기할 수 있다.

Jensen 등이 2017년 발표한 후향적 임상연구에서 임플란트의 생존율에 있어서는 모두 좋은 예후를 보였다(91.7%). 하지만 다른 연구들에 비하여 임플란트의 낮은 생존율을 보였는데, 이는 모든 증례가 하악의 결손부가 긴 Kennedy Class I이기 때문일 것으로 추측했다. 이 연구에서 하악의 Kennedy Class I 증례에서 임플란트 지지 가철성 국소의치는 최대 16년의 높은 임플란트 생존율을 보이는 유효한 치료임을 확인하였지만 기계적이고 생역학적인 합병증이 예상된다고 하였고, 소구치부에 위치한 임플란트는 약간 더 나은 임상적 결과를 보인다고 결론지었다.

또한 Bortolini 등의 8년 후향적 임상연구에서도 거의 모든 환자에서 구치부 임플란트의 염증이 관찰되었다. Grossmann 등의 임상연구에서는 원심에 식립된 임플란트의 위생관리가 어려워서 그럴

CHAPTER 4

것이라는 결과도 있다. 하지만 이런 유사한 결론을 내는 여러 연구에서 생역학적인 관점에서 보았을 때, 더 많은 치아가 상실된 Kennedy Class I의 경우에 후방부의 임플란트를 이용함으로써 과도하게 긴 span을 가지는 임플란트 지지 보철물이 될 가능성이 있고, 이 경우 임플란트가 더 후방으로 위치될수록 임플란트에 가해지는 응력이 더 커질 것이라는데 동의한다. 유한요소분석을 통한 실험실 연구에서도 이런 부분을 뒷받침해주고 있다. 특히 Cunha 등의 연구에서는 견치까지만 남아 있을 때 제1소구치 부위에 식립한 경우가 구치부에 식립한 경우보다 지대치의 변위가 작고 응력 분산에 효과적이라고 하였다.

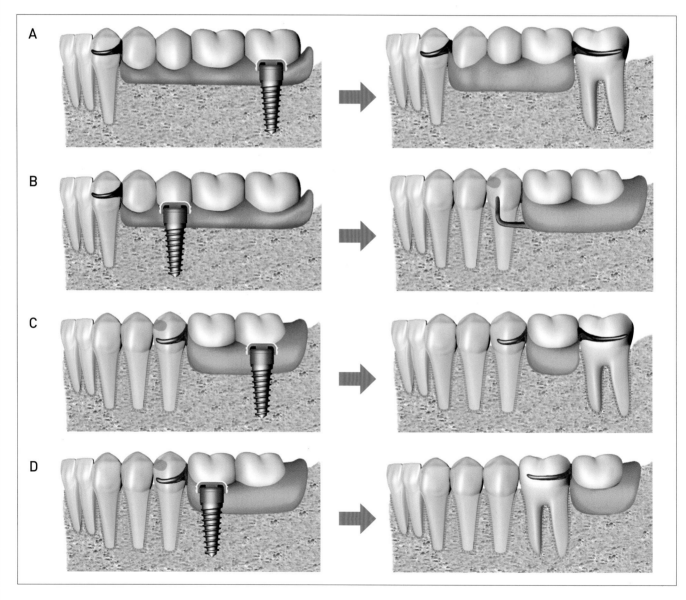

▲ 그림 8 전방에 잔존 치아가 너무 작아서 후방 임플란트 사이 무치악부가 너무 길며, 상악이 하악보다 상대적으로 교합력이 강할 것으로 예측된다면 너무 후방으로 임플란트를 식립하지 말고 차라리 소구치 부위로 이동시켜 움직임을 약간 허용하는 형태의 국소의치를 만드는 것이 유지관리에 유리. A와 같이 식립하고 attachment를 사용하였다면 견치와 제2대구치를 지대치로 하는 치아 지지 국소의치와 유사하고, B와 같이 식립하면 제2소구치를 지대치로 운동을 허용하는 치아 및 조직 지지 국소의치와 유사하다.

KeyPoint

저자의 결론은 그림 8과 같다. 즉, 전방에 잔존 치아가 너무 적어서 후방 임플란트 사이와 무치악부가 너무 길고, 상악이 하악보다 상대적으로 교합력이 강할 것으로 예측된다면 너무 후방으로 임플란트를 식립하지 말고 차라리 소구치 부위로 이동시켜 움직임을 약간 허용하는 형태의 국소의치를 만드는 것이 유지관리에 유리하고, 임플란트에 가해지는 과도한 응력을 줄여줄 수 있다는 것이다. 저자는 그림 8에서 A보다는 B가 좋을 것 같고, D보다는 C가 좋을 것 같다.

쉽게 다시 설명하면 아주 후방으로 위치한 임플란트에 의해 Kennedy Class I이 아주 긴 무치악부를 가지는 위험한 치아 지지인 class III로 바뀌지만, 소구치 부위로 전방 위치시키면 아주 긴 무치악 부위를 가지는 Kennedy Class I 국소의치가 짧은 무치악 부위를 가지는 Kennedy Class I으로 바뀐다는 것이다.

Question

하악 Kennedy Class I 국소의치에서 후방에 임플란트를 이용하여 지지를 부여하고 국소의치의 회전 운동을 막겠다는 의도는 충분히 이해된다. 보통 후방부위에 골이 부족하여 짧은 임플란트를 식립하는 경우가 많은데 이때 후방 임플란트가 많은 힘을 받아 위험해지지 않을까? 어떤 점을 고려하면 좋을까?

Answer

유사한 두 증례를 보면서 생각해보고자 한다.

첫 번째 증례는 저자가 치료한 환자가 아니며 술자의 동의를 얻어 사진을 제공 받았음을 밝혀둔다. 따라서 구강 내 상태는 직접 보지 않았으므로 약간의 주관이 개입되었음을 감안하길 바란다.

첫 번째 증례: 48세 남자환자로 그림 9와 같이 상악은 8개의 임플란트로 지지되는 고정성 보철물로 치료된 상태이고, 하악은 5년전 하악 구치가 모두 빠져 국소의치를 사용하다 최근 전치부가 모두 소실되어 내원하였다. 나이가 젊은 편이었기에 임플란트 고정성 보철물로 진행하고자 하였으나 환자가 광범위한 골이식술을 거부하였기에 임플란트 융합 국소의치를 고려하게 되었다. 환자는 하악 국소의치를 제거하였을 때 전치부가 있었으면 좋겠다고 하였다.

그림 9와 같이 치료를 하였고, 환자는 치료 결과에 대해 아주 만족하였다. 현재 7개월간 follow up check를 진행하였고, 특별한 부작용은 관찰되지 않았다.

처음에 위 증례를 보고 비록 check 기간이 짧았지만 아무런 문제가 발생하지 않았다는 것이 놀라웠다. 위 증례의 사진만을 놓고 보면 여러 가지 불안한 부분이 보인다.

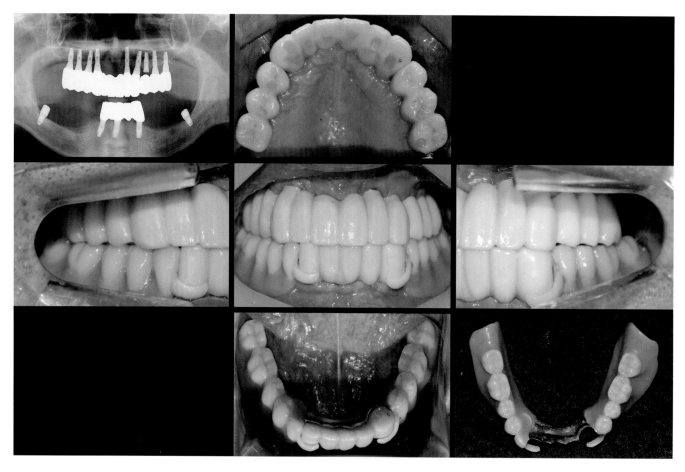

▲ 그림 9 상악은 임플란트 고정성 보철물이고, 하악은 전치부 3개 임플란트 지대치와 구치부 짧은 임플란트를 이용한 가철성 보철 수복.

(1) 환자는 48세의 남성으로 저작근의 힘이 강할 것으로 예측된다.

(2) 상악이 8개의 임플란트로 지지되는 고정성 보철물이다.

(3) 하악 임플란트는 #31, 33, 42에 3개를 식립하고, 5개의 치아로 고정성 및 가철성 보철치료를 시행하였다.

(4) #37과 #47 부위에 6 mm short 임플란트를 식립하여 healing abutment를 장착하였다.

(5), (3)과 (4)의 이유로 하악에는 아주 긴 무치악 span을 가지는 Kennedy Class I 국소의치가 되었다.

(6) 환자의 심미 요구로 인해 전치부 임플란트 지대치에는 레진 클라스프를 설계하였다.

위에 나열한 사항들은 역학적으로 아주 불리한 치료를 시행하였음을 시사한다. 앞서 설명한 바와 같이 너무 긴 무치악 span을 가지는 Kennedy Class I 국소의치는 임플란트에 의해 수직적 힘이 전달될 가능성이 있어 임플란트의 예후가 좋지 않을 수 있다. 특히 대합치가 임플란트 고정성 보

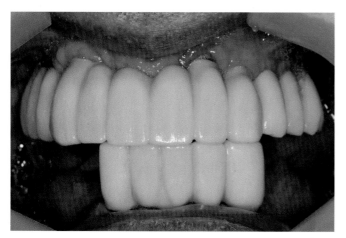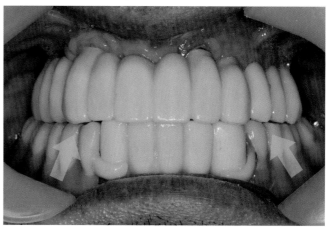

▲ 그림 10 국소의치를 장착하기 전과 장착한 뒤 정면 사진.

철물이고 나이가 많지 않은 남성의 경우 교합력은 상당히 클 것으로 사료된다.

그런데 왜 아무런 문제를 야기하지 않았을까?
물론 관찰기간이 짧았기 때문일 수도 있다. 아니면 저자의 소심함이 이런 걱정을 만든 것일 수 있다. 임플란트는 우리가 걱정하는 것만큼 약한 존재가 아닐 수 있다.

그런데, 이 환자의 교합을 관찰해 볼 필요가 있다. 이 환자를 치료한 술자는 국소의치를 장착하지 않았을 때 하악 전치부와 상악 전치부가 균일하게 교합되도록 교합조정하였다. 그런데 국소의치를 장착한 사진에서 구치부에서 약간의 이개(균일하고 밀접한 구치부 교합이 아님)를 관찰할 수 있다. 또한 국소의치를 장착한 상태에서 전치부는 그대로 균일하게 상악 전치와 접촉하고 있다.

저자는 이 부분을 강조하고 싶다. 이 증례는 상호보호교합을 부여하지 않았다. 상호보호교합은 간단히 설명해서, 구치가 교합할 때 전치가 약하게 접촉하여 전치를 보호하고, 전방 또는 측방운동 시 전치가 접촉하면서 구치를 이개시켜 구치부를 보호하는 자연치 교합 양식이고, 상악이 고정성 보철물에 하악은 임플란트로 구치부가 지지되는 국소의치라면 자연치 교합에 따르는 것이 정석이다.

어쩌면 위 환자는 지금 전치부로 식사를 하고 있는지 모른다. 구치부로는 제대로 된 저작 기능을 발휘하지 못하더라도 환자가 식사를 할 때 불편함을 못 느낄 수 있다. 결국 지금은 cross arch 스플린팅되어 있는 전치부 임플란트가 강하기 때문에 불편함이 크게 없고, 국소의치의 구치부가 확실히 접촉하고 있지 않기 때문에 후방 임플란트가 견디고 있다고 본다. 지금은 우리가 장기간의 예후는 알 수 없지만 분명 문제의 소지가 있다.

두 번째 증례: 68세 여자환자로, 치료비는 아무리 많이 들어도 좋지만 뼈 이식 안 하고, 예쁜 보철물을 해달라고 내원하셨다. #17 root caries로 발치, 하악 전치부 잔존 치근의 발치 계획하고 그림 11과 같이 치료를 계획하였다.

그림 11에서 보는 바와 같이 #22, 23 부위는 골 폭이 너무 좁아 임플란트 식립을 위해서는 골이식이 필요하였다. 하지만 환자는 전신질환이 없음에도 불구하고, 골이식은 완강히 거부하였다. 일반적으로 #24와 같이 고립된 지대치의 경우 전방부 치아와 스플린팅이 원칙이므로 6개의 브릿지로 수복하고 상악 국소의치를 계획하였다. 하악 전치부는 심미적 이유로 치아를 갖기를 원하였고, 골량이 충분하여 4개의 임플란트를 식립하였으며, 최후방 지대치를 중심으로 국소의치의 회전이 예상되고, 이 경우 하악 전치부의 임플란트 보철물에 측방 회전력을 가할 위험이 있어 제1대구치 부위에 short 임플란트를 식립하여 국소의치의 후방 지지를 부여하고자 계획하였다.

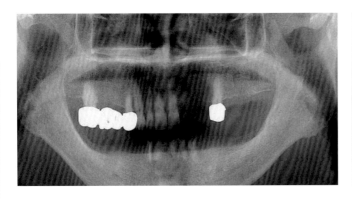 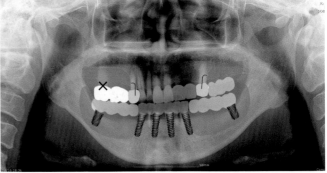

▲ 그림 11 치료 계획. 하악 전치부에 4개의 임플란트로 6개의 지대치, 구치부에 short 임플란트를 이용한 지지 부여, 상하악 국소의치로 계획하였다.

그림 12와 같이 임플란트가 식립되었다. 후방 구치부의 임플란트 식립에 있어 비록 healing abutment만을 이용하여 지지를 부여하더라도 아주 정확하게 두 임플란트 간 식립각도를 맞출 필요는 없지만 수직력에 최대한 직각으로 식립되도록 노력하여야 한다. 2017년 Hirata 등의 기계적 연구에서 교합 평면에 대해 기울어진 각도로 식립된 임플란트에 교합력이 가해졌을 때 각도가 기울어진 정도에 비례하게 많은 응력이 임플란트에 가해 짐을 보고하였다. 따라서 저자는 healing abutment만을 채결하더라도 최대한 교합력에 수직적으로 임플란트를 식립할 것을 권고한다.

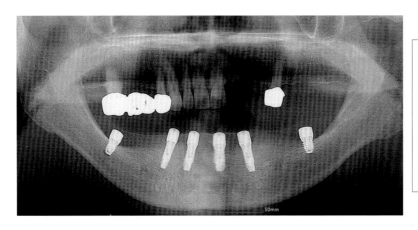

Fixture size

#32	Ø4.0 x H11.5R
#33	Ø4.0 x H11.5R
#36	Ø5.0 x H6W
#42	Ø4.0 x H11.5R
#43	Ø4.0 x H11.5R
#46	Ø5.0 x H6W

▲ 그림 12　하악 6개의 임플란트 식립 직후 파노라마. 후방 임플란트는 제1대구치 부위에 식립하였다.

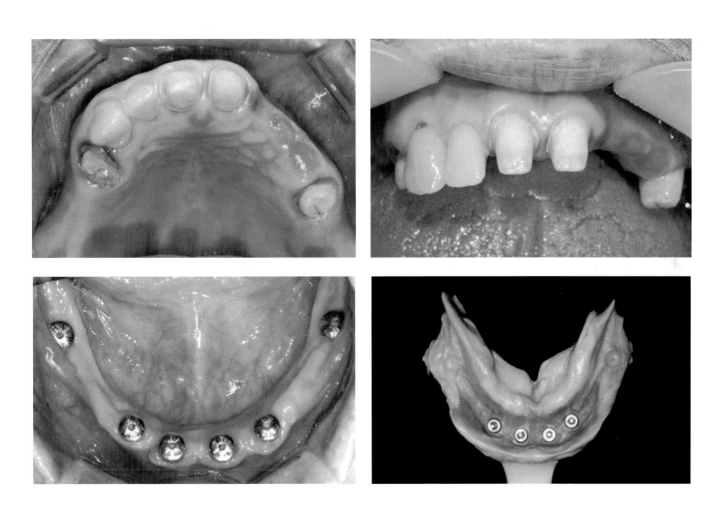

▲ 그림 13　상악 잔존치의 치아 삭제 및 임플란트 치유 완료 후 구강 내 사진.

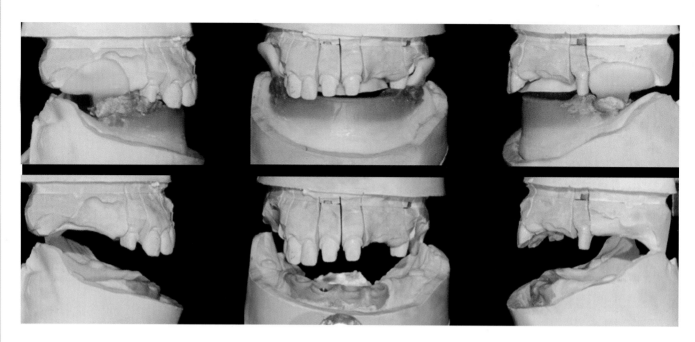

▲ 그림 14   기존 임시 의치를 기준으로 수직 고경을 결정하고 교합기 mounting.

그림 13, 14와 같이 통상적인 방법으로 치아를 삭제하고 인상 채득하였고, 임시보철물을 바탕으로 설정된 교합 고경에 맞추어 교합기에 mounting하였다.

그림 15와 같이 CAD/CAM을 이용하여 abutment를 디자인하고 customized abutment를 제작하였다. 그림 16은 지대치를 장착한 모습이다. 하악 전치부는 pink porcelain을 이용하여 심미 보철물을 제작하였다.

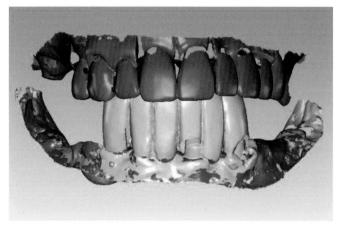
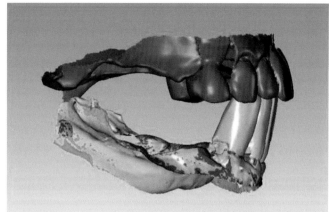
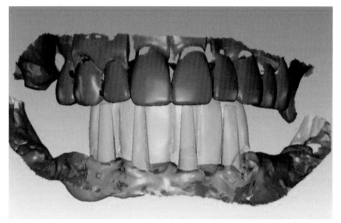
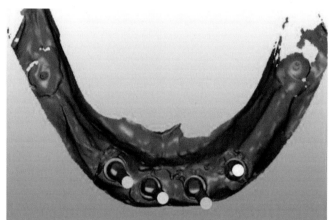

▲ 그림 15 Customized abutment 디자인.

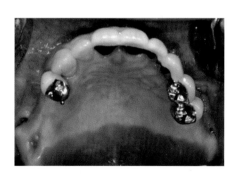
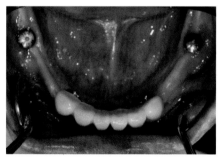
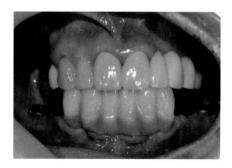

▲ 그림 16 상악 자연치의 보철 수복 및 하악 임플란트 심미 보철물 장착 후.

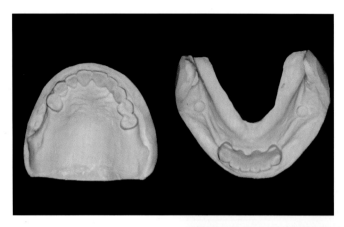
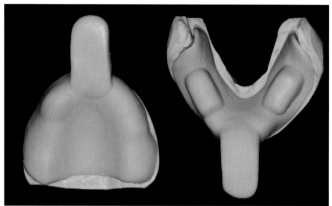
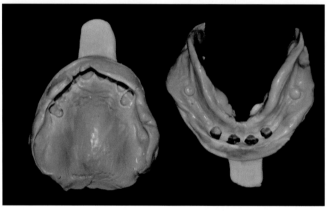

▲ 그림 17 국소의치 인상 채득.

그림 17은 인상 채득 모습이다. 하악의 경우 후방 임플란트가 지지 요소를 충분히 부여하기 때문에 선택적 가압인상을 채득하지 않고 편하게 해부학적 인상을 채득하였다.

그림 18은 완성된 국소의치의 모습이다. 저자는 하악 지대치에 심미성을 위해 레진 클라스프를 디자인하였다. 레진 클라스프는 탄성이 부족하고 잘 부러지기 때문에 반드시 회전이 없는 국소의치에 사용해야 한다. 저자는 후방부 임플란트의 지지 때문에 국소의치가 후방으로 침하되는 회전운동이 거의 없다고 자신하였다. 따라서 레진 클라스프의 사용이 문제가 되지 않는다고 생각하였다. 여기서 중요한 사항은 회전운동이 지금은 없더라도 후방 임플란트의 healing abutment가 마모되든지 혹은 의치상 내면이 마모된다면 회전이 발생할 수 있다. 따라서 반드시 주기적(6개월 간격)으로 점검하여 첨상 또는 healing abutment를 교체해 주는 정성이 필요하다. 또한 2017년 Shahmiri 등의 연구에서도 제안되었지만 의치상을 위한 금속 구조체를 약간 변형하여 임플란트 healing abutment 상방을 덮어 주는 metal cap을 형성해주면 마모나 파절 등을 줄일 수 있겠다.

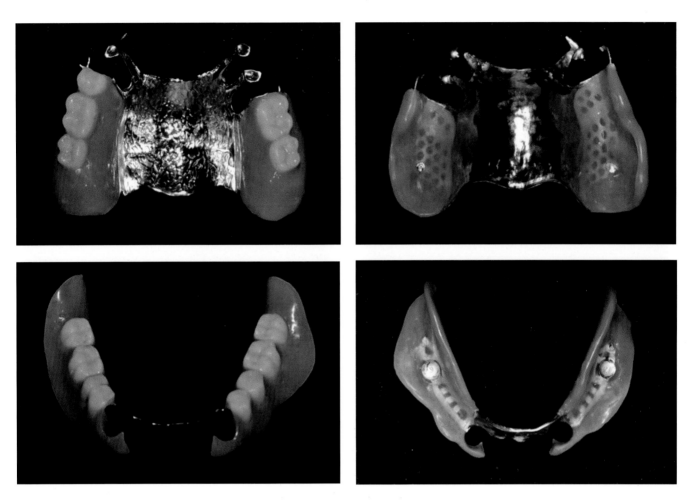

▲ 그림 18 상하악 국소의치의 완성.

　　　　하악 국소의치의 경우 후방 임플란트에 의해 국소의치의 후방 침하가 없다고 가정하여 레진 클라스프를 제작하였다. 금속 구조체 제작 시 임플란트 healing abutment와 적절히 접촉하는 metal cap을 같이 제작해줄 수 있다.

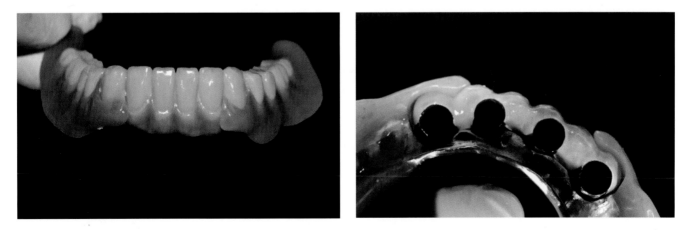

▲ 그림 19 심미성을 고려하여 레진 클라스프 설계. 언더컷이 아닌 마찰에 의한 유지력을 제공하여야 하며, 국소의치의 회전이 클 경우 파

　　　　절될 수 있다.

그림 19는 레진 클라스프를 적용한 모습이다. 레진 클라스프가 지대치 협측을 너무 많이 감싸게 되면 혹시나 회전이 발생될 때 지대치에 과도한 힘이 전달되거나 클라스프가 쉽게 파절될 수 있다. 언더컷 하방으로 들어가서 유지력을 얻는 주조 클라스프와 달리 마찰에 의해 유지력을 얻는 경우로 국소의치의 삽입로와 동일한 협측면을 형성해 주어야 한다.

그림 20에서 보는 바와 같이 국소의치를 장착했을 때 최대 교두 감합위에서 반드시 구치부가 확실히 닿도록 하고 전치부는 약간의 이개가 될 수 있도록 하였다. 전방이나 측방운동에서는 반드시 전치부가 닿고 구치부는 이개되도록 하는 상호보호교합을 형성해 주었다. 이러한 교합 형성은 상악의 경우 충분한 지대치와 접촉하는 부연결장치들에 의해 안정 요소가 충분히 확보되고, 하악의 경우 4개의 임플란트에 의한 전치부 지대치가 튼튼하여 안정 요소를 충분히 부여할 수 있었기에 가능했다.

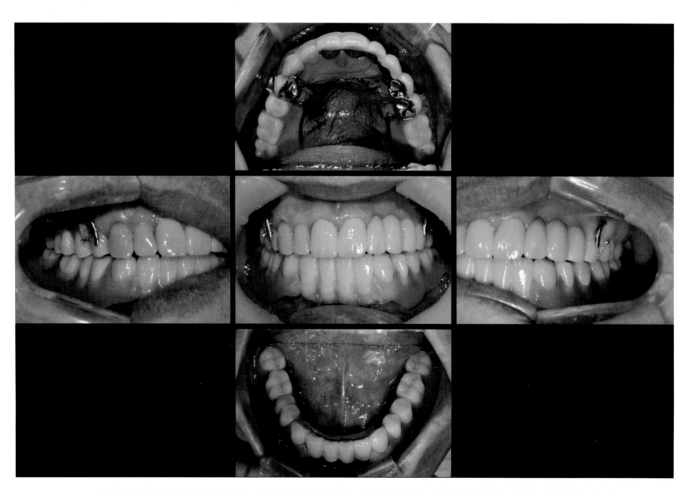

▲ 그림 20   최종 보철물 장착 후 모습. 국소의치의 안정 요소가 충분히 확보되었다면 자연치 교합을 적용할 수 있다.

의치상을 위한 금속 구조체를 약간 변형하여 임플란트 healing abutment 상방을 덮어주는 metal cap을 형성해주면 마모나 파절 등을 줄일 수 있다. 이때 중요한 것은 임플란트의 역할은 지지이므로 측방력에 저항하는 형태가 되지 않도록 주의해야 한다.

그림 21의 A처럼 반드시 healing abutment의 상방만 닿도록 하고 측벽은 릴리프하도록 한다. B처럼 완전히 잡아 버리는 형태는 측방 회전력을 그대로 임플란트에 전달하게 되고, 특히나 short 임플란트의 경우 측방력에 더욱 취약하므로 임플란트가 실패할 가능성이 크다.

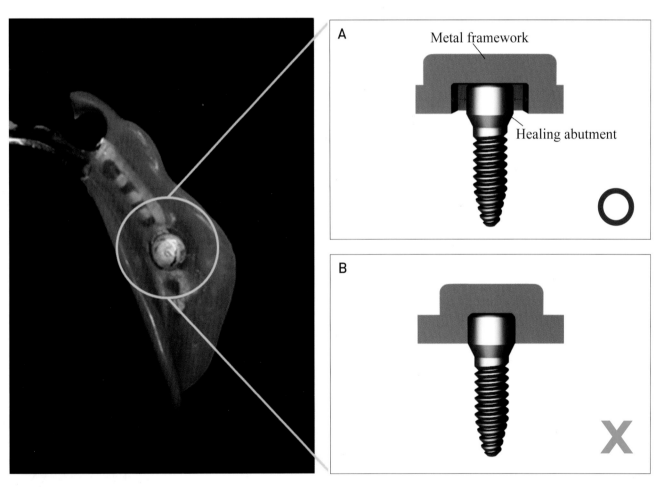

▲ 그림 21 임플란트에 수직력만 전달하기 위한 부연결장치 디자인. Healing abutment 상방에 높이는 의치의 metal cap 또는 의치상은 수직적 힘만 전달해야 한다. 따라서 A처럼 healing abutment 주위에는 반드시 공간을 형성하여 측방력이 임플란트에 직접 전달되지 않도록 조심한다.

KeyPoint

위에서 보여준 두 증례의 차이는 무엇일까? 임플란트를 하악 후방에 식립하여 구치부 지지를 주고자 할 때는 대합치의 상태에 주의한다. 두 번째 증례에서는 국소의치를 가지는 상악이므로 하악 구치부의 임플란트를 제1대구치 위치(교합력을 가장 많이 받을 것으로 예상되는 부위)에 식립하였다. 또한 임플란트에 가해지는 측방력을 최소화하기 위한 금속 구조체를 디자인하였다. 교합도 상호보호교합을 형성해주고, 구치부의 인공치가 최대교두감합위에서 확실한 교합 접촉을 부여함으로써 환자가 전치부만 과도하게 사용할 가능성을 예방하였다.

만약 첫 번째 증례와 같이 상악이 아주 강한 고정성 보철이라면 하악 후방 임플란트를 전방으로 이동시키고 수직적인 움직임을 약간 허용하는 국소의치로 제작하고 조직지지를 기능인상을 통해 확보하는 것이 임플란트의 예후에 더 좋을 것이라 생각된다.

저자는 하악의 후방에 식립한 short 임플란트에 attachment를 부착하지 않는다. 하악 국소의치의 경우 최소한의 유지만 있으면 되기 때문에 과도한 유지를 부여할 필요성을 느끼지 못한다. 또한 그림 22와 같이 예를 들면 locator를 장착하는 것은 임플란트의 측방운동에도 저항하는 구조로 short 임플란트에 유해한 측방력을 가할 소지가 있다고 판단된다. Locator와 같은 구조의 attachment를 사용하는 것은 임플란트 지대치를 만들어 클라스프를 거는 경우와 유사해진다. Short 임플란트에서는 측방력을 줄이고 수직 교합력만을 담당할 수 있게 하는 healing abutment의 사용을 권장한다.

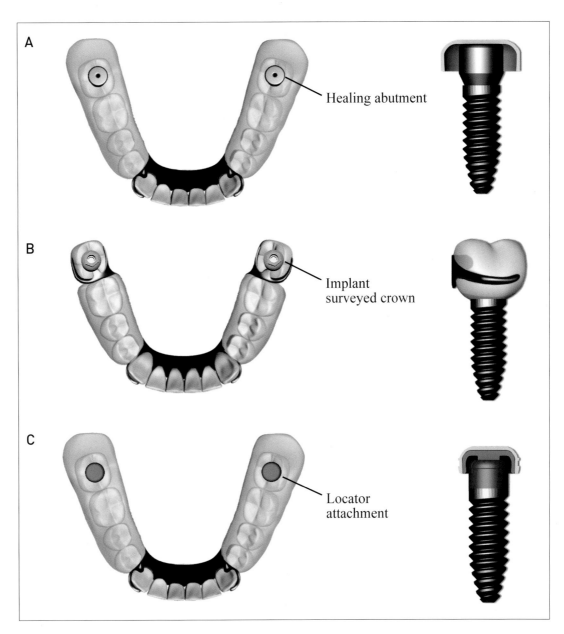

▲ 그림 22　하악 후방 임플란트 식립 후 시행할 수 있는 다양한 치료방법. 만약 short 임플란트를 식립하였다면 heal-ing abutment 만을 사용하는 것을 추천한다. B와 C는 거의 같은 구조의 국소의치라고 생각하며, short 임플란트에 지지 요소와 함께 측방력(안정 요소 부여)과 유지를 모두 부여하게 된다. 수직적인 지지만 감당하는 A와 비교하여 B와 C는 short 임플란트 예후를 의심스럽게 한다.

참고문헌 >>>>

1. Bortolini S, Natali A, Franchi M, Coggiola A, Consolo U. Implant-retained removable partial dentures: an 8-year retrospective study. J Prosthodont. 2011;20:168–172.

2. Choi JW, Bae JH, Jeong CM, Huh JB. Retention and wear behaviors of two implant overdenture stud-type attachments at different implant angulations. J Prosthet Dent. 201;117:628-635.

3. Cunha LD, Pellizzer EP, Verri FR, Pereira JA. Evaluation of the influence of location of osseointegrated implants associated with mandibular removable partial dentures. Implant Dent. 2008;17:278-87.

4. Derks J, Schaller D, Hakansson J, Wennstrom JL, Tomasi C, Berglundh T. Effectiveness of implant therapy analyzed in a Swedish population: prevalence of peri-implantitis. J Dent Res. 2016;95:43–49.

5. Grossmann Y, Nissan J, Levin L. Clinical effectiveness of implant-supported removable partial dentures: a review of the literature and retrospective case evaluation. J Oral Maxillofac Surg 2009;67:1941–1946.

6. Hirata K, Takahashi T, Tomita A, Gonda T, Maeda Y. Influence of Abutment Angle on Implant Strain When Supporting a Distal Extension Removable Partial Dental Prosthesis: An in Vitro Study. Int J Prosthodont. 2017;30:51-53.

7. Jacob RF, King GE. Partial Denture Framework Design for Bone-Grafted Mandibles Restored with Osseointegrated Implants. Journal of Prosthodontics. 1995;4:6-10.

8. Jensen C, Meijer HJA, Raghoebar GM, Kerdijk W, Cune MS. Implant-supported removable partial dentures in the mandible: A 3-16-year retrospective study. J Prosthodont Res. 2017;61:98-105.

9. Jensen C, Raghoebar GM, Kerdijk W, Meijer HJ, Cune MS. Implant-supported mandibular removable partial dentures; patient-based outcome measures in relation to implant position. Journal of Dentistry. 2016;25:92-98.

10. Kelly E. Changes caused by a mandibular removable partial denture opposing a maxillary complete denture. The Journal of Prosthetic Dentistry. 1972;27:140-150.

11. Keltjens HM, Käyser AF, Hertel R, Battistuzzi PG. Distal extension removable partial dentures supported by implants and residual teeth: considerations and case reports. International Journal of Oral & Maxillofacial Implants. 1993;8.

12. Kim SM, Choi JW, Jeon YC, Jeong CM, Yun MJ, Lee SH, Huh JB. Comparison of changes in retentive force of three stud attachments for implant overdentures. J Adv Prosthodont. 2015;7:303-11.

13. Mijiritsky E, Lorean A, Mazor Z, Levin L. Implant tooth supported removable partial denture with at least 15-year longterm follow-up. Clin Implant Dent Relat Res. 2015;17:917-922.

14. Mitrani R, Brudvik JS, Phillips KM. Posterior implants for distal extension removable prostheses: a retrospective study. International Journal of Periodontics & Restorative Dentistry. 2003;23:353–359.

15. Pellizzer EP, Verri FR, Falcón-Antenucci RM, Goiato MC, Gennari Filho H. Evaluation of different retention systems on a distal extension removable partial denture associated with an osseointegrated implant. J Craniofac Surg. 2010;21:727-34.

16. Saunders TR. The maxillary complete denture opposing the mandibular bilateral distal-extension partial denture: treatment considerations. The Journal of Prosthetic Dentistry. 1979;41:124-128.

17. Shahmiri R, Das R. Finite element analysis of implant-assisted removable partial dentures: Framework design considerations. J Prosthet Dent. 2016;31.

18. Wismeijer D, Tawse-Smith A, Payne AG. Multicentre prospective evaluation of implant-assisted mandibular bilateral distal extension removable partial dentures: patient satisfaction. Clin Oral Implants Res. 2013;24:20–27.

19. Zancopé K, Abrão GM, Karam FK, Neves FD. Placement of a distal implant to convert a mandibular removable Kennedy Class I to an implant-supported partial removable Class III dental prosthesis: A systematic review. J Prosthet Dent. 2015;113:528-33.

4.2
소수의 임플란트를
국소의치의 지대치로 사용하고자 할 경우.

이번 장에서는 임플란트 식립 후 지대치를 만들고 국소의치가 임플란트 지대치에 직접 유지, 안정, 지지를 부여하는 경우를 생각해 보고자 한다. 이 부분은 아직 과학적 근거가 충분치 않다. 하지만 이미 언급한 바와 같이 기본적인 국소의치의 개념을 잘 이해하고 임플란트에 측방력이 가해지는 상황을 최소화할 수 있다면 적용 가능한 방법이라 사료된다. 치아 및 조직 지지를 가지는 Kennedy Class I 또는 II의 경우를 Kennedy Class III로 바꿔주는 것이 치료의 간소화 및 환자의 초기 만족도를 위해 고려되어야 하는 것은 사실이나, 장기적으로 반드시 Kennedy Class III로 가는 것이 과연 좋은 것인가? 여기에 대해서는 논란의 여지가 있다고 본다. 대합치의 예측되는 교합력, 적절한 임플란트 식립 골량 등을 평가한 뒤 적절한 위치에 임플란트를 식립하는데 임플란트에 과도한 힘이 전달될 것으로 생각되는 경우에는 임플란트를 전방 식립하고, 국소의치의 움직임을 약간 허용해 줌으로써 저작 등의 기능운동 시 임플란트에 가해지는 측방 회전력을 최소화해줄 수 있는 구조로 국소의치를 디자인하는 것이 임플란트의 장기적 예후에 더 좋은 방향이라고 생각된다.

Question

다시 기본적인 질문이 필요하다. 임플란트 유지 국소의치(implant-retained RPD)와 임플란트 지지 국소의치(implant-assisted RPD)의 차이는 무엇인가?

Answer

2014년 Yeung 등, 2014년 Shahmiri 등, 2013년 Gharehchahi 등, 2013년 Wismeijer 등의 많은 연구에서 임플란트 유지 국소의치(implant-retained RPD)와 임플란트 지지 국소의치(implant-assisted RPD)의 차이에 대해 언급하고 있다. 그들은 공통적으로 임플란트 지지 국소의치(implant-assisted RPD)는 유해한 측방력이 임플란트 자체에 그대로 전달될 가능성이 있어서 임플란트 자체나 국소의치에 문제를 야기할 수 있다고 한다. 저자는 implant assisted RPD라는 용어를 임플란트 지지 국소의치로 정의하고자 한다. 임플란트 지지 국소의치는 임플란트 자체에서 국소의치의 안정 요소를 부여하게 되고, 직접적인 수직적 지지와 유지를 제공하는 형태이다.

하지만 임플란트 attachment를 사용하는 경우 그림 1과 같이 임플란트의 식립 위치, attachment의 종류에 따라 임플란트 유지 국소의치와 임플란트 지지 국소의치의 구별이 모호해질 수 있다. 다시 말하지만 답은 없다. 술자가 명확히 디자인을 이해하고, 사용되는 attachment의 특성을 명확히 파악하여 술자가 직접 그 형식을 결정하는 것이다. 반드시 술자는 머릿속에 국소의치의 움직임을 그릴 수 있고, 지대치와 임플란트 쪽으로 전달되는 힘을 예측할 수 있는 능력을 가져야 한다.

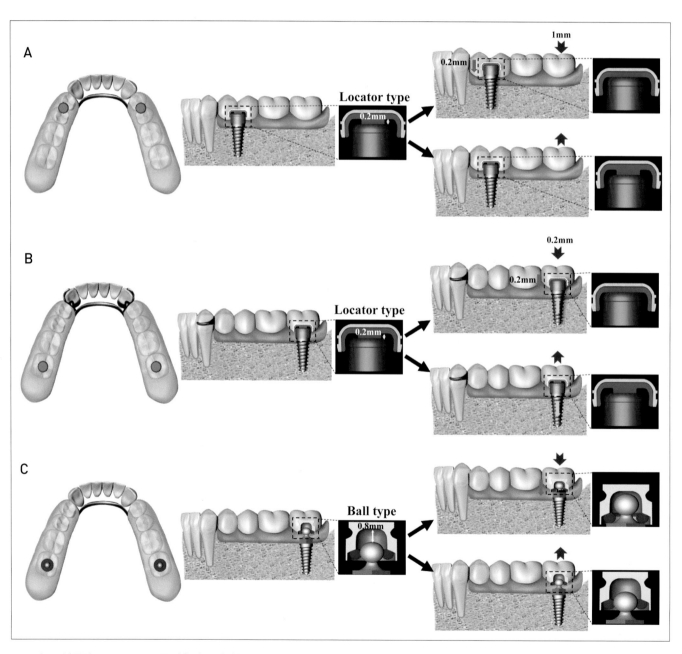

▲ 그림 1 임플란트 attachment를 사용하는 다양한 경우 임플란트 유지 국소의치와 임플란트 지지 국소의치의 분류.
　　　　　Locator와 같은 구조는 약간의 수직적 움직임 후 수직적 지지를 제공하지만, ball type의 경우 수직적 지지가 제공되지 않는다. 제품마다 그 움직임은 다를 수 있다. 위 그림은 이해를 돕기 위해 대략적인 수치와 모양을 그린 것이다.

예를 들어, 수직, 수평적인 움직임이 아주 작은 locator type의 attachment, 움직임이 아주 크다고 가정한 ball type의 attachment를 사용하여 그림 1과 같이 치료를 진행했다고 하자(Locator는 상품 명이지만 독자의 이해를 쉽게 하고자 형태의 예를 든 것임). 그림 1-A와 같이 6전치만 남아 있는 상태에서 양측 소구치 부위에 임플란트를 식립하고 locator를 사용하였다고 하면, 구치부는 연조 직 지지를 받는 Kennedy Class I 국소의치가 될 것이다. 이 경우 locator는 아주 작은 움직임이 있더 라도 구치부의 큰 회전력에 대해 충분히 허용 가능 범위에 있을 것이다. 예를 들어 대구치의 무치 악부에서 1 mm 수직 침하가 있다고 가정하면 제1소구치 부위에서는 더 적은 수직 침하가 있다는 것이다. 또한 움직임이 작은 locator type도 약간의 회전운동은 허용할 수 있기 때문에 소구치부에 심겨진 임플란트는 의치의 움직임에도 어느 정도 운동을 허용하고 임플란트에 측방 회전력의 전 달은 적을 것이다.

그렇다면 그림 1-B를 보자. 구치부 후방에 임플란트를 식립하고 움직임이 작은 attachment를 사 용하였다면 후방 무치악부 연조직이 눌려지는 것보다 attachment가 눌려지는 것이 더 빠르고 쉽게 이루어 질 것이다. 즉, Kennedy Class III가 되는 것이다. 특히 locator type을 사용하였다면 부착 장 치의 male part의 측벽까지 감싸고 있는 female part로 인해 안정 요소까지 부여하게 될 수 있다. 즉, attachment 본연의 유지 역할, 구치부의 지지 역할, 부착 장치의 측벽을 감싸게 되어 안정 요소까지 모두 부여하는 완벽한 Kennedy Class III가 될 수 있다. 임플란트에 상당한 외력이 발생할 수 있겠다.

그림 1-C는 움직임이 아주 많다고 가정한 ball type attachment를 사용한 경우이다. 수직, 수평적 으로 상당한 움직임이 있다. 이런 경우는 수직적으로 무치악 부위가 눌려질 때 움직임을 크게 허 용하는 attachment에는 지지가 부여되지 않고 무치악 연조직에 압박이 가해질 것이라 사료된다. 또한 수평운동까지 허용하는 구조라면 안정 요소의 부여도 없다. 정말 단순히 유지력만 발휘한다. 진정한 임플란트 유지 국소의치이다. 그렇다면 이 경우 중요한 것은 무엇인가? 후방 부위에 임플 란트를 식립하였다 하더라도 필요하다면 기능인상을 채득하고, 움직임을 허용하는 견치부의 직접 유지장치를 설계해야 한다.

K e y P o i n t

임플란트 유지 국소의치와 임플란트 지지 국소의치의 분류는 임플란트 식립 위치에 의해 결정되 는 것이 아니다. 사용되는 attachment나 운동의 허용범위에 따라 그 기준은 달라진다. 많은 연구에 서 이런 부분의 명확한 정의 없이 서술되는 경우가 많다. 술자는 사용되는 attachment나 치료방법 에 따라 국소의치의 움직임을 머릿속에 그려보고 술자의 판단 하에 그 분류를 결정하고 그에 맞게 국소의치를 디자인할 수 있는 능력을 갖추어야 실패를 줄일 수 있다.

Question

그렇다면 임플란트 식립 후 지대치를 만드는 치료방법에서 임플란트 지지 국소의치의 장점과 단점은 무엇이고, 무엇을 고려해야 하는가?

Answer

이 질문에 대한 답을 이해하기 위해서는 Chapter 2, 3을 확실히 이해하고 있어야 한다.

Mijiritsky는 임플란트 지지 국소의치가 유지와 지지 및 안정 요소를 임플란트 지대치 자체가 가지게 됨으로써 저작 효율이 증대되고 환자가 편안함을 느끼며 만족도가 증가되었다고 보고하였다. 또한 몇몇 연구에서 임플란트가 잔존하는 자연치를 보호할 수 있고, 잔존 골도 보존할 수 있었으며 치료 비용을 경감시키는 장점이 있다고 하였다.

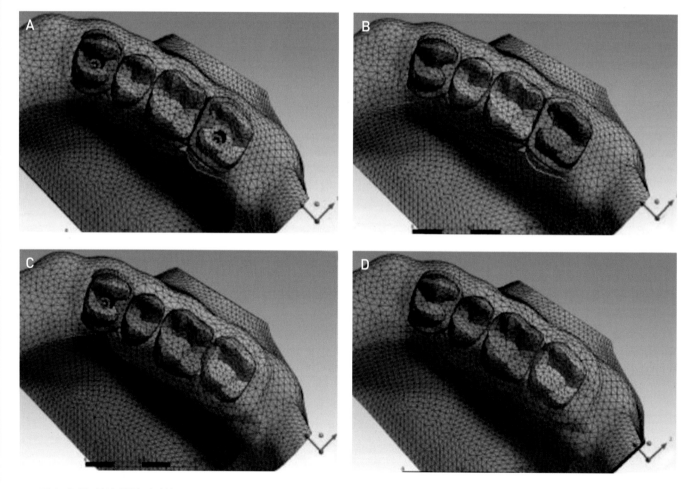

▲ 그림 2 논문 상의 실험 디자인. A: Implant-supported RPD, B: Tooth-supported RPD, C: Implant-tissue-supported RPD, D: Tooth-tissue-supported RPD (Eom JW et al. Three-dimensional finite element analysis of implant-assisted removablepartial dentures. J Prosthet Dent. 2016 Nov 30. pii: S0022-3913(16)30510-8. doi: 10.1016/j.prosdent.2016.09.021. [Epub ahead of print]).

하지만 Eom 등의 2016년 연구에서 그림 2와 같이 편측으로 자연치 국소의치 및 임플란트 국소의치를 가정하여 3차원 유한요소분석을 시행하여 그 결과를 보고하였다.

이 연구에서 임플란트 지지 국소의치들에서 임플란트에 아주 강한 응력의 집중을 관찰하였고, 교합력에 대해 일차적으로 임플란트에 모든 응력이 집중될 가능성이 있으므로 국소의치의 디자인, 임플란트 수와 식립 위치에 대한 명확한 고려가 필요하다고 하였다. 이 연구가 의미를 가지는 것은 보철물의 파절, 임플란트 주위 변연골의 흡수, 임플란트 실패 등의 합병증을 피하기 위해 다수의 임플란트 식립이 필요하고, 보철물들은 반드시 스플린팅하도록 하며, 후방연장 국소의치의 경우 후방 의치상 부위를 최대한 피개하여 조직 지지에 신경 써야 한다는 것이다. 이 연구 디자인

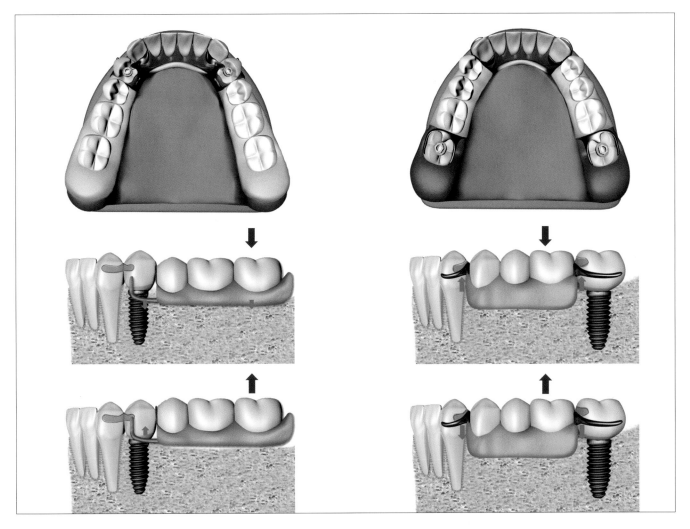

▲ 그림 3 Kennedy Class I 증례에서 임플란트 지대치를 활용한 디자인의 이해. 6전치만 남아 있는 상태에서 소구치를 임플란트로 만들어 Kennedy Class I 증례로 만드는 경우와 구치에 임플란트를 심어 Class III 증례로 만드는 경우의 선택 기준을 잘 생각해보아야 한다.

에서는 국소의치는 양측성으로 디자인되나 편측만을 가정하여 실험을 하였고, 후방연장 국소의치의 경우 운동을 허용하는 클라스프 디자인 및 근심 레스트가 추천되나 일반적인 Akers 클라스프 디자인을 적용하였음으로 당연히 임플란트에 응력이 집중될 수 있었다는 점의 한계가 있다고 생각되지만 결과만을 놓고 보면 중요한 점을 시사한다. 즉, 이런 응력이 임플란트에 집중될 가능성이 있으므로 완전 임플란트 지지 국소의치의 형태보다는 임플란트를 전방으로 위치해서 약간의 움직임을 허용하는 클라스프를 적용하는 등의 Kennedy Class I, II의 임플란트 및 조직 지지 국소의치로 적용해 보는 것도 의미가 있다는 것이다.

그림 3과 같은 Kennedy Class I이라도 6전치만 있는 경우와 소구치까지 있는 경우는 차원이 다른 국소의치이다. Kennedy Class III로 치료 시 긴 무치악으로 견치와 임플란트 지대치에 많은 외력이 전달될 수 있다. 지대치의 상태와 대합치의 상태를 잘 파악하여 어떤 것이 효율적인지를 판단할 수 있어야 겠다.

Question

전치부만 남아 있는 환자에서 임플란트 지대치를 이용한 국소의치를 제작하고자 할 때 어디에 임플란트를 식립하는 것이 좋은가?

Answer

강의를 하면서 가장 많이 받는 질문 중 하나이다.

증례를 보면서 설명해 보고자 한다.

다음 증례는 치료 당시 73세 여자환자로 당뇨, 혈압 등의 전신질환을 가지고 있었으며, 약을 복용하며 당뇨와 혈압이 조절되는 환자였다.

그림 4와 같이 #22번이 결손되어 있었고, 잔존치가 전반적으로 약간의 동요도를 가지고 있었다.

이 환자에서 가장 먼저 고려된 것은 하악 대합치의 상태였다. 대합치가 자연치를 지대치로 하는 고정성 보철물이었고, 특별한 불편감이 없어 재수복을 원치 않으셨다. 잔존 상악 전치부가 1/2 정도 골 소실을 전반적으로 보이고 있었으며, 전치부 저작으로 약간의 동요도를 보이고 있었지만 발치의 적응증은 아니라고 판단되었다. 구치부 지지가 확실히 주어지면 전치부의 동요도는 없어질 것이라는 확신이 들었다. 양측에 두 개씩의 임플란트 식립을 환자가 허용하였고, 제1소구치와 구치부에 분산하여 식립한다면 고정성 보철물이 가능할 것이라 설명드렸으나 전신질환으로 구치부 골 이식을 거부하였다. 양측 소구치 부위에 2개씩의 임플란트를 골 이식 없이 시행하였고, #13, #11=23 지대치로 수복하여 양측 견치에 확실한 설면 레스트를 부여하였다.

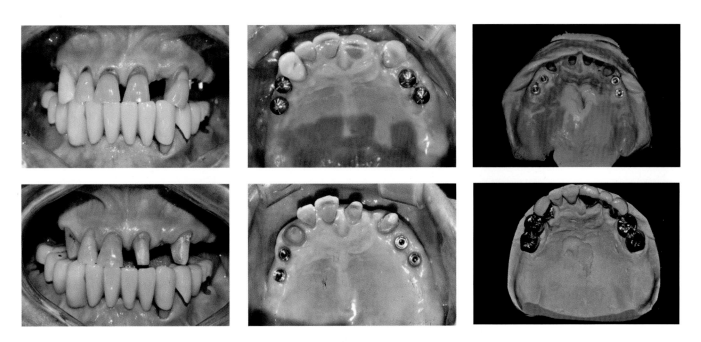

▲ 그림 4   73세 여자환자로 전치부로 오래 저작하여 잔존치의 동요도를 보이는 환자.

그림 5와 같이 양측 임플란트 지대치를 이용한 국소의치를 제작하였다. 양측 임플란트 지대치에 근심 레스트를 설계하고 가공선 클라스프를 이용하여 구치부로 저작 시 침하 운동을 약간 허용하는 구조로 디자인하였다. 국소의치의 인공치는 확실한 교합점을 부여하고, 전치부는 shimstock이 빠질 정도의 접촉을 부여하였으며, 견치 유도 교합을 형성하였다. 6개월 간격으로 교합 검사와 구치부 의치상 내면 검사를 시행하여 5년간 2회의 의치상 첨상을 시행하였다.

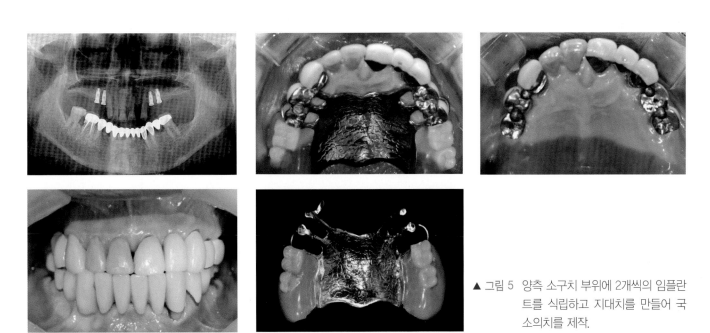

▲ 그림 5   양측 소구치 부위에 2개씩의 임플란트를 식립하고 지대치를 만들어 국소의치를 제작.

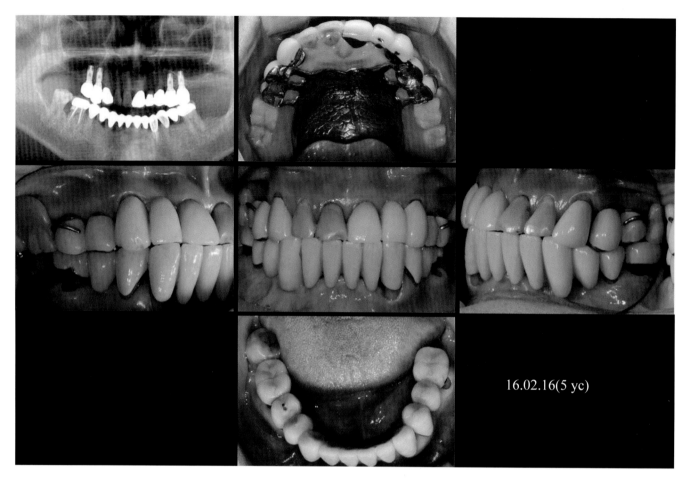

16.02.16(5 yc)

▲ 그림 6   5년 후 check시 구내 사진.

그림 6과 같이 5년 후 정기검진하였을 때 환자의 불편함은 없었으며, 잔존 전치부의 치조골이 안정되고 동요도는 완전히 없어진 것을 확인하였다. 또한 임플란트의 상태도 양호하였다.

KeyPoint

만약 이 환자에서 구치부에 임플란트를 식립하여 고정성 보철물로 치료하였다면 환자는 더욱 만족하였을 수도 있다. 하지만 부가적인 골 이식술이 필요할 수 있으며, 치조골 흡수에 의해 치관 길이가 길어지고 양치가 잘 안 되어 임플란트 예후에 문제가 될 수도 있었다. 상악은 두 개 이상의 임플란트를 식립하여 스플린팅하는 것을 원칙으로 생각하며, 환자가 국소의치를 빼고 생활할 수 있으나 반드시 국소의치를 장착하시도록 교육을 하여야 한다. 구치부가 조직 지지라 환자의 불편함이 증대되고 국소의치에 많은 힘이 전달될 수 있다고 생각할 수 있으나, 가공선 클라스프와 근심 레스트를 이용하여 구치부 저작 시 약간의 운동을 허용함으로써 임플란트에 가해지는 외력을 줄일 수 있었다.

상악에 2개의 임플란트를 식립한다면 어떤 경우 임플란트 지대치를 이용하는 것이 유리할까?

A n s w e r

만약 2개의 임플란트로 개수의 한계가 있다면 편측으로 잔존치가 남아 있는 경우에 양호한 결과를 얻을 수 있다.

그림 7의 환자는 72세 여자환자로 #10번대 구치부의 수직적 골 흡수가 심하였고, 기존에 국소의치의 사용 경험이 있다.

그림 7과 같이 하악은 #48이 잔존해 있고, 이전에 지대치로 수복되어 있었으며 1도의 동요도를 보이고 있었다. 하악은 Kennedy Class II 국소의치를 제작하기로 하였다. 상악은 #20번대 모든 치아가 잔존해 있었고 치아의 상태도 양호하였다.

이 환자의 경우 #16, 17 부위에 임플란트를 식립하면 치아 지지 국소의치로 전환될 수 있으나 #12가 설측으로 기울어져 있어 #12 설면 레스트의 형성이 불가능하다. 설사 가능하다 하더라도 #12 와 구치부 임플란트 지대치에 레스트를 가지는 치아 지지 국소의치는 긴 무치악부를 가져서 치아와 임플란트에 외력이 집중될 가능성이 있다. 따라서 본 증례는 #13, 14 부위에 임플란트를 식립하여 #10번대에 제1소구치까지 임플란트 지대치를 형성하였다.

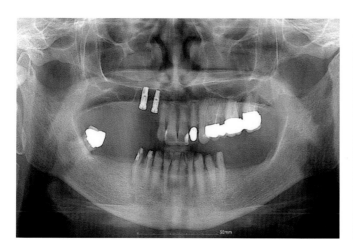
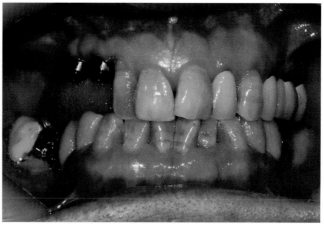

▲ 그림 7 편측으로 구치부가 건전히 남아 있을 때 견치와 소구치 부위에 임플란트를 식립하여 지대치를 제작한 증례.

부가적인 골이식술을 시행하지 않기 위해 의도적으로 잔존 골량에 맞추어 #13, 14 부위에 임플란트를 식립하였다. 협측 골량을 충분히 유지하여 식립하였기에 약간 협측으로 임플란트가 치우쳐져 있다. 하지만 최근 customized abutment를 사용하면서 지대치를 제작하는데 큰 문제는 없다.

그림 8과 같이 상악 우측 견치와 제1소구치에 customized abutment를 이용하여 보철물의 삽입로와 금속 도재 브릿지를 위한 충분한 두께를 부여하였다. 치조골의 수직적 흡수가 심한 경우 도재관의 마진을 치은 연하로 형성할 필요가 없다. 평소에 치아의 치은 부위가 보이지 않는다면 청소의 용이함을 위해 의도적으로 치은 상방에 변연을 형성해도 될 것이다. 제1소구치의 협측에 적절한 언더컷을 부여하고 근심 레스트를 명확히 형성하는 것이 중요하다. 부연결장치가 올라가는 부위와 원심면은 국소의치의 삽입로와 명확히 일치시켜야 함을 명심해야 한다. 이렇게 형성된 지대치관은 국소의치에 적절한 유지력을 부여하며 국소의치의 삽입철거 시 부드러운 경로를 만들게 되어 cemented type으로 제작하여 임플란트 전용 접착제를 사용하더라도 브릿지가 반복적으로 탈락하는 현상이 적게 나타난다. 아주 빡빡하게 들어가는 국소의치를 만들었다면 언더컷의 양이 과도하거나, 국소의치의 삽입철거로를 고려하지 않은 이유일 것이고, 이 경우 임플란트 전용 접착제를 사용한 경우 지대치가 탈락되는 현상이 발생할 수 있다.

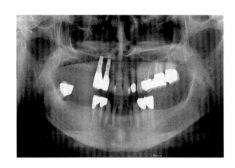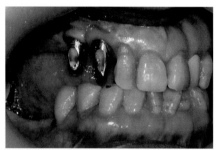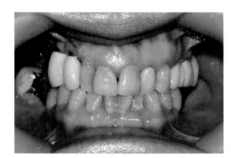

▲ 그림 8 #13, 14 임플란트 지대치 장착 모습.

그림 9와 같이 #14와 #27의 최후방 지대치 레스트를 연결한 회전축에 대해 임플란트 부위에는 운동을 허용하는 RPA를 디자인하였고, #24는 클라스프를 만들지 않아 혹시나 있을 수 있는 회전축을 중심으로 한 회전운동에 대해 지대치에 가해지는 외력을 줄여 주었다. 하지만 #24에는 반드시 레스트를 형성하여 간접유지장치를 부여해야 한다. 이때 간접유지장치는 수직적인 지지의 분산 뿐만 아니라 최후방 지대치의 클라스프가 수직적으로 빠지도록 도와주는 중요한 역할을 하게 된다. 5년전 증례로 당시 저자는 임플란트 지대치에 가해지는 위해 요소들이 겁이 나서 좌측 구치부에 embrasure 클라스프를 디자인하였는데, 이는 국소의치의 움직임을 최소화하여 임플란트 지

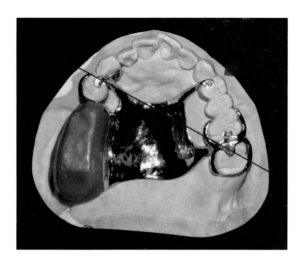

▲ 그림 9　우측 견치와 제1소구치를 임플란트 지대치로 수복함으로써 안정적인 Kennedy Class II 디자인의 형성.

대치에 가해지는 외력을 최소화하려는 의도였다. 하지만 지금 생각해보면 #26의 클라스프들을 제거하여도 큰 무리가 없었을 것 같다. #26의 협측 클라스프는 최후방 지대치의 레스트를 연결한 회전축의 전방에 있기 때문에 만약 국소의치의 회전이 크다면 캔틸레버 지지의 역할을 할 수 있고, 지대치에 큰 외력을 부여할 가능성이 있다 (2.5장 참조).

　그림 10과 같이 2개의 임플란트를 이용한 지대치의 형성을 통해 안정적인 국소의치를 제작할 수 있었다. 국소의치의 인공치 부위는 최대 교두감합 시(이 증례는 자연치와 임플란트 개수가 충분하였기에 자연치 교합을 따랐다.) 반드시 확실한 접촉이 되도록 해야 한다. 만약 국소의치의 인공치 부위에서 구치부 지지가 명확하지 않다면 환자는 우측의 경우 임플란트 지대치와 대합되는 하악 지대치로 저작을 하게 되며, 지대치에 과도한 교합력이 가해질 수 있으니 항상 교합 형성에 신중을 기해야 한다.

　참고로 하악 #47은 동요도가 있었으나 지지를 받는 것에는 큰 무리가 없을 것이라 사료되어 레스트만을 부여하고 클라스프를 형성하지 않았음을 참조하길 바란다. 차후 #47이 발치되는 상황에는 하악 국소의치를 수리해서 사용할 수 있도록 미리 Kennedy Class I의 디자인을 적용하였다(3.1, 3.2장 참조).

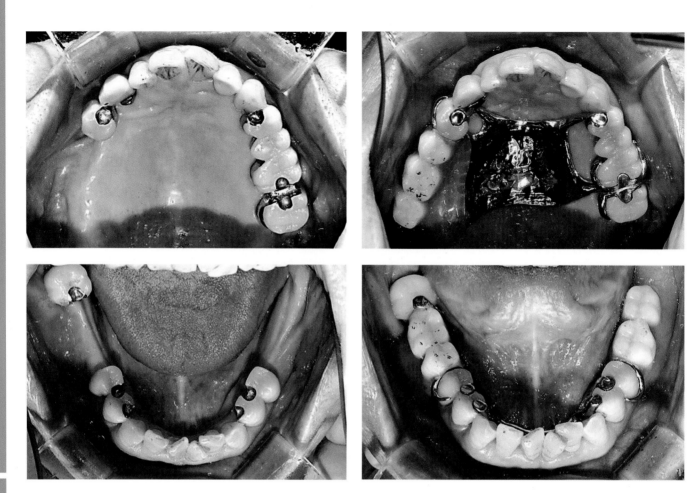

▲ 그림 10 상하악 국소의치의 장착 구내 모습.

Q u e s t i o n

상악에 두 개의 임플란트를 구치부에 식립하면 안 되는가? 어떤 점을 고려해야 하는가?

A n s w e r

다음의 상황들을 꼭 고려해야 한다

(1) 무치악부 길이가 너무 긴 치아 지지 국소의치가 되는 것이 아닌지?

(2) 잔존 전치에 지지를 위한 지대치의 레스트가 명확히 형성될 수 있는지?

(3) 대합치가 어떤 상황이고, 긴 무치악 부위를 가지는 치아 지지 국소의치에서 지대치에 어떤 외력이 가해질 것인지?

(4) 구치부의 수직적 골 흡수가 심하여 치관이 길어졌을 때 임플란트 지대치의 청소가 용이한 지?

다음 증례를 보면서 고려해보자

그림 11은 72세 여자환자로 초진 시 아래쪽 치아가 많이 흔들리고, 위쪽 임플란트 부위 잇몸이 아프다는 주소로 내원하였다. 이 치료에 대해 분석해보자.

이 환자는 하악에 양측 견치를 지대치로 하는 국소의치를 3년전 제작하였다. 하악 국소의치는 문제가 없었으나 상악 국소의치의 좌측 무치악부가 계속 불편하고 우측 잔존 자연치가 점점 안 좋아지는 것 같아 개인병원에서 보험 임플란트 2개를 좌측 구치부에 식립하고 국소의치를 제작하였다. 그 이후 상악은 아주 편해졌는데 하악 지대치가 급속하게 안 좋아졌고, 하악 의치 사용 시 통증이 심하였다.

상악 치료가 완료된 후 하악 국소의치의 첨상이나 수리를 몇 번 받았냐는 질문에 아플 때 몇 번 병원에 갔었는데 원장님이 하악 국소의치의 내면을 깎아주었고, 그 이후 잇몸 아픈 건 괜찮았는데 하악 치아들이 흔들렸다고 했다.

먼저 상당히 어려운 증례임이 분명하다. 하악 국소의치 지대치가 양측 견치 두 개 밖에 없었음에도 편안할 수 있었던 이유는 아마도 국소의치를 잘 만들어서 움직임이 작았고, 상악이 소수의 잔존치를 편측으로 가지는 광범위한 국소의치였기 때문으로 추측된다. 이후 상악 좌측 골 흡수가

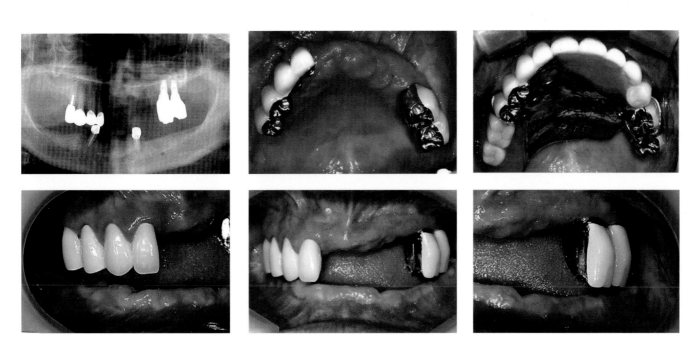

▲ 그림 11 상악 구치부에 두 개의 임플란트 지대치를 이용한 국소의치 증례. 초진 사진이 없고 환자 본원 내원 시 하악 국소의치 없이 내원하였다.

심하여 국소의치에 의한 통증이 유발되었고, 치료하신 원장님은 #26, 27 부위에 임플란트를 식립하고 Kennedy Class II mod 1 국소의치를 제작하였다. 편측으로 지대치가 남아 있을 때 반대편 무치악 부위에 임플란트를 식립하여 지지와 안정을 증대시켰기 때문에 상악 국소의치는 편안해졌다. 하지만 상악 전방부의 아주 긴 무치악 부위를 가지는 치아 지지 형태의 국소의치가 제작되었고, 이런 경우 지대치에 모든 지지가 전달됨으로 지대치와 임플란트에 무리한 외력이 집중된다. 하지만 이 환자의 경우 대합치가 완전 무치악에 가까운 국소의치였기에 교합력이 크지 않아 큰 무리가 없었을 것으로 사료된다. 앞서 설명한 바와 같이 임플란트의 위치를 결정할 때는 대합치의 상태, 치아 지지를 만드는 무치악부의 길이를 꼭 고려해야 한다. 그런데 문제는 하악의 잔존 치아가 급속히 나빠졌다는 것이다. 이 원인은 무엇일까? 상악 좌측 구치부를 임플란트 지대치로 수복해 줌으로써 상악은 치아 지지 국소의치로 구치부 교합력이 강화되었다. 하지만 앞서 환자의 진술에 따르면 하악 국소의치의 주기적인 첨상을 해주지 않았고, 따라서 하악 국소의치가 양측 견치를 중심으로 많은 회전이 가해졌을 가능성이 있다. 견치만 잔존하는 경우에는 구치부의 주기적인 첨상과 적절한 구치부 지지를 가지도록 교합을 형성해 주어야 국소의치의 회전에 저항하고 지대치도 오래 유지할 수 있다는 것을 명심하여야 한다. 또 다른 문제로 상악 좌측 임플란트의 치관이 수직적인 골 흡수로 인해 너무 길어졌고, 임플란트 지대치의 치은부에 음식물이 많이 저류되었고, 이는 임플란트 주위 염증을 유발하는 원인이 될 수 있다.

이 환자에서도 하악 국소의치와 상악 국소의치의 관계를 고려하여 임플란트 2개를 견치와 소구치부에 식립하고, 주기적인 첨상 및 교합 검사를 시행하였다면 유지관리가 용이하고 힘의 균형에 맞는 임플란트-치아 및 조직 지지 국소의치가 가능했으리라 사료된다.

Question

하악에서 구치부 골 흡수가 심한 경우 2개의 임플란트를 심고 임플란트 지대치를 이용한 국소의치를 제작한다면 어느 부위에 임플란트를 식립하는 것이 좋을까?

Answer

상악에서와 이론적으로는 별 차이가 없지만 하악의 경우 골질이 양호하고 전치부가 남아 있다면, 두 개의 임플란트를 연속하여 식립하고 스플린팅을 반드시 해야 하는 상악과 달리 하나의 임플란트 지대치로도 국소의치에 적용이 가능할 수 있다고 생각한다.

증례를 보면서 다양한 경우를 생각해보자

증례 1   63세 여자환자로 하악 국소의치 제작 후 좌측 후방 무치악 부위에 지속적인 동통을 호소하여 내원하였고, 환자는 임플란트를 이용하여 하악 고정성 보철을 하고 싶다고 하였다. 하지만 골 흡수가 심하여 광범위한 골 이식이 예상되며, 상악이 총의치이므로 2개의 임플란트를 골 이식 없이 식립 가능한 #34, 35 부위에 식립하여 국소의치를 제작하기로 하였다. 만약 구치부 골량이 짧은 임플란트를 심을 수 있는 정도였다면 최후방 구치부에 임플란트를 하나씩 식립하여 healing abutment로 지지를 부여할 수 있었을 것인데, 골량이 부족하여 시도할 수 없었다(4.1장 참조).

그림 12와 같이 임플란트를 #34, 35에 식립하여 지대치를 형성하면 좌우가 균형을 이루게 되고, 근심 레스트와 적절한 간접유지장치가 형성될 수 있어 자연치 및 임플란트 지대치에 적절한 지지를 부여할 수 있고, 운동을 허용하는 클라스프를 선택할 수 있으며, 부가적으로 후방 무치악 부위에서도 의치상에 의한 지지를 받을 수 있어 안정적인 국소의치를 제작할 수 있다.

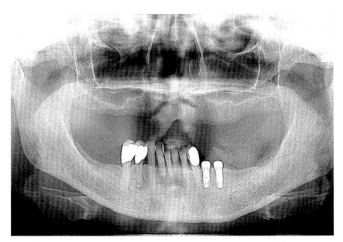
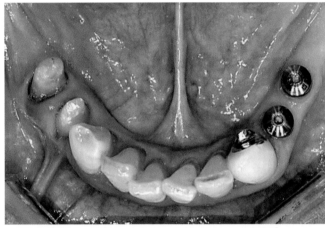
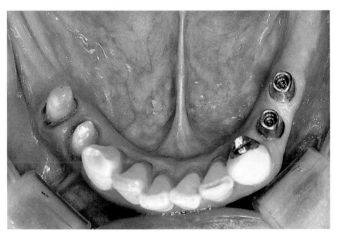
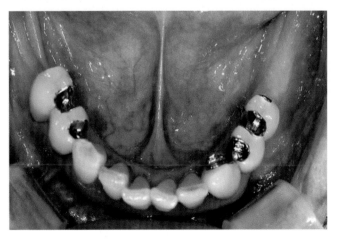

▲ 그림 12 상악 구치부에 두 개의 임플란트 지대치를 이용한 국소의치 증례. 초진 사진이 없고 환자 본원 내원 시 하악 국소의치 없이 내원하였다.

그림 13에서 알 수 있듯이 A처럼 #45~#33까지 지대치를 가진다면 좌측 무치악 부위가 길어서 잔존 치조제 쪽으로 많은 수직력이 전달될 수 있고, 회전축보다 전방으로 위치하는 클라스프가 저작 시마다 지대치에 회전력을 줄 수 있다. 무치악부를 잘 인기하여 적절한 의치상을 형성해 주지 않는다면 지지와 안정 요소가 크게 부족해질 수 있다. 하지만 B의 경우 좌우 대칭적인 지대치를 가지게 됨으로써 지지의 요소가 지대치와 무치악부로 적절히 분산될 수 있으며, 최후방 지대치에서 형성되는 회전축보다 클라스프가 전방에 놓이지 않아 구치부 저작 시 지대치에 측방 회전력을 최소화할 수 있겠다. 특히 무치악 부위가 구치부에 한정되어 있어 잔존치조제가 좋지 않더라도 적절한 선택적 가압인상을 통해 buccal shelf로 구치부 지지를 적절히 분산시키기 용이하다. 또한 부연결장치가 많아져서 안정 요소를 충분히 가질 수 있기 때문에 의치 움직임이 작다.

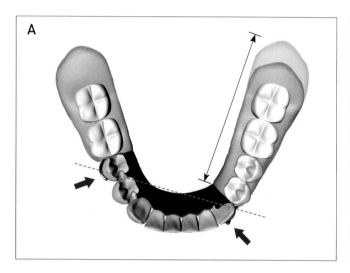 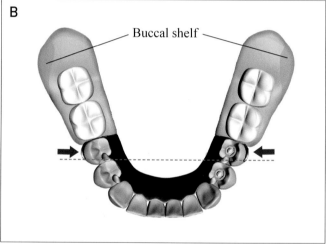

▲ 그림 13 양측 소구치 부위까지 임플란트를 이용한 지대치를 형성해준 경우 얻을 수 있는 디자인의 장점. B는 A에 비해 최후방 지대치를 중심으로 하는 회전운동을 적절히 허용하는 클라스프 설계가 가능하며, 무치악 부위가 구치부로 한정되어 지대치와 buccal shelf에 의한 효율적인 지지 분산이 가능하다.

그림 14와 같이 완성된 국소의치는 이전 국소의치보다 더욱 안정감이 있고, 저작 효율도 더욱 증대될 수 있다. 이러한 국소의치 디자인은 골 이식 없이도 임플란트를 식립할 수 있고, 운동을 허용하는 클라스프를 설계할 수 있어 임플란트 지대치에 유해한 요소를 줄일 수 있고, 지지력을 지대치와 무치악부에 적절히 분산시킬 수 있는 장점이 있다. 하지만 반드시 국소의치의 구치부 교합 접촉을 확실히 부여하고 주기적인 첨상을 시행해야 함을 명심하자. 후방 무치악부의 골 흡수에 의해 나타나는 combination syndrome이나(4.1장 참조), 환자가 국소의치를 장착하지 않는(장착하지 않아도 저작이 가능함으로) 부작용을 최소화해야 할 것이다.

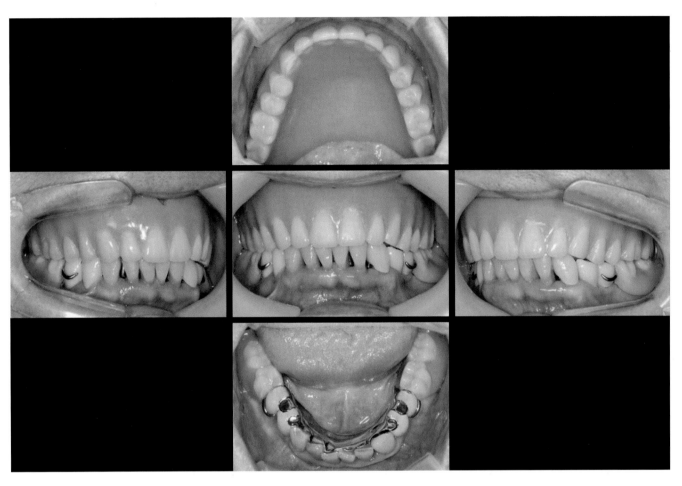

▲ 그림 14 완성된 국소의치의 장착 구내 모습. 지지를 적절히 분산시키기 위해서는 구치부 교합 접촉을 확실히 만들어 주고, 주기적인 첨상을 하여야 한다.

증례 2　68세 여자환자로 1년전 상하악 국소의치를 하였으나 하악 국소의치가 안 맞고 하악 전치부 치아 가 파절되어 내원하였다. #33은 치근 파절과 치근 우식으로 발치를 필요로 하였다.

그림 15와 같이 이 환자는 5개의 자연치만을 가지게 되고, 하악 5전치를 지대치로 하는 국소의 치 제작 시 기존의 #33 견치까지 포함하는 국소의치보다 더 예후가 좋지 않을 것이라 판단된다. 환 자의 잔존 골량으로는 구치부 임플란트가 불가능하였다.

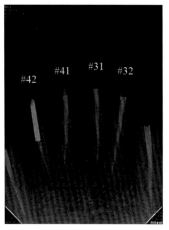 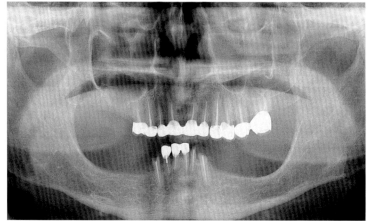

▲ 그림 15　초진 방사선 사진. #33은 발치가 필요하였고, 나머지 전치부는 포스트 후 크라운으로 스플린팅하기로 하였다.

그림 16에서 보는 바와 같이 교합 평면이 좋지 않고, 상악 우측은 건전한 자연치를 가지고 있는 상황이다. 저자가 제시한 치료방법은 #34, 44 부위 임플란트 식립 후 attachment를 장착하고 국소 의치를 하는 방법과 지대치를 만들어 국소의치를 제작하는 방법이었고, 환자는 심미적인 원인으 로 후자의 치료계획을 결정하였다.

CT 촬영 결과 #33의 발치 후 즉시식립도 가능하였으나 #34 부위도 임플란트 식립이 가능한 상 태였고, 대합치가 구치부까지 건전한 자연치 상태였으므로 임플란트를 가능한 소구치 부위에 식 립하기로 결정하였다.

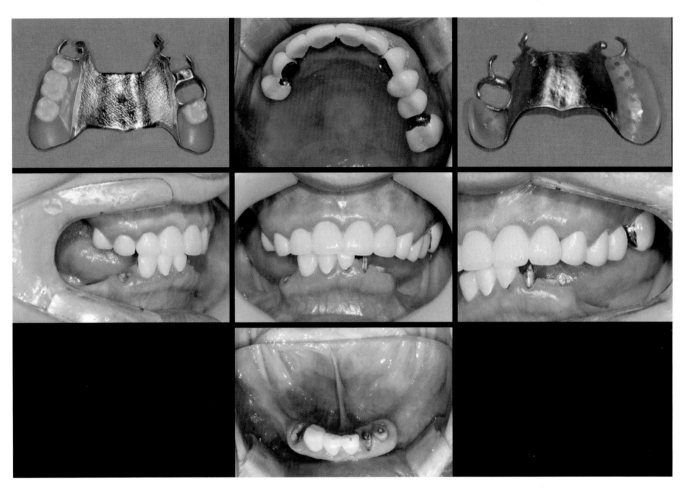

▲ 그림 16 초진 시 구내 사진. 상악 교합 평면이 불량하고 하악 잔존치의 상태가 좋지 못하다.

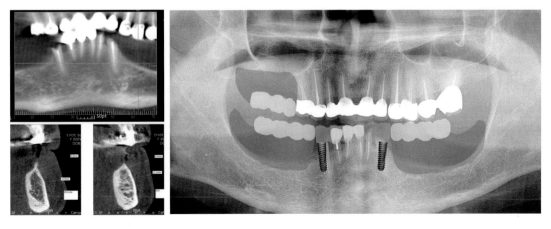

▲ 그림 17 CT 촬영 결과 #34, 44 부위에 임플란트 식립이 가능함을 확인.

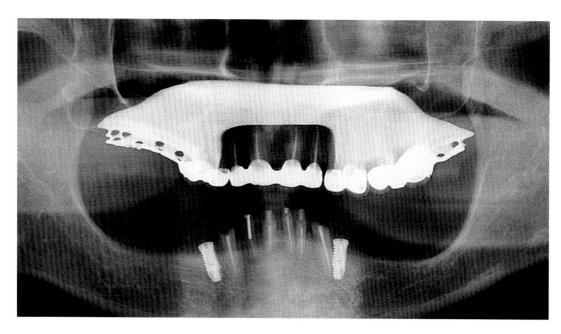

▲ 그림 18　#34, 44 부위 임플란트 식립 후 방사선 사진. 임플란트 식립하면서 발치를 동시에 진행하였다.

　　임플란트를 식립하고 3개월 정도를 기다려야 한다. 이때 중요한 것은 구치부 지지를 확실히 부여하여 잔존한 전치부를 보호하고, 수직 고경이 적절한지 평가를 하여야 한다. 그림 19에서 보는 바와 같이 전치부의 임시 치아도 최종 보철물과 동일하게 설측 레스트를 부여하고 삽입로를 고려하여 제작한다. 임시 국소의치는 레스트를 모두 덮도록 제작하여 자연치가 수직적 지지를 일부 감당하도록 제작한다.

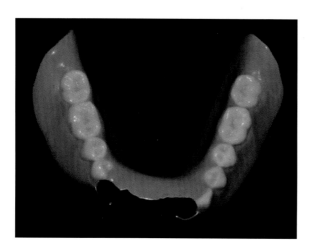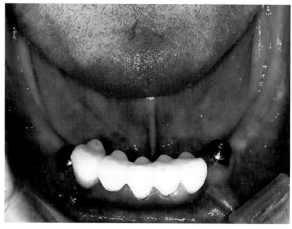

▲ 그림 19　임플란트 식립 후 임시 치아 및 임시 국소의치 장착.

그림 20, 21과 같이 abutment와 지르코니아 보철물을 제작하여 그림 22와 같이 구강 내에 장착하였다. 그림 20에서 중요한 것은 임플란트의 식립 각도가 좋지 못할 때 스크류 홀을 형성하지 못하는 경우 임플란트 전용 시멘트를 이용한 시멘트 유지형 보철물을 제작하게 된다. 이 경우 국소의치의 착탈 동안 지대치 보철물이 탈락하는 경우가 있는데, 저자는 이러한 현상을 줄이고자 국소

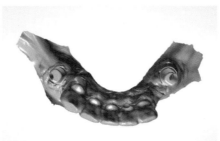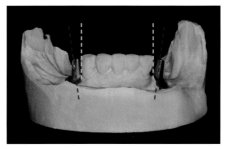

▲ 그림 20 Customized abutment 제작. 임플란트 지대치는 임플란트 전용 시멘트로 합착할 것이므로 국소의치의 착탈 방향에서 의도적으로 약간 기울어진 방향으로 설계한다.

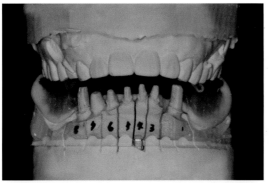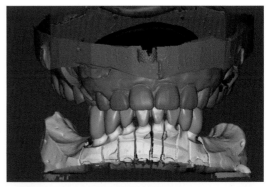

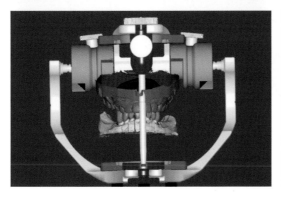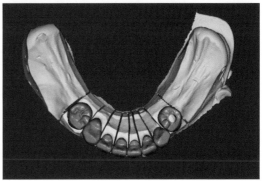

▲ 그림 21 임시 국소의치로 확인한 수직 고경을 바탕으로 지르코니아 지대치 제작. #33은 전치부와 연결되는 캔틸레버이므로 레스트를 부여하지 않았고, 나머지 전치부에는 확실한 설측 레스트를 디자인하여 치아 장축으로 수직력이 전달되도록 디자인한다. 당연히 임플란트와 자연치는 연결하지 않는다.

의치의 착탈 방향에서 약간 근원심으로 기울어지게 customized abutment를 제작해준다. 국소의치의 착탈 방향과 다르게 들어가는 임플란트 보철물은 그 자체가 탈락하는 경향이 감소될 수 있다. 하지만 보철물의 형태에 영향을 줄 정도로 너무 과도한 경사는 주지 않도록 조심한다.

그림 22에서 보는 바와 같이 우측은 상하악 간 자연치와 임플란트가 대합되게 되고, #34에 식립한 임플란트는 상악 제 1소구치까지 접촉하게 되어 교합력의 상당 부분을 임플란트 지대치로 분산할 수 있다.

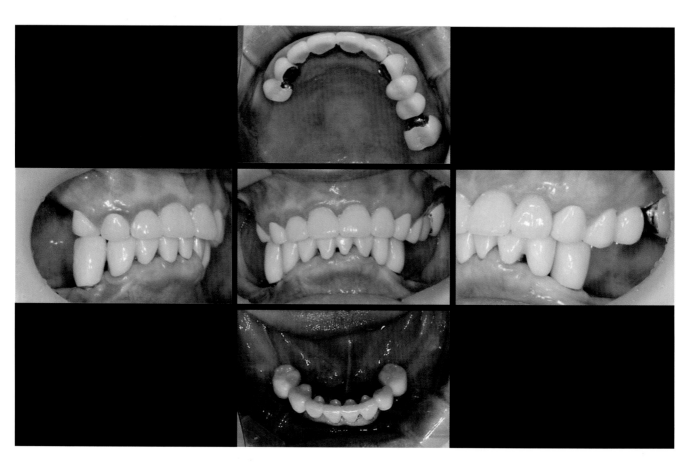

▲ 그림 22 자연치 브릿지와 임플란트 지대치를 장착한 구내 사진.

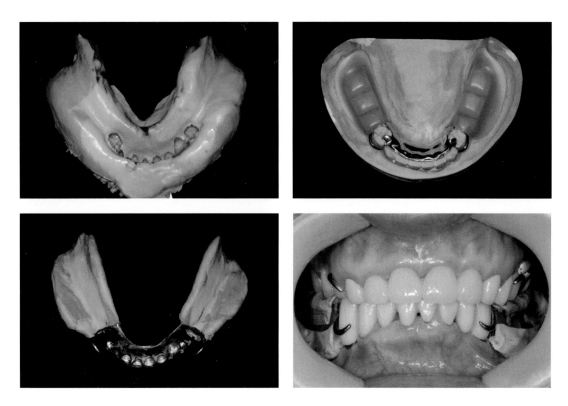

▲ 그림 23　하악 국소의치의 최종 인상. 선택적 가압인상을 채득하여 구치부 지지를 무치악 잔존치조제로 최대한
　　　　 전달하도록 노력한다.

　그림 23에서 보는 바와 같이 임플란트 융합 국소의치에서 후방 무치악 부위로 전달되는 교합력
은 선택적 가압인상을 통해 buccal shelf 지역으로 그 지지를 분산하도록 노력해야 한다. 기성 트레
이를 이용하여 해부학적 인상을 채득한 후 금속 구조체에 트레이를 만들어 2차 인상을 채득한다.
그림 23에서 확실히 인기된 buccal shelf를 확인할 수 있다(3.3장 참조).

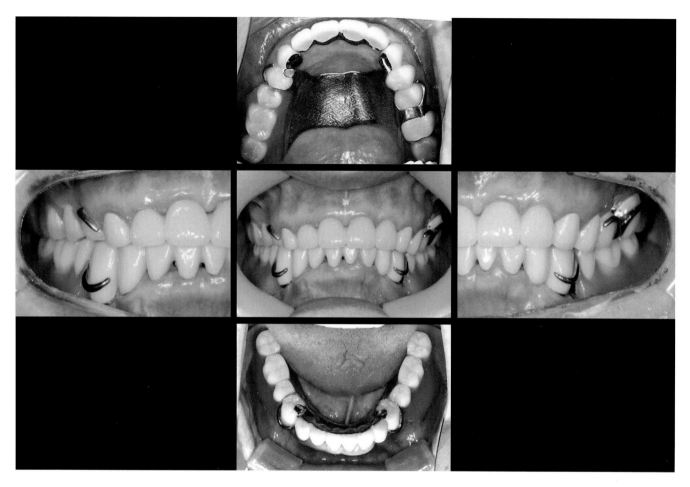

▲ 그림 24   최종 보철물 장착 사진. 양측 모두 제1소구치까지 가지는 Kennedy Class I 국소의치이다. 확실한 구치부 교합을 형성해주고 반복적으로 무치악부 의치상의 첨상이 필요하다. 저자는 상악 보철물을 다시 만들어 교합평면을 재형성해주고 싶은 아쉬움이 있었지만 환자는 치료결과에 아주 만족하였다.

Question

하악 완전 무치악 환자의 경우 #33, 43에 임플란트를 심어 지대치를 만들고 국소의치를 하면 안 되는가?

Answer

저자가 가장 많이 받은 질문 중 하나이다. #33, 43 임플란트 후 스플린팅하지 않고 하나씩 지대치를 한 뒤 국소의치를 하는 것은 매우 위험하다.

그림 25에서 제시한 세가지 치료 방법을 고민해 보자. 먼저 임플란트 2개를 식립 후 운동을 허용하는 attachment를 장착한 경우이다. 그림에서 보는 바와 같이 후방으로 눌려질 때 무치악부 지지가 약하다면 상방이 들리는 운동이 발생한다. 전치부로 저작 시 반대의 운동이 발생한다. 하지만

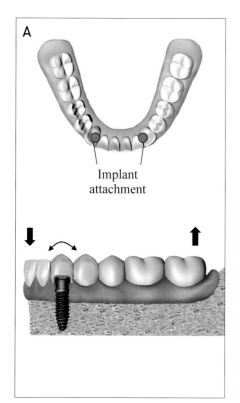
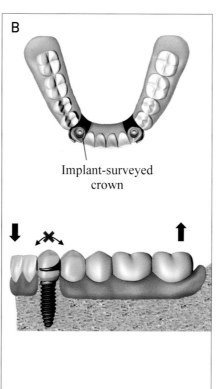
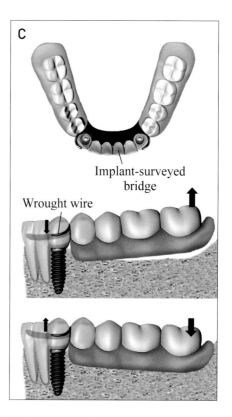

▲ 그림 25   #33, 43에 임플란트 식립 후 계획할 수 있는 세가지 치료 방법에서 국소의치의 운동.

이 경우 attachment는 회전운동을 일부 허용하고 있으므로 임플란트에 측방 회전력을 많이 가하지 않을 것이다. 만약 두 번째 경우처럼 각각 지대치를 형성하였다고 가정하자. 지대치는 삽입로를 결정하고 안정 요소를 부여하는 인접판을 근심과 원심에 각각 가지게 된다. 다시 앞서 말한 운동을 생각해보자. 어떤가? 국소의치가 임플란트 지대치를 잡고 흔들게 된다. 임플란트에 측방 회전력을 그대로 전달하게 된다. 저자는 너무나 위험하다고 생각한다. 만약 꼭 두 개의 임플란트로 지대치를 만들어야 한다면 3~6개월마다 의치 내면의 첨상을 시행하고, 양측성 균형 교합을 고려해보는 것이 방법이 될 수 있지만 이 경우 관리가 너무 어려울 듯하다. 세 번째로 두 임플란트를 스플린팅하여 6전치를 만드는 것이다. 이 경우 두 번째 방법과 비교하여 좀 더 긍정적인 결과를 얻을 수 있겠다. 그림에서 보는 바와 같이 전방으로 tilting되는 운동은 전방부 pontic의 설측 레스트에 의해 발생되지 않는다. 또한 이 전방부 레스트는 간접유지작용을 하여 국소의치가 탈락 시 유지장치가 좀더 수직적으로 빠지도록 도와 주기 때문에 측방 회전력을 줄일 수 있겠다. 이 경우 인접판은 #33, 43의 원심면에만 형성되고, 따라서 임플란트를 잡고 흔드는 운동은 두 번째 치료방법보다 적을 것이라 판단된다. 후방으로 tilting되는 운동만 고려하면 되는데, 이 경우 운동을 허용하는 RPI나 RPA를 만들어도 최후방 지대치를 중심으로 하는 회전축보다 클라스프가 전방에 놓이게

CHAPTER 4

됨으로 임플란트에 회전력을 가할 수 있다. 클라스프는 가공선을 추천하며 반드시 주기적인 첨상을 시행하도록 한다.

KeyPoint

완전 무치악에서 좌,우 하나씩 임플란트를 식립하고 국소의치의 지대치로 만든다면 지대치에 의해 국소의치가 완전히 잡혀서 전후방 시소운동(1종 지레) 발생 시 측방 회전력이 임플란트에 그대로 전달되므로 위험한 치료이다. 단, 대합치가 총의치이거나 인상과 교합으로 국소의치의 운동이 충분히 차단되는 상황에서는 술자의 판단에 따라 시도할 수도 있으나 철저한 유지관리가 필요하다.

참고문헌 >>>>

1. De Carvalho WR, Barboza EP, Caula AL. Implant-retained removable prosthesis with ball attachments in partially edentulous maxilla. Implant Dent. 2001;10:280-284.

2. Eom JW, Lim YJ, Kim MJ, Kwon HB. Three-dimensional finite element analysis of implant-assisted removable partial dentures. J Prosthet Dent. 2016. [epub]

3. Gharehchahi J, Asadzadeh N, Mirmortazavi A, Shakeri MT. Maximum dislodging forces of mandibular implant-assisted removable partial dentures: in vitro assessment. J Prosthodont. 2013;22:543-549.

4. Keltjens HM, Kayser AF, Hertel R, Battistuzzi PG. Distal extension removable partial dentures supported by implants and residual teeth: considerations and case reports. Int J Oral Maxillofac Implants. 1993;8:208-213.

5. Mijiritsky E. Implants in conjunction with removable partial dentures: a literature review. Implant Dent. 2007;16:146-154.

6. Shahmiri R, Das R, Aarts JM, Bennani V. Finite element analysis of an implant-assisted removable partial denture during bilateral loading: occlusal rests position. J Prosthet Dent. 2014;112:1126-1133.

7. Werbitt MJ, Goldberg PV. The immediate implant: bone preservation and bone regeneration. Int J Periodontics Restorative Dent. 1992;12:206-217.

8. Wismeijer D, Tawse-Smith A, Payne AG. Multicentre prospective evaluation of implant-assisted mandibular bilateral distal extension removable partial dentures: patient satisfaction. Clin Oral Implants Res. 2013;24:20-27.

9. Yeung S, Chee WW, Torbati A. Design concepts of a removable partial dental prosthesis with implant-supported abutments. J Prosthet Dent. 2014;112:99-103.

4.3

소수의 임플란트에
attachment를 이용하여 국소의치를 만들고자 할 경우.

앞서 4.1장에서 소수 임플란트에 attachment를 사용하는 경우에 대해 일부 설명하였다. 이번 장에서 다룰 내용은 4.1장에서 주로 다룬 후방연장 국소의치에서 후방에 임플란트를 식립하여 지지를 부여하는 경우가 아닌, 엇갈린 교합 환자와 같이 편측으로 자연치가 잔존한 경우 또는 자연치와 임플란트가 혼재되어 있는 상황에서 attachment의 사용에 있어 주의할 점들을 살펴보고자 한다.

좌우 엇갈린 교합과 같이 편측으로만 자연치가 잔존할 때, 국소의치의 회전축은 잔존치를 근원심적으로 연결한 것을 중심으로 좌측이나 우측 방향으로 회전 변위를 일으키게 된다. Kweon 등은 잔존 자연치가 있는 반대편에 임플란트를 식립하게 되면 회전축이 다변화되어 회전을 억제할 수 있다고 하였다. 이러한 치료 방법은 통상적인 가철성 국소의치에 비해 안정성이 증대되고 저작율이 증가하는 장점이 있다.

Q u e s t i o n

상악에서 편측으로 잔존치가 남아 있을 때 반대편 무치악 부위에 임플란트를 식립하고
solitary attachment(stud type attachment)를 쓰는 것은 안전한가?

A n s w e r

저자는 특히 상악에서 solitary attachment(stud type attachment)를 사용하고 국소의치를 제작할 때, 우선 임플란트에 유해 요소가 너무 많다고 가정하여 치료를 진행한다. 따라서 반대편 상악 자연치에 상악 국소의치의 안정 요소를 충분히 부여할 수 있는 경우에 한해서 solitary attachment를 사용한다. 임플란트 융합 국소의치나 overdenture에서 공통적으로 solitary attachment를 잡고 흔드는 힘이 커지면 임플란트에 측방 외력이 집중될 수 있으므로 골질이 좋지 못한 상악에서 특히 위험하다고 생각한다.

하악 임플란트 융합의치(국소의치나 overdenture 모두)에서 보고되고 있는 임플란트의 생존율은 상당히 성공적인 것으로 보인다. 그러나 상악에서는 임플란트에 유해한 영향을 주는 내재적인 요인들을 고려해야 할 것이다. 잔존 골의 양, 골질, 식립 위치, 기능 등 다양한 요인들을 충분히 고려할 필요가 있다. 이런 다양한 영향 요소들은 상악 임플란트 융합의치에서 임플란트의 생존율이 하악에서 만큼 높은 결과를 보여주지 못하는 이유가 될 것이다. Goodacre 등은 상악 임플란트 융합의치가 다른 임플란트 보철치료에 비해 임플란트의 실패가 가장 높다고 보고하고 있고, 어떤 연구에서는 상악 임플란트 융합의치에서 5년 동안의 생존율이 71% 이하를 보인다고 보고하였다. 지금까지 아주 많은 임상연구가 보고되지는 않았지만 공통적으로 상악에서 하악보다 임플란트 실패율이 높게 보고되고 있다. 이렇게 과학적 근거가 충분하진 않지만 상악의 실패율이 높게 보고되는 일부 연구가 사실이라면 술자는 상악 임플란트 융합 의치의 치료에 있어 더욱 조심스러운 접근을 해야 한다고 생각한다.

그렇다면 상악에서는 반드시 임플란트를 스플린팅해야 하는가? 임플란트를 서로 연결하는 스플린팅은 역학적인 면에서 여러 가지 이점을 줄 수 있다. 여러 개의 임플란트를 통한 하중의 분산과 cross-arch stabilization으로 각각의 임플란트에 가해질 수 있는 과도한 힘을 적절히 분산 가능하다. 최근의 systematic review에서 스플린팅의 유무, attachment의 종류, 임플란트의 크기 등이 임플란트의 생존율에 영향을 주지 않았음을 보고하였다. 그러나 상악 임플란트 융합 의치의 경우에서는 명확한 치료 가이드라인을 이끌어낼 만한 충분한 임상연구가 없는 실정이다. 이전 연구들을 자세히 살펴보면 단순히 임플란트의 성공에 대한 분석이 주 유효성 변수이고 실질적으로 가철성 보철물 자체를 어떻게 제작했는지에 대한 명확한 설명이 부족한 듯하다. 연구마다 상악 임플란트 융합 의치의 성공률에 대한 논란이 많은 이유는 의치 자체가 얼마나 안정 요소를 가지고 있는가에 따라 임플란트에 미치는 유해 요소가 다르기 때문일 것이다. 저자는 이러한 이전 연구를 종합하여 유추해 볼 때, 임플란트에 측방 외력을 가하지 않고 최대한 수직력만을 부여하도록 국소의치를 설계한다면(술자가 그런 마음으로 신중히 치료한다면) 상악 임플란트 융합 국소의치에서도 임플란트의 성공률을 증대시킬 수 있다고 본다.

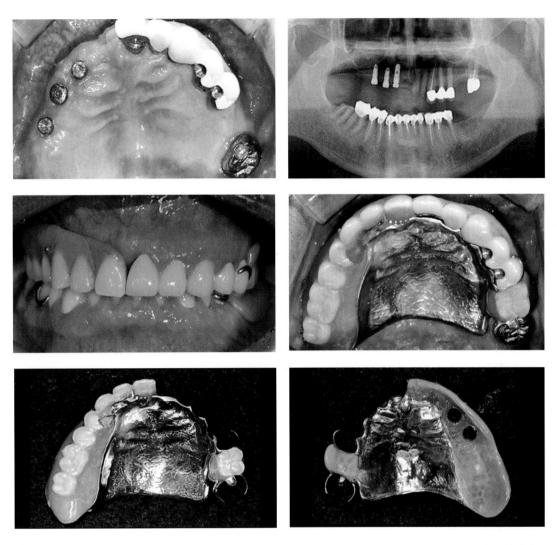

▲ 그림 1 편측으로 자연치를 다수 가지며 상악 무치악부에 short 임플란트 식립하여 국소의치를 제작한 환자의
         초진 사진.

위 환자는 72세 남자환자로 이전 병원에서 상악 무치악 부위에 임플란트 3개를 식립하고 국소
의치를 제작하였으나 최후방(#15 부위)에 식립된 임플란트의 통증을 호소하며 국소의치의 의치상
이 지속적으로 파절된다는 주소로 본원에 내원하였다.

환자는 deep bite 소견이 보이고, 하악은 #46부터 #35까지 잔존치 모두가 PFM으로 수복되어 있
었고 국소의치 치료를 받았으며, 상악은 임플란트 전방 두 개에 locator가 장착되어 있었으며(후방
임플란트는 통증이 있고 골 유착이 실패한 것으로 보였다), #24, 25 교합면 레스트가 모두 부러져
있었으며, 무치악부 의치상이 파절되어 수리를 한 흔적이 보였다.

이 환자의 치료에서 문제가 되는 항목들을 다음과 같이 정리하였다.

(1) 수직 고경이 낮은 것으로 보이고 deep bite이며, 대합치에 잔존하는 자연치가 많아 교합력이 상당히 강하다.

(2) 3개의 임플란트 중 2개는 8 mm 길이의 narrow implant이고, 임플란트들이 지대치가 가지는 국소의치의 삽입로와 비교하여 상당히 협측으로 식립되어 있어 국소의치를 착탈 시 locator 가 측방으로 눌려지면서 들어간다. (이 부분은 뒤에서 더욱 자세히 설명한다.)

(3) #24, 25 교합면 레스트가 모두 파절되어 있어 교합력을 자연치에 적절히 분산시키지 못하고 침하를 만들며, 이러한 침하는 반대편 임플란트에 교합력을 집중시킬 수 있다.

(4) 임플란트 부위에 스플린팅을 위해 bar를 사용하고 싶어도 수직적 공간이 충분치 못해 불가능 하다. 일반적으로 bar를 이용하기 위해서는 임플란트 상방 12~14 mm 의 수직적 공간을 필요 로 한다(그림 2. Pasciuta 등 (2005)).

(5) 과도한 교합력이 국소의치의 의치상을 통해 무치악 치조제로 전달되지 못하고 임플란트에 집중되면서 의치상이 지속적으로 파절된다.

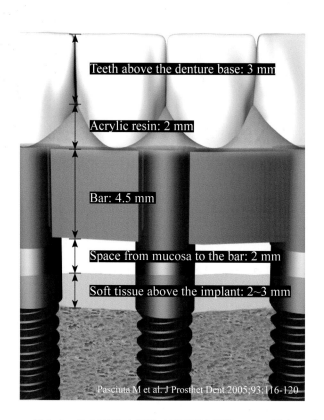

▲ 그림 2 bar를 이용하기 위한 수직적인 공간(Pasciuta 등 (2005)).

위의 분석과 같은 문제점으로 환자분께 교합 고경 재설정을 동반한 전악 재수복을 권유하였으나 연세가 많고, 비용적인 문제로 상악 국소의치만 다시 제작하길 원하였다.

저자는 어쩔 수 없이 다음과 같은 치료계획을 세웠다.

(1) 골 유착이 실패한 #15 부위 임플란트 제거.

(2) #24, 25 교합면 레스트를 연결하는 부연결장치를 강화하고, #22, 23 사이 치간 레스트를 추가로 부여하여 자연치에 최대한의 수직적 지지 제공.

(3) 수복되어 있는 지대치의 삽입로를 균일하게 만들기 위해 유도면을 보철물상에서 조정하고 부연결장치가 충분한 두께를 가질 수 있도록 구강 내에서 지대치 형태 수정.

(4) 만들어진 지대치의 인접판과 부연결장치가 놓이는 부위에 잘 적합되는 국소의치 금속 구조체 제작.

(5) 무치악부 의치상의 파절을 예방하기 위해 금속의치상 형태로 수정. 단 차후 첨상이 가능하도록 의치상 레진을 위한 유지 구조의 형성.

(6) 자연치와 무치악부 인공치에 균일한 교합접촉 형성 및 인공치 부위 측방운동 시 구치부 접촉점 모두 제거.

(7) 임플란트는 예후가 좋지 못 함을 환자에게 설명하고, 임플란트 추가 탈락 시 국소의치의 추가 수리가 필요함을 설명하고 환자 동의 구함(이것이 가장 중요하다).

치료계획에 따라 그림 3과 같이 국소의치를 다시 제작하였다. 그림 4에서 보는 바와 같이 금속 구조체의 강도를 증대시키기 위해 노력하였고, 임플란트에만 모든 지지력이 전달되는 것을 예방하기 위해 무치악부의 조직 지지를 부여하고자 노력하였다. #15 부위 임플란트를 제거함으로써 2개의 임플란트가 전방부에 위치하게 되고 약간의 움직임을 허용하는 locator를 사용함으로써 후방 무치악부로의 지지력 분산이 가능하도록 하였다. 자연치와 임플란트 그리고 무치악 치조제에 균일한 교합력을 분산하고자 좌우측 구치부에 50%씩 교합력을 분배하고자 노력하였다.

1년 후 정기검진 시 환자는 큰 불편함이 없었으나, 예상한 바와 같이 임플란트에 과도한 힘이 전달되었다는 것을 알 수 있었다. 또한 인공치의 마모로 #10번대 구치부의 교합점이 상실되었고, 무치악부의 골 흡수 관찰되어 의치상의 첨상 이후 다시 교합조정을 시행하였다. 주기적인 내원을 통한 수정 및 관리가 꼭 필요하다.

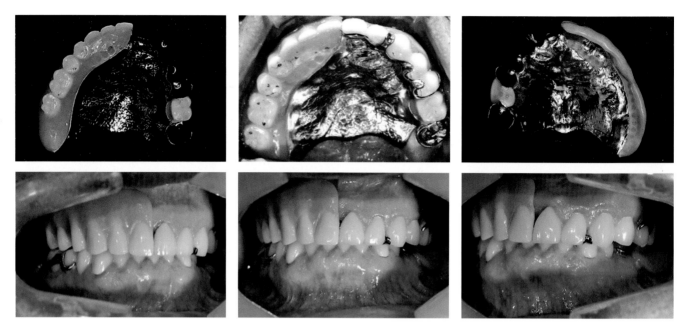

▲ 그림 3　국소의치만 재제작 희망하는 환자의 요청에 따라 다시 제작한 국소의치.

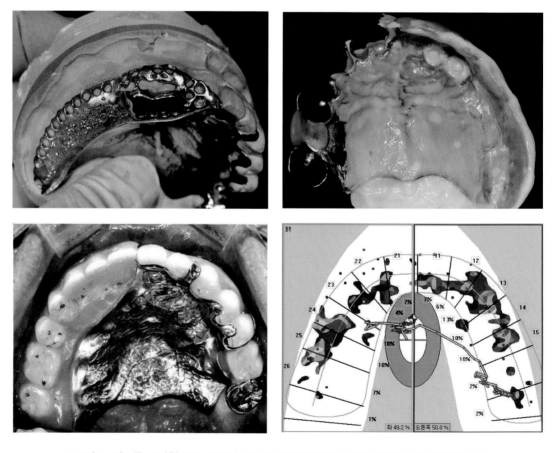

▲ 그림 4　강도를 보강한 금속 구조체, 우수한 내면 적합도 그리고 균일한 교합 접촉점 형성.

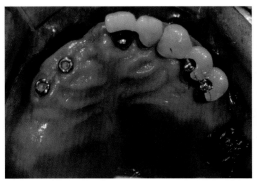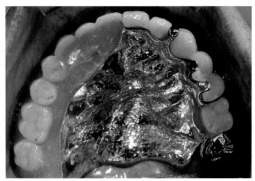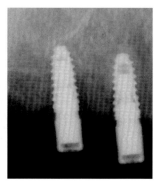

▲ 그림 5 1년 후 정기검진 시 구강 내 사진 및 임플란트 방사선 사진.

KeyPoint

위 환자에서 임플란트에 가해지는 위험 요소 중 가장 중요한 것은 중심위(하악)의 상태이다. 과도한 교합력이 예상될 때는 상악 국소의치의 지지 요소를 충분히 분산시키고, 자연치에 안정 요소를 충분히 부여하도록 한다. 또한 국소의치 자체의 지지 및 안정 요소를 극대화하도록 최선을 다한다.

Question

엇갈린 교합의 환자에서 무치악부 어디에 임플란트를 식립하는 것이 좋을까?

Answer

엇갈린 교합에서는 움직이지 않는 의치를 설계하는 것이 어려우며, 교합위가 없고 교합 평면도 많이 변화하여 교합을 재구성하는데 기술적인 어려움이 많다. 그리고 한 번 형성된 교합 관계가 그 후에도 장기적으로 안정되지 않는다. 따라서 엇갈린 교합의 치료를 위한 국소의치는 강한 지지력을 얻을 수 있도록 잔존 지대치에 다수의 레스트를 설계하거나 텔레스코픽 국소의치 등의 비완압형 유지장치를 사용할 수 있다. 하지만 편측으로 잔존한 치아에 너무나 많은 지지 요소와 안정 요소를 부여한다면 지대치의 수명은 더욱 짧아질 것이 분명하다. 그러므로 이상적인 엇갈린 교합의 치료로 결손 부위에 임플란트를 식립하여 의치의 회전으로 인한 불안정성을 줄이고 교합 지지를 회복해주는 방법을 선택할 수 있다. 잔존 지대치가 편측으로 남아 있을 때 반대편 무치악 부위에 대칭으로 임플란트를 식립하는 것이 가장 좋으며, 이는 3.2장에 자세히 설명하였다. 또한 대칭성과 함께 대합되는 자연치와 교합되는 부위에 임플란트를 식립하는 것도 같이 고려한다면 국소의치의 회전력을 줄이는데 도움이 될 것이다.

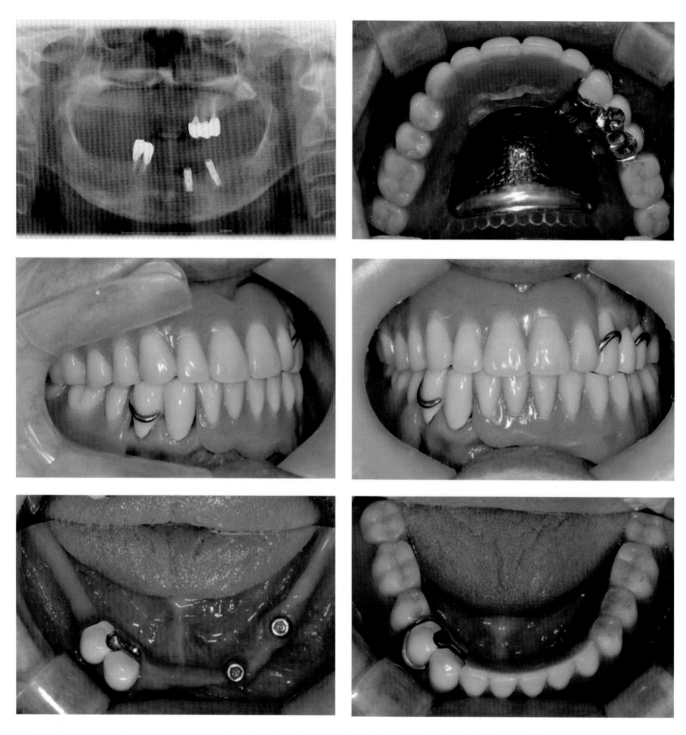

▲ 그림 6 엇갈린 교합 환자에서 임플란트의 식립 위치. 좌우 대칭성과 대합되는 자연치와의 교합 접촉을 고려한다면 국소의치의 회전운동을 효과적으로 감소할 수 있다.

위 환자는 66세 여자환자로 기존에 상하악 국소의치를 장착한 상태로 본원에 내원하였다. 하악 무치악 부위가 많이 아프고 잘 씹히지 않는다는 불편을 호소하였다. 기존에 사용하던 국소의치를 수리하여 사용하려 하였으나 엇갈린 교합 환자로 반복적인 첨상을 하여도 하악 무치악부의 통증을 경감시킬 자신이 없었다. 3.2, 4.2장에서 설명한 바와 같이 임플란트 지대치를 이용한 국소의치 치료를 시행할 수도 있지만 기존 의치를 그대로 사용하기 위해 #33, 35 부위에 골 이식 없이 임플란트 식립하고 locator를 장착하였다.

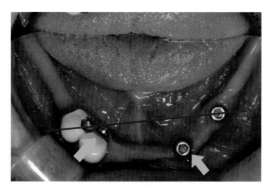
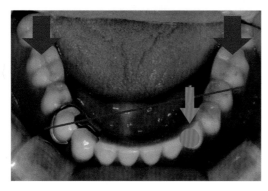
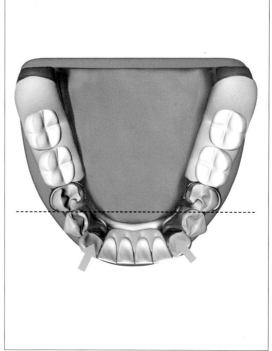

▲ 그림 7 두 개의 임플란트 attachment의 역할 이해. 이 그림에 대한 설명이 이해가 되지 않는다면 다시 2장과 3장을 공부하여야 한다.

그림 7은 이번 장까지 꼼꼼히 읽고 이해한 독자라면 충분히 이해가 될 것이라 믿는다. 위 환자에서 #33, 35 부위 attachment를 장착한 것은 옆의 도식화된 그림처럼 양측에 지대치를 가지는 Kennedy Class I 환자와 비슷하다. #35번 부위에 식립된 임플란트는 약간의 운동을 허용하는 locator를 사용하였으므로 #44번 최후방 지대치와 연결되는 빨간 선과 같은 회전축을 만들게 된다. 이 회전축에 대하여 전방에 위치한 레스트, #33 부위 locator(노란색 화살표)는 간접유지장치 역할을 해준다. 이 간접유지장치 역할로 인해 #44의 클라스프와 #35 부위의 locator가 수직적으로 빠질 수 있도록 도와준다. 머릿속으로 국소의치 후방부를 들어보라.

이제 머릿속으로 후방 구치를 눌러보자(빨간색 화살표). 앞서 설명한 회전축을 중심으로 국소의치의 후방부가 침하하게 된다. 이때 #44번에 위치한 클라스프가 1종 지레 운동으로 지대치에 측방회전력을 가할 우려가 있다. #33번 부위의 locator는 이러한 후방침하운동을 막는데 도움을 줄 수 있는데 파란색 화살표가 의미하는 것은 회전축을 중심으로 구치부가 침하할 때 locator의 유지력으로 그 침하를 줄여줄 수 있다는 의미이다. 이것이 2.5장에서 설명한 캔틸레버 지지이다.

만약 #33에 attachment를 쓰지 않고 healing abutment만을 장착하였다면 간접유지장치 역할은 할 수 있고 캔틸레버 지지의 역할은 하지 못한다. 이 설명이 반드시 이해가 되어야 한다. 하지만 캔틸레버 지지가 반드시 좋은 것은 아니다. Attachment의 과도한 마모, 회전축과 너무 가깝게 위치할 경우 측방력을 임플란트에 전달할 수 있다. 캔틸레버 지지에 의존하기 보다는 후방부 첨상을 주기적으로 시행하여 의치의 후방 회전을 근본적으로 줄여 주는 것이 더욱 좋겠다.

Question
임플란트 attachment를 사용하는 경우 attachment 선택의 기준은 무엇이고 어떤 점을 고려해야 하는가?

Answer
현재 시중에는 너무나 많은 attachment가 판매되고 있다. 마모가 적게 되는 것, 움직임이 많고 적은 것, 유지력이 크거나 작은 것, 식립각도(path)를 보상할 수 있는 것 등 그 종류와 재료들이 너무나 다양하다. 이 책에서는 어떤 attachment가 좋다고 하는 답을 하지 않겠다. 그럴 필요도 없고 크게 의미도 없기 때문이다. 크게 attachment는 stud, bar와 magnet으로 분류하며 각각 장단점들이 존재한다. 술자는 개인적인 선호에 따라, 환자의 상태에 따라 적당한 attachment를 사용하면 되는데 일반적인 선택의 기준은 유지력, 허용되는 회전운동, 대합치와의 관계, 가철성 보철물 안에서 attachment 부착을 위한 공간 등이다. 많은 문헌에서 attachment의 종류가 임플란트의 성공에 영향을 주지 않는다고 한다. 특정한 attachment를 선택하는 문제는 임상가가 그 시스템이 갖고 있는 특성이나 작용 기전, 유지관리 방법 및 문제점 등에 얼마나 익숙한 가에 달려 있다.

하지만 저자는 어떠한 제품을 사용하든지 attachment를 사용하는 국소의치에서는 꼭 지켜야 하는 원칙이 있다고 본다.

K e y P o i n t

1. 2개 이상의 임플란트를 식립할 경우 임플란트 사이의 식립각도는 일치하는 것이 가장 좋고, attachment마다 허용하는 식립각도 오차 범위를 충분히 숙지하여 그 범위 안에서 임플란트가 식립되어야 한다.

2. 임플란트 융합 국소의치의 삽입철거로는 보통 잔존하는 지대치에 의해 결정된다. 물론 잔존치가 1~2개이고 임플란트 attachment가 다수라면 임플란트 attachment의 삽입로에 의해 국소의치의 삽입로가 결정될 수 있겠다. 중요한 것은 임플란트 attachment의 삽입철거로는 지대치의 삽입철거로와 동일하든지 식립각도 허용 범위 안에 있어야 한다는 것이다.

현재 시판되는 attachment 제품마다 2개 이상의 attachment를 사용할 때 식립각도의 보상 범위를 다양하게 제시한다. 어떤 제품은 30도의 오차 범위까지 허용한다고 광고를 한다. 하지만 저자의 연구에 따르면 제조사가 제시하는 식립각도 오차 범위 내에서도 반복적인 착탈 후에 attachment가 마모되어 유지력이 급속히 감소하는 것을 관찰하였다. 따라서 임플란트를 식립 시부터 지대치의 삽입로에 맞도록 최대한 같은 방향으로 임플란트를 식립하는 것이 좋겠다.

또한 Hirata 등(2015, 2017)의 두 논문에서 국소의치에 적용된 임플란트가 기울어진 경우 그 각도를 보상하는 abutment를 장착하더라도 임플란트에 굽힘 변형이 발생할 가능성을 제시하였고, Fayaz 등은 식립 각도가 좋지 못한 임플란트에서 지대치를 만들어 국소의치의 삽입로를 형성한 경우에도 임플란트에 응력이 많이 발생함을 보고하였다. 따라서 stud type attachment를 사용할 때 임플란트 예후에 가장 좋은 것은 임플란트 식립각도를 최대한 유사하게 또한 교합면과 수직적으로 식립해 주는 것이다.

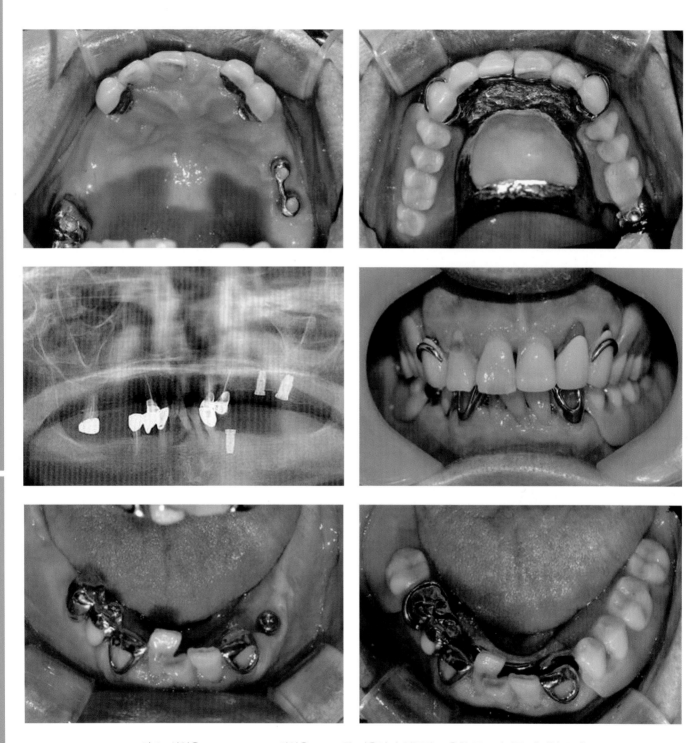

▲ 그림 8 상악은 bar attachment, 하악은 locator를 이용하여 임플란트 융합 국소의치를 제작한 증례.

환자는 68세 남자환자로 치과의원에서 국소의치 치료를 받았으나 너무 불편하여 본원에 내원하였다고 하였다. 지대치 보철물은 상악의 경우 이전 병원에서 치료하였고, 하악은 20년전 동네 기공사가 해주었다고 했다. 이 환자는 아프지 않는 하악의 기존 지대치 수복물을 다시 한다는 것에 큰 반감을 보였고 설득에 실패하였다. #25, 26, 34 부위 임플란트 식립을 하였고, 상악은 기존 지대치 중 전치부에 의해 국소의치 삽입로가 정해졌고, 하악은 #42가 설측으로 기울어져 있으나 그것에 맞추어 설정되어 있는 삽입로가 기존 지대치에 형성되어 있었다. 따라서 기존 지대치가 가지는 국소의치 삽입로에 최대한 맞추어 임플란트를 식립하고자 최선을 다하였다.

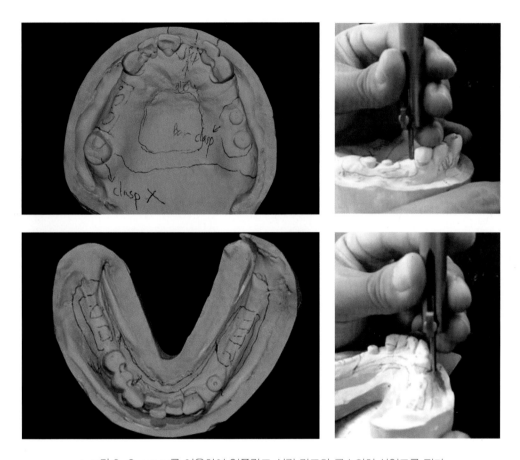

▲ 그림 9 Surveyor를 이용하여 임플란트 식립 각도와 국소의치 삽입로를 평가.

식립 후 그림 9와 같이 모형을 surveyor로 분석한 결과 모든 임플란트가 국소의치 삽입로와 8~10도 이내로 기울어져 있었고, stud type attachment가 사용 가능하다고 판단되었다. 하지만 상악의 경우 스플린팅하는 것이 더 좋을 것 같다는 판단 하에 상악은 bar, 하악은 locator attachment를 사용하기로 결정하였다. #17의 경우 기존 보철물이 삽입로와 완전히 벗어나는 것으로 판단하여 수직적인 지지(교합면 레스트)만 부여하고 클라스프를 만들지 않았고 인접면도 국소의치 삽입로에 방해되지 않도록 릴리프 하였다.

CHAPTER 4

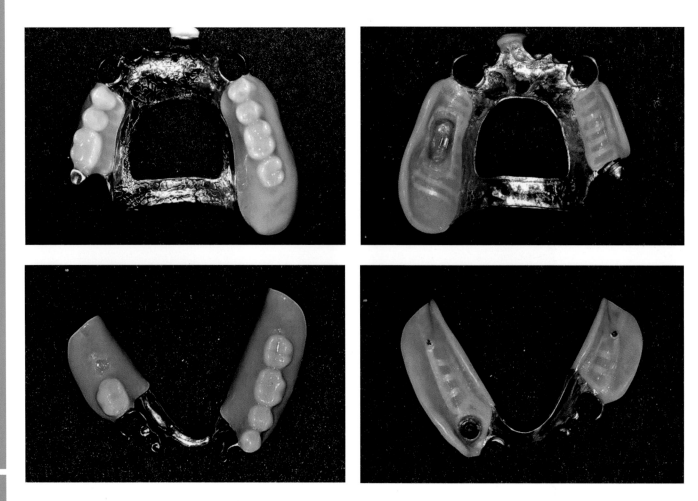

▲ 그림 10 완성된 상하악 임플란트 attachment 융합 국소의치.

그림 10과 같이 제작 완료하였다. 하악 국소의치의 경우 저자는 2주 정도 기공용 locator를 장착하고 마모의 경향을 파악한 뒤 최종 locator plastic sleeve로 교체를 결정한다. 만약 하악의 경우 임플란트의 식립각도가 국소의치의 삽입로를 많이 벗어 났다면 stud type attachment의 사용보다는 차라리 임플란트 지대치를 만들어 국소의치를 제작하는 것이 더 좋을 것이라 판단된다. 하지만 single 임플란트 지대치는 위험성이 존재함을 항상 염두에 둔다.

Key Point

2개 이상의 임플란트를 식립할 경우 임플란트 사이의 식립각도는 일치하는 것이 가장 좋고, attachment마다 허용하는 식립각도 오차 범위를 충분히 숙지하여 그 범위 안에서 임플란트가 식립되어야 한다. 또한 임플란트 attachment의 삽입철거로는 지대치의 삽입철거로와 동일하든지 식립각도 허용 범위 안에 있어야 한다. 이러한 고려는 attachment의 사용에 있어 마모를 최소화하고, 임플란트에 가해지는 측방 외력을 줄일 수 있는 근본 대책일 것이다.

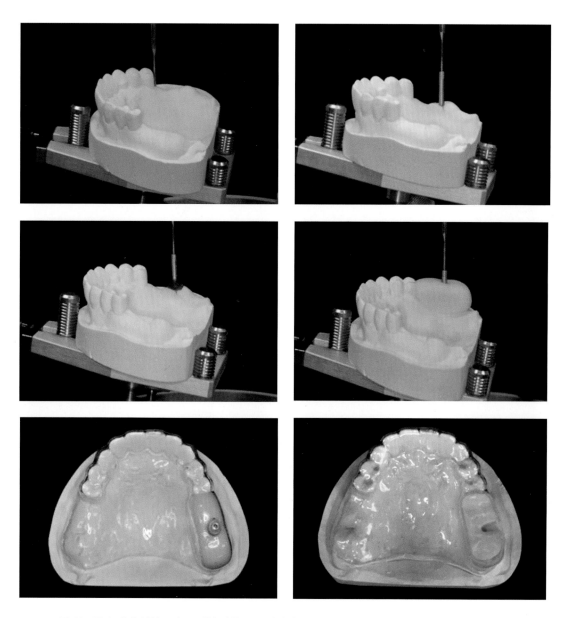

▲ 그림 11   국소의치 삽입로와 동일한 방향으로 식립할 수 있는 수술용 스텐트의 제작.

  그림 11은 국소의치 삽입로와 동일한 방향으로 임플란트를 식립할 수 있는 수술용 스텐트 (surgical stent)의 제작과정이다. 국소의치 삽입로가 surveyor 상에서 정해지면 그 방향대로 이동하여 임플란트 식립 위치에 임의의 금속 막대(저자는 보통 임플란트 pick-up impression coping에 사용하는 screw를 위치시킨다)를 위치시키고 레진으로 고정한 다음 옴니백을 찍어 스텐트를 제작한다.

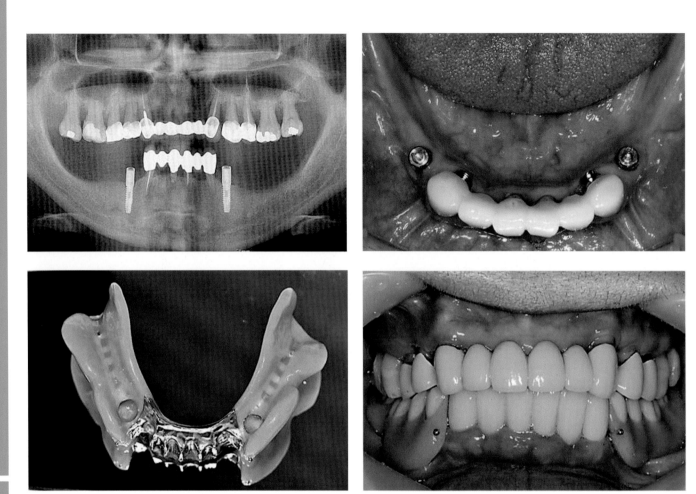

▲ 그림 12 임플란트 attachment의 역할에 대한 이해.

우리는 왜 국소의치에서 임플란트를 식립하려는가? 유지의 증대인가? 지지의 증대인가? 안정의 증대인가? 다시 한 번 고민해 볼 필요가 있다.

그림 12 증례에서 중요한 점은 소수 임플란트 attachment에 국소의치의 지지, 안정, 유지 모두를 부여하려 하면 안 된다는 것이다. Attachment의 주 기능은 유지이다. 그리고 수직적인 움직임이 적은 locator의 경우 수직적인 지지도 받게 될 것이다. 하지만 attachment 그 자체가 안정 요소를 가지는 디자인이라고 하더라도 술자는 소수 attachment에 안정 요소를 모두 부여하려 하면 안 된다. 최대한 남아 있는 다른 지대치에 안정 요소를 분산하고, 국소의치 자체에 많은 지지 및 안정 요소를 부여하려 노력해야 한다. 예를 들면 잘 맞는 금속 구조체를 제작하여 응력을 분산시키고, 필요하면 선택적 가압인상을 통해 무치악부 치조제 지지를 충분히 얻고, 의치상의 설측 부위를 충분히 연장하고 내면 적합도를 증대시켜 국소의치의 안정 요소를 증대시키는 등의 노력을 통하여 소수 임플란트에 가해지는 힘들을 최소화하여야 함을 명심하자.

참고문헌 >>>

1. Cehreli MC, Karasoy D, Kökat AM, Akça K, Eckert S. A systematic review of marginal bone loss around implants retaining or supporting overdentures. Int J Oral Maxillofac Implants. 2010;25:266-277.

2. Cho HW. Load transfer by distal extension RPD with implant assisted support. J Dent Res. 2002;80:1095.

3. Choi JW, Bae JH, Jeong CM, Huh JB. Retention and wear behaviors of two implant overdenture stud-type attachments at different implant angulations. J Prosthet Dent. 2017;117:628-635.

4. Goodacre CJ, Bernal GB, Rungcharassaeng K, Kan JYK. Clinical complications with implant and implant prostheses. J Prosthet Dent. 2003;90:121-132.

5. Grossmann Y, Levin L, Sadan A. A retrospective case series of implants used to restore partially edentulous patients with implantsupported removable partial dentures: 31-month mean followup results. Quintessence Int. 2008;39:665-671.

6. Hirata K, Takahashi T, Tomita A, Gonda T, Maeda Y. Influence of Abutment Angle on Implant Strain When Supporting a Distal Extension Removable Partial Dental Prosthesis: An In Vitro Study. Int J Prosthodont. 2017;30:51-53.

7. Hirata K, Takahashi T, Tomita A, Gonda T, Maeda Y. The influence of loading variables on implant strain when supporting distal extension removable prostheses. An in vitro study. Int J Prosthodont. 2015;28:484–486.

8. Itoh H, Sasaki H, Nakahara H, Katsube T, Satoh M, Matyas J, Caputo AA. Load transmission by distal extension RPD with implant assisted support. J Dent Res. 2007;86:1476.

9. Kay KS, Kim YS, An JK. A clinical study on rehabilitation of vertical dimension in the patient with crossed occlusion. Oral Biology Res. 2001;25:127-143.

10. Keltjens HM, Kayser AF, Hertel R, Battistuzzi PG. Distal extension removable partial dentures supported by implants and residual teeth: considerations and case reports. Int J Oral Maxillofac Implants. 1993;8:208-213.

11. Kim SM, Choi JW, Jeon YC, Jeong CM, Yun MJ, Lee SH, Huh JB. Comparison of changes in retentive force of three stud attachments for implant overdentures. J Adv Prosthodont. 2015;7:303-311.

12. Kweon HS, Kim MJ, Moon IH. A clinical study on using Konus telescope removable partial denture in presthetic treatment for maxiillary and mandibular teeth cross each other. Oral Biology Res. 2000;24:201-214.

13. Mitrani R, Brudvik JS, Phillips KM. Posterior implants for distal extension removable prostheses: a retrospective study. Int J Periodontics Restorative Dent. 2003;23:353-359.

14. Mohamed GF, El Sawy AA. The role of single immediate loading implant in long class IV Kennedy mandibular partial denture. Clin Implant Dent Relat Res 2012;14:708-715.

15. Park NS, Choi DG, Leesungbok R. Prosthodontic treatment for maxillary and mandibular teeth cross each other. Jee Seung Publishing Co., Seoul. 1996;3:3-93.

16. Pasciuta M, Grossmann Y, Finger IM. A prosthetic solution to restoring the edentulous mandible with limited interarch space using an implant-tissue-supported overdenture: a clinical report. J Prosthet Dent. 2005;93:116-120.

17. Raghoebar GM, Meijer HJ, Slot W, Slater JJ, Vissink A. A systematic review of implant-supported overdentures in the edentulous maxilla, compared to the mandible: how many implants? Eur J Oral Implantol. 2014;7:191-201

18. Schneider AL, Kurtzman GM. Bar overdentures utilizing the Locator attachment. Gen Dent. 2001;49:210-214.

19. Stoumpis C, Kohal RJ. To splint or not to splint oral implants in the implant-supported overdenture therapy? A systematic literature review. J Oral Rehabil. 2011;38:857-869.

20. Wismeijer D, Tawse-Smith A, Payne AG. Multicentre prospective evaluation of implant-assisted mandibular bilateral distal extension removable partial dentures: patient satisfaction. Clin Oral Implants Res. 2013;24:20-27.

21. Zitzmann NU, Marinello CP. Treatment outcomes of fixed or removable implant-supported prostheses in the edentulous maxilla. Part II: clinical findings. J Prosthet Dent. 2000;83:434-442.

4.4
소수의 임플란트를 바로 연결하고
attachment를 혼합하여 사용하고자 하는 경우.

임플란트 융합 의치를 위한 attachment에는 식립된 임플란트의 연결 여부에 따라 solitary type 과 splint type으로 구분할 수 있다. Solitary type은 식립된 임플란트가 연결되어 있지 않은 형태로 splint type에 비해 악간 공간에 대한 제한이 적고 구강위생관리가 더 용이하며 technic sensitive가 적어 임상적으로 많이 선택된다. 하지만 앞서 4.3장에서 설명했듯이 성공적인 보철을 위해서 평행한 임플란트 간 식립, 국소의치 삽입로와의 평행한 임플란트 식립 및 임플란트 간의 적절한 거리가 필요하다. Splint type은 solitary type에 비해 안정 및 지지의 효율이 더 높으며 유지관리를 위한 내원 횟수가 더 적다는 장점이 있으나 환자의 경제적 상황과 충분한 악간 거리, 협설측 공간적 평가가 필요하다.

Question

임플란트 융합 국소의치에서 bar를 이용하는 경우는 어떤 장점을 얻을 수 있는가?

Answer

임플란트 고정성 보철물이 환자 만족도나 저작 효율의 증대 측면에서 사실 가철성 보철보다 더 우위에 있다는 것은 당연한 사실이다. 하지만 수직적 골 흡수가 심하여 수직적 공간이 너무 크거나 협측 골 흡수가 심해 임플란트가 설측으로 심겨지는 경우에 고정성 보철물은 너무나 길어지거나 이상적인 치아 형태를 가질 수가 없기 때문에 환자에 의한 청소가 어렵고 임플란트 주위염이 빈번하게 발생할 수 있다. 또한 골 흡수가 심한 환자에서 고정성 보철물은 뺨, 입술 등을 충분히 지지하지 못해 심미적으로도 문제를 야기할 수 있다.

다음 증례를 보면서 임플란트 융합 국소의치에서 bar와 attachment를 사용한 경우 어떤 장점이 있는지 살펴보자.

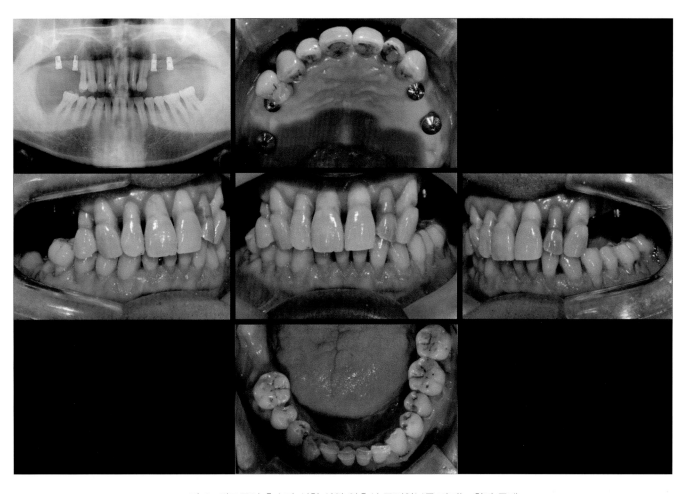

▲ 그림 1 치조골의 흡수가 심한 상악 양측성 무치악부를 가지는 환자 증례.

그림 1은 64세 남자환자로 당뇨, 혈압 등 조절되는 전신질환을 가지고 있었다. 광범위한 치주염으로 구치부가 발치되고 #14에서 #23까지 자연치가 잔존하였다. 잔존 치아들은 1도 정도의 동요도를 보이고 있었고 그 동요도에는 치아마다 약간의 차이를 보였다. 이 환자의 문제는 다음과 같다.

(1) 치주치료 이후, 임시 의치를 장착하여 구치부 지지를 부여하였지만 치아 주위 치조골 흡수가 심하여 잔존 치아들이 동요도를 보였다.

(2) 구치부 수직 골 흡수가 심하여 악간 공간이 컸으나 전신질환 때문에 환자는 큰 수술에 대한 거부감이 있어 수직적 골증대술을 시행할 수 없었다.

(3) 잔존 치아의 예후가 좋지 않아 고정성 보철로 진행 시 차후 전치부가 빠지면 추가 임플란트 식립이 필요함을 설명드렸지만, 경제적 상황이 좋지 않아 차후 유지관리 및 수리가 쉬운 보철물을 기대하였다.

(4) 고정성 보철물로 구치부 수복 시 수직적 골 흡수에 의해 치관이 길어지고 적절한 연조직 지지를 해주지 못해 음식물이 많이 저류될 것이고 청소가 용이하지 않을 것으로 판단되었다. 특히 협측의 뺨을 지지해주지 못해 심미적 문제도 야기할 가능성이 있었다.

(5) 대합치가 건전한 자연치로 상하악 간 힘의 균형을 맞춰줄 필요가 있었다.

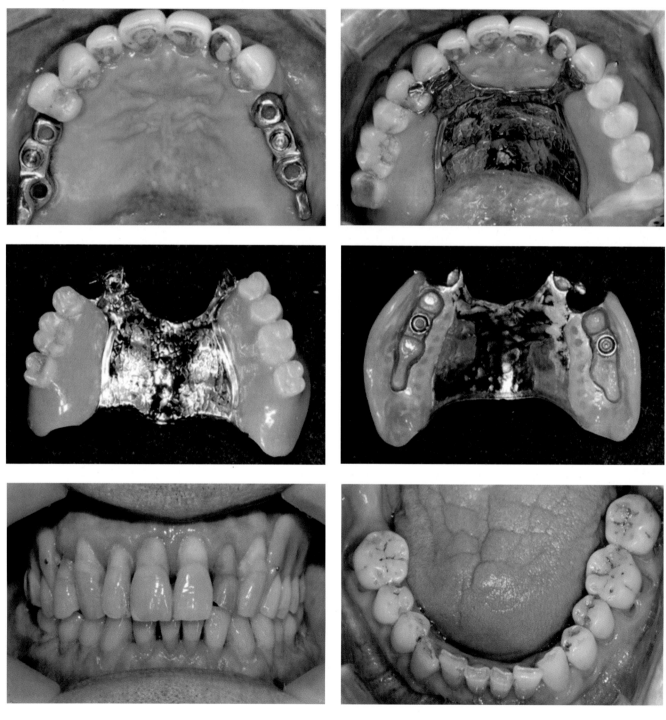

▲ 그림 2 bar와 locator를 이용한 임플란트 융합 국소의치의 치료 후 사진.

상악 구치부에서 골이식을 하지 않아도 되는 부위에 2개씩의 임플란트를 식립하였다. 그림 2와 같이 임플란트 식립 부위에 customized abutment를 제작하고, milled bar와 locator를 이용한 부착 장치를 제작하여 레진 시멘트로 접착하였다 .이 구조는 이전 bar 부착장치에서 강조하던 아주 정확한 bar와 국소의치 금속 구조체 사이 정밀도를 바탕으로 마찰에 의해 유지되던 개념과 좀 다른 구조이다. 국소의치의 금속 구조체와 bar 사이의 마찰에 의해 유지되는 bar attachment의 경우 제작 과정이 복잡하고, 제작 비용이 비싸고, 기공사의 능력에 따라 그 결과의 차이가 컸다. 또한 오랜 사용 후 마찰이 소실되면 수리가 어려운 단점 등이 있었다. 위 증례는 국소의치의 금속 구조체와 bar 사이에 아주 정밀한 적합도를 요구하지 않는다. 유지는 locator에 의해 얻어지며, 안정과 지지 요소만을 얻고자 6도의 경사를 가지는 bar의 측벽을 만들었다. 그림 3에서 보는 바와 같이 bar에 의해 유지, 지지, 안정을 모두 얻고자 하였으며, 동요도가 있는 자연치에는 레스트를 형성하여 수직적 지지만을 자연치로 분산시키기로 하였다. bar 상에 부착한 locator가 두 개 있으므로 유지력은 충분하고 따라서 자연치 부위에는 클라스프를 제작하지 않았다.

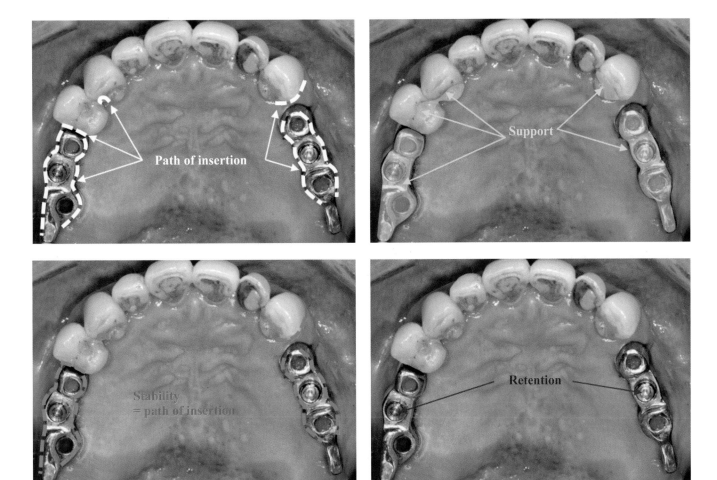

▲ 그림 3 임플란트 부위에 bar와 locator attachment를 이용하여 유지, 지지, 안정의 부여.

그림 3은 이 임플란트 융합 국소의치의 기능 담당 부위를 유지, 지지, 안정으로 나누어 표시하였다. 앞서 계속 설명한 바와 같이 국소의치는 삽입철거로를 가진다. 즉, 모든 구조물은 국소의치가 장착 및 철거될 때의 방향과 일치되게 만들어져야 함을 명심해야 한다. 죄측과 우측 bar의 삽입철거로는 동일해야 하고, 이 삽입철거로는 자연치의 삽입철거로와 일치해야 한다. 상악 전치부가 잔존한 경우 자연치의 최후방 인접면과 레스트를 연결하는 부연결장치가 지나가는 부위는 반드시 surveyor를 이용하여 삽입철거로와 동일하게 형성해 주는 것이 중요하다. 이러한 고려는 국소의치의 passive한 장착을 가능하게 하며 동시에 기능운동 시 국소의치의 안정을 극대화하게 된다. 모든 구조물의 삽입철거로를 맞춰주는 것은 안정 요소를 증대시키는 의미와 동일하게 생각하면 된다. 지지는 그림 3의 노란색 부분이다. 상악에서 임플란트를 연결 고정하고 bar의 상방면을 교합면과 평행하게 형성해 주었기에 구치부 지지는 확실하게 얻게 된다. 하지만 자연치에도 일부 수직적인 지지 요소를 부여할 수 있겠다. 비록 동요도가 있는 치아라도 부가적인 교합면 레스트를 이용하여 적절한 수직적 지지를 제공한다면 치아는 충분히 그 역할을 할 수 있을 것이다.

유지 요소는 전적으로 bar에 장착한 locator에 의해 얻어진다. 치아에는 클라스프를 걸지 않았다. 수평적 측방력이 치아에 가해지는 것은 동요도가 있는 치아에는 위험할 것이라 생각되었고, 클라스프를 위한 삽입철거로를 만들기 위해서는 치아의 형태 수정이 많이 필요한 증례였다. 위와 같은 유지 부여 방식은 attachment의 male, female 부위를 필요할 때 주기적으로 교체할 수 있고, locator의 삽입 방향을 국소의치의 삽입 방향과 평행하게 형성하기가 용이하여 유지장치의 수명이 더욱 증대된다. 실제로 위 증례의 경우 국소의치 장착 2년 후 locator의 plastic sleeve를 교체하였다. 혹자들은 이런 치료에서 오랜 시간 사용 후 locator abutment의 마모가 발생하였을 때를 걱정한다. 하지만 bar에 연결하는 locator는 내부에 나사가 형성되어 있어 필요할 때 언제든지 교체가 가능하다.

앞서 위 환자에서 문제가 되었던 상황들에 대해 어떤 치료 결과를 얻었는지 정리해 보자.

(1) 치주치료 이후, 임시 의치를 장착하여 구치부 지지를 부여하였지만 치아 주위 치조골 흡수가 심하여 잔존 치아들이 동요도를 보였다.
　⋯➔ 잔존 치아에 레스트를 부여하고 삽입철거로와 동일한 인접면과 부연결장치 경로를 형성해 주어 부가적인 수직적 지지와 안정 요소를 부여하였지만 대부분의 기능들을 bar와 locator로 구성된 부착장치에 부여함으로써 자연치에 가해지는 측방 외력을 최소화하였다.

(2) 구치부 수직 골 흡수가 심하여 악간 공간이 컸으나 전신 질환과 환자의 큰 수술에 대한 거부

감으로 수직적 골 증대술을 시행할 수 없었다.

⋯ 임플란트 고정성 보철물을 하지 않았기 때문에 골 이식술을 최소화할 수 있는 부위에 간단히 임플란트 수술을 시행할 수 있었다.

(3) 잔존 치아의 예후가 좋지 않아 고정성 보철로 진행 시 차후 전치부가 발치되면 추가 임플란트 식립이 필요함을 설명드렸지만, 경제적 상황이 좋지 않아 차후 유지관리 및 수리가 쉬운 보철물을 기대하였다.

⋯ 가철성 국소의치로 치료하였으며 대부분의 기능을 bar에 부여하였기 때문에 차후 전치부의 추가 결손에도 쉽게 수리할 수 있다. 또한 국소의치를 제거하여 환자 스스로 청소할 수 있도록 충분히 교육함으로써 유지관리에 문제가 없었다.

(4) 고정성 보철물로 구치부 수복 시 수직적 골 흡수에 의해 치관이 길어지고 적절한 연조직 지지를 해주지 못해 음식물이 많이 저류될 것이고 청소가 용이하지 않을 것으로 판단되었다. 특히 협측의 뺨을 지지해주지 못해 심미적 문제도 야기할 가능성이 있었다.

⋯ 국소의치로 제작된 보철물은 광범위한 치주 조직 결손부를 대체하여 심미적이고 유지관리가 편한 장점을 가진다.

(5) 대합치가 건전한 자연치로 상하악간 힘의 균형을 맞춰줄 필요가 있었다.

⋯ 국소의치 인공치의 마모나 의치상의 파절 등은 발생 가능하지만 금속 구조체를 충분히 강화하여 제작하였고 주기적인 정기검진을 통해 인공치의 교합이 적절하게 유지되는지 관찰할 필요가 있다. 인공치의 마모로 구치부 지지가 소실되면 전치부에 과도한 교합력이 전달될 가능성이 있으니 주의해야 한다. 차후 마모가 심해지면 metal 등으로 인공치 교합면은 수복할 예정이다. 이 환자의 경우 스플린팅된 임플란트에 의해 강한 지지가 얻어짐으로 하악 자연치 교합력에 대해 충분히 저항 가능하며 환자의 만족도는 아주 컸다.

Question

자연치가 남아 있는 상태에서 임플란트 식립 후 milled bar와 attachment를 사용하여 국소의치를 제작할 때 어떤 부위들의 평행이 중요한가?

Answer

앞서 설명한 내용과 같이 bar의 측벽, attachment의 부착 방향 그리고 잔존 치아의 원심측면(부연 결장치가 치아 사이에 위치한다면 그 방향까지 고려해야 한다)이 일치하도록 형성한다.

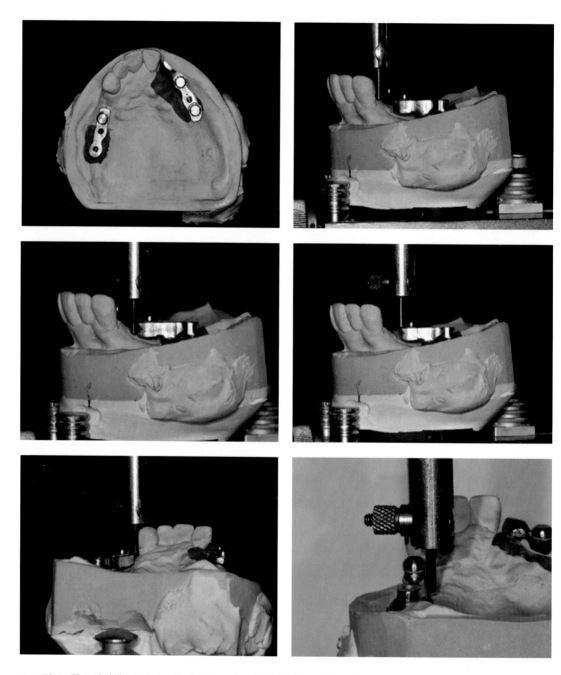

▲ 그림 4　국소의치에 milled bar와 attachment를 사용할 경우 모든 bar의 요소들은 지대치가 가지는 국소의치 삽입철거로와 동일하게 형성.

그림 4의 경우 4개의 임플란트가 다른 병원에서 식립되어 내원한 환자로 이전 병원에서 고정성 보철물이 실패하였기에 가철성 국소의치로 변환한 증례이다. Milled bar를 이용하고 locator를 3개 설치하였기에 부가적인 클라스프는 필요가 없다고 판단되었다. 양측성 후방연장 국소의치에서 치아가 가지는 국소의치의 삽입철거 방향은 보통 인접판이 위치되는 최후방 치아의 원심면이다. 이 치아의 면이 서로 다르다면 치아를 약간 조정한다. 그 이후 이 면이 가지는 삽입철거 방향과 milled bar의 측벽, attachment의 부착 방향을 모두 같게 형성해준다. 이때 2.4장에서 자세히 설명한 바와 같이 의치의 삽입철거 방향과 이탈 방향(기능 시 빠지는 방향)을 달리해 주면 안정성이 더욱 증대된다.

KeyPoint

만약 상악 잔존 전치 부위에 클라스프를 가지는 국소의치를 제작한다면 적절한 언더컷을 얻는 것이 어려우며 상악 전치부의 언더컷까지 고려한 국소의치의 삽입철거 방향에 따라 milled bar를 제작할 경우 그 방향을 따라 측벽이 형성될 수 있도록 더욱 유의하여야 할 것이다. Milled bar의 삽입철거 방향과 상악 전치의 삽입철거 방향이 다를 경우 잔존치아는 국소의치의 삽입철거 시마다 유해한 측방력을 받게 될 것이다.

Question

Milled bar를 사용하는 경우 꼭 locator를 이용해야 하는가? 다른 유지장치를 이용하면 어떤 문제가 있는가?

Answer

그렇지 않다. 어떤 attachment라도 당연히 사용할 수 있다. 어떤 attachment가 더 좋다 또는 나쁘다고 얘기하는 것은 크게 의미가 없다. 결국 모든 attachment의 사용에 있어 유지, 지지, 안정의 요소 중 어떤 요소를 bar와 attachment에 부여하겠다고 하는 정확한 목표를 가지고 치료를 해야 한다.

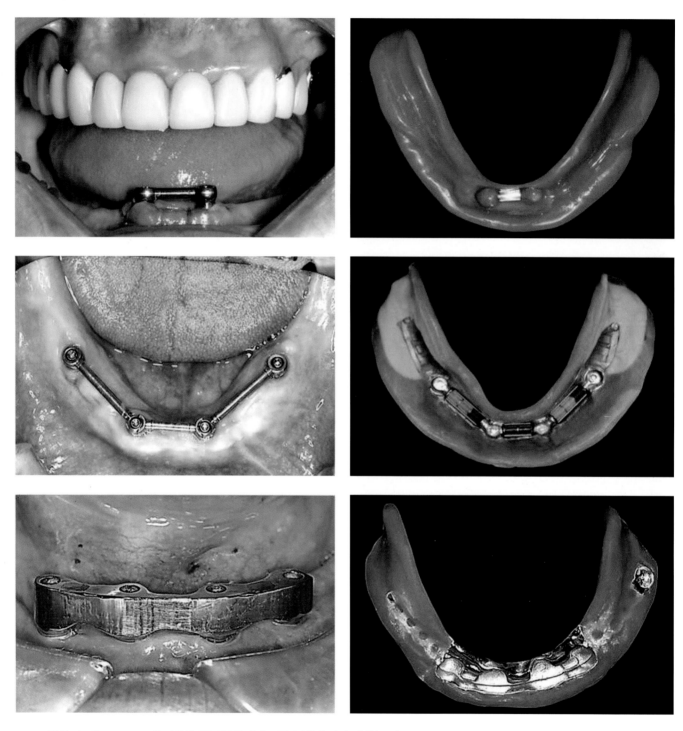

▲ 그림 5 Bar와 attachment의 다양한 적용법(맨 아래 그림: 부산대 치과보철학교실 정창모 교수님 증례, milled bar와 magnetic을 이용한 증례).

Bar와 함께 attachment를 이용하는 경우, 운동을 허용하는 attachment라도 일직선으로 배치되지 않는 두 개 이상의 attachment가 bar에 장착된다면 의치 자체는 운동을 허용하지 않는 rigid type으로 바뀌게 되고, 이 경우 attachment에 지지나 안정 요소까지 부여될 가능성이 있다. 저자는 지지, 안정, 또는 지지와 안정 모두를 bar에 의해 얻고자 한다면 milled bar 형태로 만들어 주는 것을 선호한다. 그림 5를 보면서 잘 생각해보자. 그림 5의 위 그림은 임플란트 2개를 식립히고 bar로 연결하였다. 회전운동을 허용하는 gold clip으로 유지를 얻는 것이다. 이 경우 clip에 의해 유지를 얻으며 후방 구치부의 침하 회전운동을 허용한다. 전치부의 임플란트에 의해 일부 지지도 받을 것이고, clip이나 bar에 의해 일부 안정 요소도 받을 수 있다. 하지만 확실한 것은 후방 구치부의 회전운동을 허용하고 있다. 이런 경우를 resilient type의 bar attachment라고 한다. 중간 그림은 4개의 임플란트를 식립하고 3개의 clip으로 잡혀 있는 경우이다. SFI bar라는 제품으로 하나만의 clip을 생각하면 회전운동을 허용하는 bar attachment이지만 평행하지 않은 방향으로 3개의 clip을 사용하면서 의치의 운동을 전혀 허용하지 않는 rigid type의 bar attachment가 되었다. 이 경우 레진 의치상을 잘 만들어 일부 지지와 안정 요소를 부여할 수 있겠지만 실질적으로 3개의 clip 자체가 지지, 유지, 안정의 요소를 모두 가지는 형태이다. 만약 대합치가 자연치이거나 교합력이 아주 강한 환자라면 clip이 자주 마모 및 변형되거나 의치상이 파절될 수 있을 것이다. 가장 아래 그림은 milled bar에 magnet attachment를 사용한 경우이다. 움직임을 전혀 허용하지 않는 구조이고 자석에 의해 부가적 유지를 얻는 구조이다. 이 경우 milled bar와 국소의치의 금속 구조체의 접합도가 뛰어날수록 마찰에 의한 유지 요소와 측벽에 의한 안정 요소가 극대화된다. 저자는 임플란트 bar를 이용한 가철성 국소의치에서 bar에 지지와 안정을 확실히 부여하고자 할 때는 어떤 attachment를 사용하더라도 milled bar 형태로 제작한다. 그렇게 하였을 때 attachment 자체의 마모를 최소화할 수 있다고 생각한다.

다음 증례는 milled bar와 hader bar attachment를 조합하여 만든 임플란트 가철성 보철치료의 예시이다.

술자는 이제 고정관념을 버려야 한다. 국소의치의 움직임과 임플란트의 역할에 대한 명확한 이해가 있다면 다양하게 조합하여 응용가능하다.

Hader bar attachment는 bar와 sleeve가 plastic으로 되어 있다. 이 bar는 소환이 되어 어느 금속이라도 주조가 가능하여 경제적인 bar system으로 임상에서도 많이 쓰여지고 있다. 본 증례는 hader bar를 주조하지 않고 CAD/CAM 방식으로 제작하였다. 본 저자가 처음 시도해 본 것으로 일반적인 제작방법은 아님을 알려 둔다. 하지만 치료방식의 변화는 없다. 그림 5~12는 전체적인 치료과정을 보여준다.

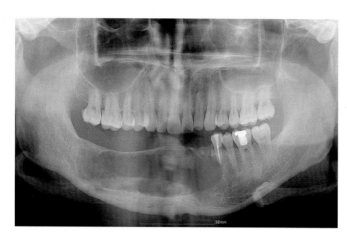
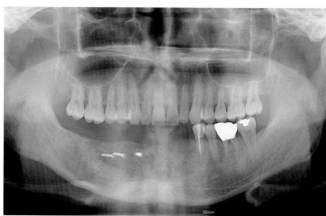

▲ 그림 6 본원 구강외과 초진 시 방사선 사진. 43세 남자환자로 하악 우측 부위에 multilocular radiolucency 관찰되었고, Ameloblastoma로 진
단되었다.

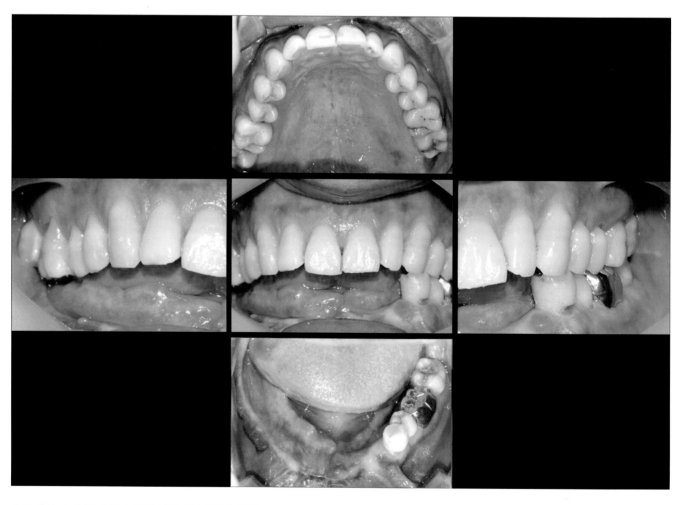

▲ 그림 7 수술 후 치과 보철과 내원 시 구강 내 사진.
하악 우측 모든 치아와 좌측 전치가 결손된 Kennedy Class II 부분무치악 상태이며 대합치는 자연치이며 하악 잔존치아는 건전했다.
구강외과 수술 후 골이식술 시행한 뒤였으나 치조골 소실량이 컸다.

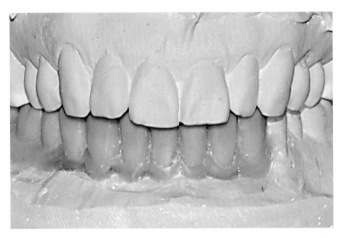
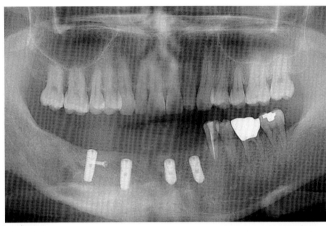

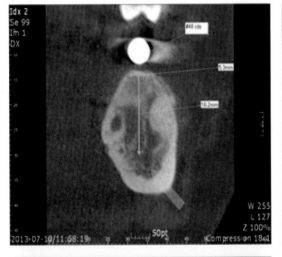
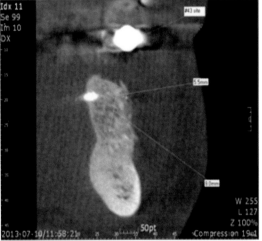

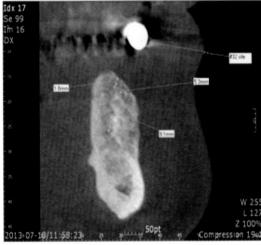
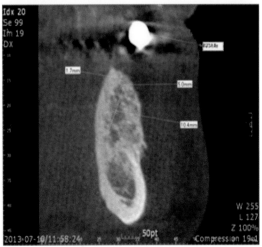

▲ 그림 8 진단 wax up 후 4개의 임플란트 식립.

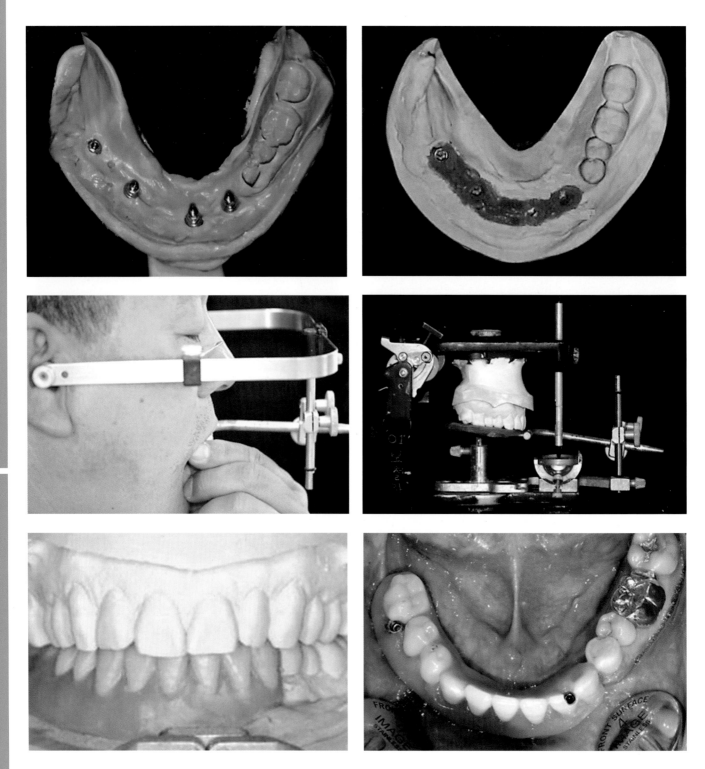

▲ 그림 9 Facebow transfer하고 상하악간 관계를 채득. 치아 배열 후 시적하였다. Wax denture 제작 시 temporary abutment를 사용하면 정확한 seating이 가능하다. 배열된 치아를 이용하여 bar 제작 공간에 대한 평가를 위한 silicone index를 제작하였다.

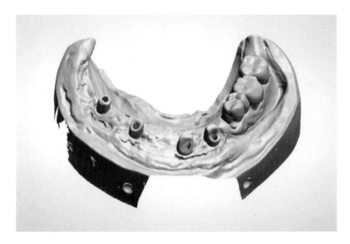
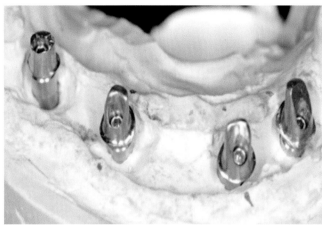

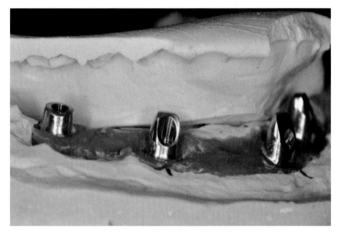
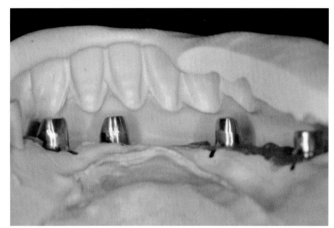

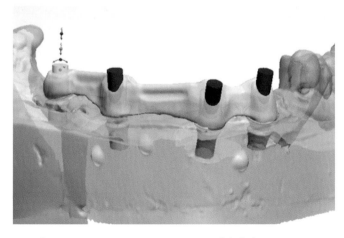

▲ 그림 10 Titanium customized abutment 제작과정.

실리콘 인상재로 인상 채득하여 모형 제작한 것을 3 shape D700으로 모델 스캔하였고, computer software를 이용하여 디자인하였다. 임플란트 식립 상태 labioversion되고 1 piece로 제작 어려운 상태 확인할 수 있으며 임플란트 식립 각도와 잔존치의 유도면, 추후 장착될 bar와 attachment를 고려하여 식립각도 설정 및 디자인하였다. 디자인 후 티타늄으로 2도 milling하여 customized abutment 제작 완료하였다. Milled bar 제작을 위하여 silicone index 이용하여 bar 제작 위한 3차원적 공간 평가하였고, computer software 상에서 디자인의 재현이 어려워 기공사에 의해 hader bar 이용하여 납형 제작하여 scan하였고 이를 금속으로 2도 milling하였다. 본 증례는 국소의치의 움직임을 전혀 허용하지 않고, 지지와 안정 요소를 bar가 감당해야 함으로 정밀도를 극대화하기 위해 CAD/CAM system을 사용하였다.

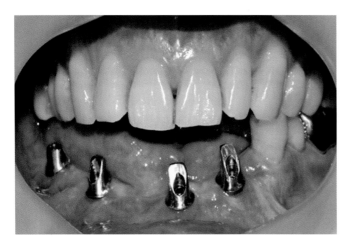
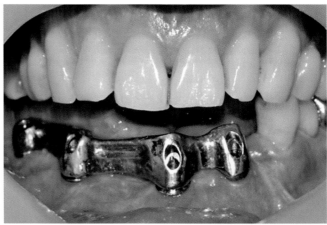
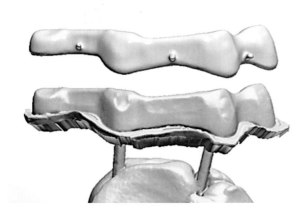
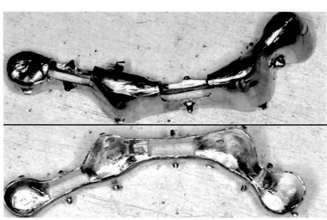
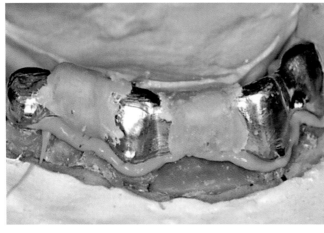
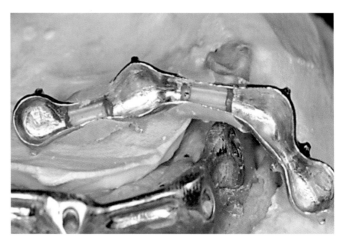

▲ 그림 11   의치상 내면에 위치될 금속 구조체 제작과정.
　　　　Customized abutment와 milled bar를 구강 내에서 적합도를 확인하였고 자가접착 레진 시멘트를 이용하여 접착하였다. 내부연결
　　　　구조를 가지는 임플란트가 식립되었지만 다행히 bar가 연결된 abutment의 착탈이 가능했다.
　　　　국소의치 금속 구조체의 제작을 위해 milled bar 상태를 스캔하였고 소프트웨어 상에서 금속 구조체를 디자인하였다. Milled bar와
　　　　금속 구조체와의 유지력은 clip에서도 얻을 수 있지만 측벽에서의 마찰력을 이용 가능하도록 금속 구조체를 디자인하였으며, 특히
　　　　hader bar 하방의 측벽 부분은 국소의치의 안정을 극대화할 수 있는 부분이다. 그림 5의 중간 그림과 비교해보면 이해가 될 것이
　　　　다. 디자인된 금속 구조체는 금속 milling을 통하여 제작되었다. Milling 후 인상재를 이용하여 고정하고 자가중합 레진으로 clip을 연
　　　　결하였다.

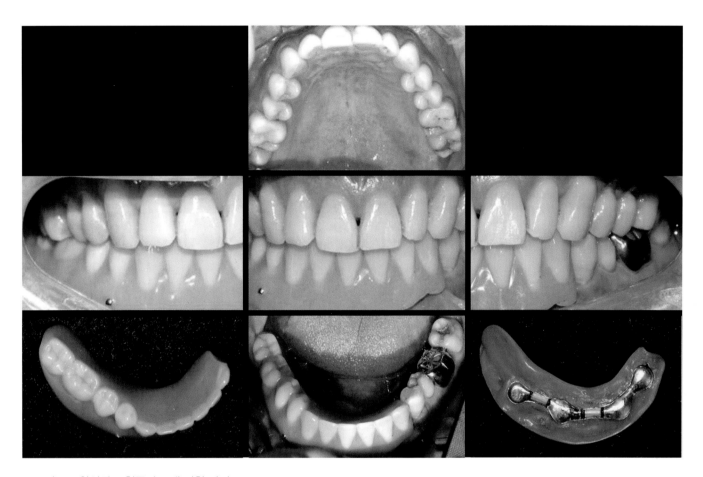

▲ 그림 12 완성된 보철물의 구내 장착 사진.

　Clip은 두 개만 이용하였지만 bar 측벽에 의한 마찰로 유지가 충분하였고, hader bar와 milled bar를 같이 적용한 경우로 milled bar 측벽에 의해 안정 요소가 충분히 부여되고, bar 상부 접촉면에 의해 지지가 부여되는 움직임이 전혀 없고 견고한 국소의치가 만들어졌다. 그림 5의 중간 그림과 같이 clip에 의해 유지, 지지, 안정이 대부분 얻어지는 구조보다는 유지장치의 수명이 더욱 길 것이고, 환자의 만족감은 더욱 컸다.

　전혀 움직임이 없고 임플란트에 의해 충분히 지지되는 국소의치로, 자연치의 교합과 동일한 교합조정을 시행하면 된다고 판단하여 군기능교합을 형성해 주고 상호보호교합을 형성해 주었다.

Question

치조골 흡수가 아주 심한 무치악 환자에서 전방부 2개의 임플란트를 식립하고 locator를 사용하였더니 너무 빨리 마모되는 경향이 있었다. 두 임플란트 간 식립각도가 일치하지 않아 그런 것 같다. 그렇다면 milled bar를 이용하여 스플린팅하고 두 locator를 평행하게 붙인다면 훨씬 더 오래 동안 마모되지 않고 사용 가능하지 않을까?

Answer

　하악에서 전방부 2개의 임플란트 식립 후 stud type attachment를 사용할 때 마모가 많이 되는 것은 여러 원인이 있을 수 있다. 질문과 같이 두 임플란트 간 식립각도가 맞지 않아서, 의치가 충분히 무치악부를 덮지 않거나 적합도가 좋지 않아 조직지지를 충분히 받지 못해서 움직임이 많을 경우, 그리고 임플란트의 식립 위치가 적절치 않을 경우 등 너무나 복합적이고 다양한 원인이 있을 수 있다. 두 개의 임플란트를 식립하고 stud type이나 회전을 허용하는 bar type(hader bar나 dolder bar 등)을 사용하는 경우는 의치의 움직임을 허용하는 것이다. 하지만 그림 5와 같이 milled bar를 사용하여 마찰에 의해 유지를 얻고자 하는 경우는 의치의 움직임을 전혀 허용하지 않는 rigid type attachment가 된다. 특히 단 두 개의 임플란트를 이용하여 milled bar를 제작하였고, 의치 내의 금속 구조체와 완전히 접촉하는 구조라면 두 개의 임플란트에 의해 의치의 움직임이 완전히 차단됨으로 임플란트에 상당한 외력이 가해질 것이므로 조심하여야 한다.

다음 증례는 어쩔 수 없이 두 개의 임플란트에 milled bar의 형태로 제작한 bar overdenture의 경우로 무엇을 고려해야 하는지 고민해 보자. 상당히 특수하고 어려운 증례로 개념 이해가 중요하다.

그림 13 증례의 환자는 76세 남자환자로 상악 가철성 국소의치의 파절과 하악 총의치의 재제작을 주소로 내원하였다. 기존 의치는 10년전 본원에서 제작한 것으로 2달전 상악 의치상이 파절되어 내원하였다. 정기적인 유지관리를 받지 않으신 상태로, 특이한 병력 사항은 없었다. #23, 24 지대치의 경우 이차 우식 및 동요도 소견 관찰되지 않았으며, 방사선학적 특이 소견도 보이지 않았다. 상악의 잔존 치조제는 중등도 이상의 수평·수직적 골 흡수 양상을 보였으며, 하악은 고도의

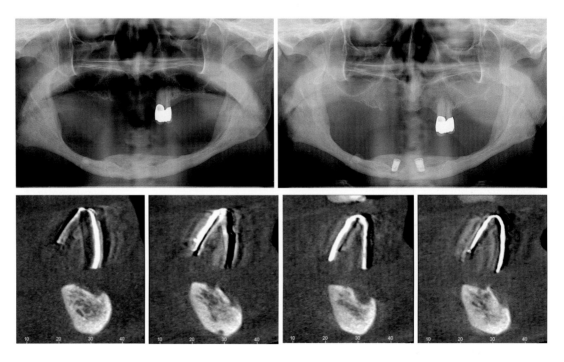

▲ 그림 13 초진 시 및 임플란트 식립 후 방사선 사진.

수평·수직적 골 흡수 양상을 보였다. 진단 납형 제작하여 진단 평가한 결과, 환자 전치부 및 소구치부 악간 공간은 12 mm 이상 확보되었다. 본 환자의 경우 전통적인 상악 국소의치와 하악 총의치를 제작할 수 있으나, 하악의 경우 고도의 치조골 흡수로 인해 환자의 불편감이 클 것으로 예상되어 임플란트 overdenture를 제작하기로 하였다.

기존의 상악 의치 파절 및 잘 맞지 않는 하악 의치로 인해 임플란트 수술 완료 시까지 임시의치를 사용하기로 하였다. 알지네이트를 이용하여 인상 채득 후 wax rim과 recording base를 제작하여 교합 고경을 채득하였다. 교합 고경 채득 후 레진상 임시의치를 제작하였다. 임시의치 제작 후 수술 스텐트를 이용하여 #32, 42 부위에 임플란트를 식립하였다(그림 14). 환자의 불량한 골질로 인하여 평행한 식립은 불가능하였다. 특히 두 임플란트 사이에 6 mm 정도로 아주 가깝게 식립되어졌다.

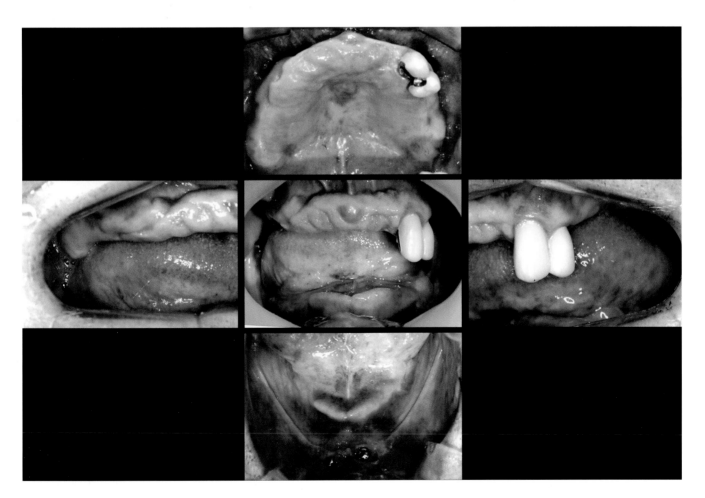

▲ 그림 14 임플란트 식립 후 구내 사진.
　　　　환자의 불량한 골질로 인하여 평행한 식립은 불가능하였다. 특히 두 임플란트 사이에 6 mm 정도로 가깝게 식립되어졌다.

불량한 골질로 인해 임플란트 식립체를 평행하게 식립하지 못한 관계로 solitary type overdenture 의 예후가 불량할 것으로 판단하여, splint type overdenture를 제작하기로 하였다. 패턴 레진을 이 용하여 milled bar pattern을 제작 후 인덱스를 이용하여 milled bar와 의치 사이의 수직적, 수평적 공간을 확인한 뒤 milled bar pattern을 주조하여 milled bar를 제작하였다(그림 15). 이때 독자는 의 문을 제기할 수 있다. "두 개의 임플란트를 hader bar를 이용하여 왜 제작하지 않았는가?" 가장 큰 이유는 두 임플란트 사이가 너무 가까워 clip을 장착할 수 없었기 때문이다.

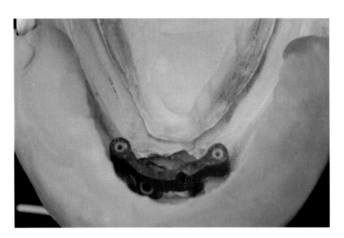

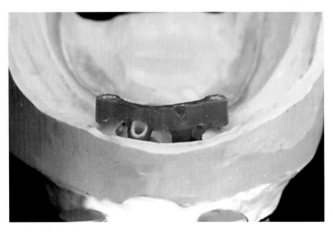
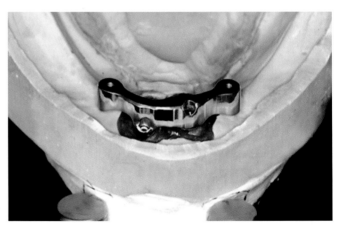

▲ 그림 15 패턴 레진을 이용하여 milled bar pattern을 제작 후, 인덱스를 이용하여 bar와 의치 사이의 수직적, 수평적 공간 평가를 시행. 이후 패턴 레진을 주조하여 milled bar를 제작. 2개의 임플란트가 식립된 관계로 전형적인 milled bar와는 달리 milled bar의 측면에 유격 을 두어 overdenture에 어느 정도의 움직임을 허용하는 형태로 제작하였다.

후방으로 연장된 milled bar에는 유지력과 안정성을 위해 30 N의 토크로 locator bar attachment (Locator, Zest Anchors)를 장착하였다(그림 16). 상악 부분 의치의 금속 구조체를 제작하여 구강 내 적합성을 확인하였다. 이후 상, 하악 납 의치 제작하여 구강 내에서 치아 배열, 구순 지지, 교합, milled bar와 금속 구조체의 적합 등을 평가하였다(그림 17).

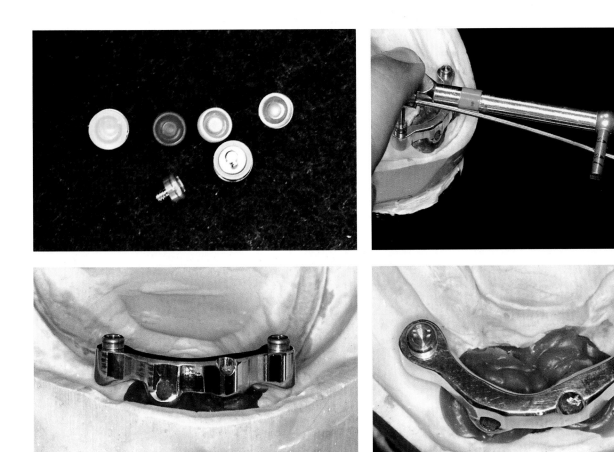

▲ 그림 16 의치의 유지력 증가를 위해 양측 캔틸레버 부위에 30 N의 토크로 locator를 장착. 의치의 움직임을 허용하기 위해 locator plastic sleeve 내면의 코어 부분을 삭제하였다.

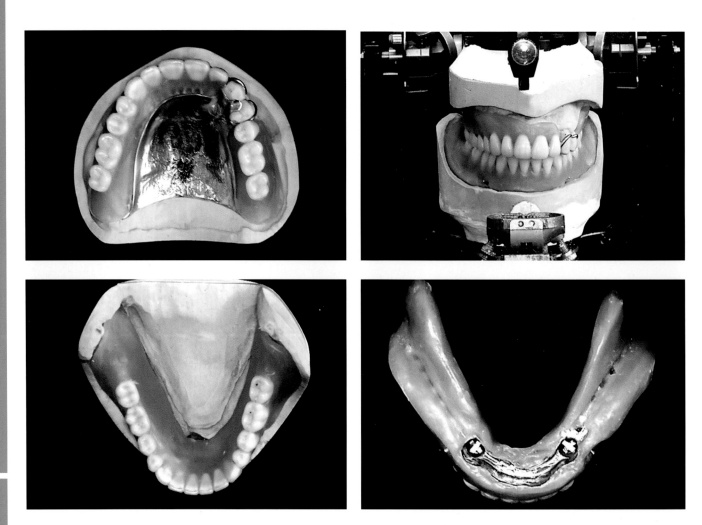

▲ 그림 17 상,하악 납 의치 제작하여 구강 내에서 치아 배열, 구순 지지, 교합, milled bar와 금속 구조체의 적합 등을 평가. 교합은 양측성 균형 교합으로 형성해 주었다.

적합 평가 후 최종 의치 온성, 기공실 재부착 및 교합조정을 시행하고 최종 연마를 통해 의치를 완성하였다(그림 18). 최종 보철물 장착 후 최근 3년 6개월 관찰하였으며 양호한 의치의 유지 및 안정을 보였으며, 환자 또한 의치 사용에 만족감을 보였다.

Misch 등은 임상에서 많이 사용하는 solitary type의 attachment의 경우 임플란트 간 평행관계가 성공적인 치료를 위한 중요 요소라고 강조했다. 최근 많이 사용되는 locator의 경우 40° 이상의 각도 차이가 발생할 경우 유지력 저하가 확연히 발생한다. 이를 보완하기 위해 angled attachment 등이 사용될 수 있으나 수직적인 loading에 취약하고, 유지력 또한 평행한 경우에 비해 떨어진다는 보고가 있다. 본 증례의 경우 고도의 골 흡수로 인해 2개 이상의 임플란트 식립이 어려웠고, 평행한 임플란트의 식립이 불가능하였다. 골 이식술로 골량 증대가 가능하였지만 환자분이 원치 않아

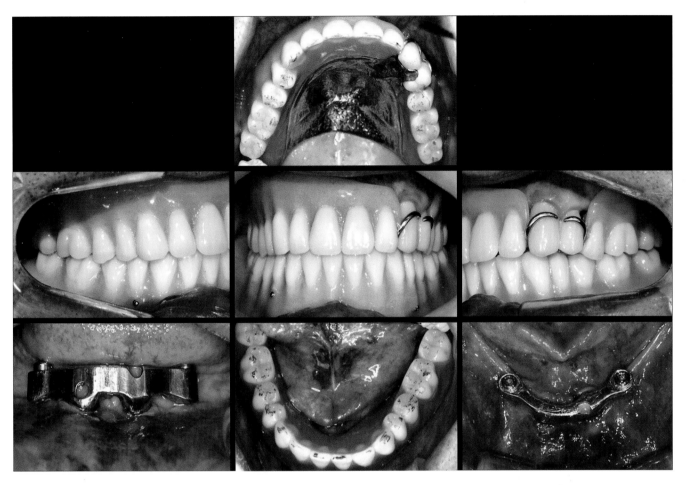

▲ 그림 18 적합 평가 후 최종 의치 온성, 기공실 재부착 및 교합조정을 시행하고 최종 연마를 통해 의치를 완성. 하악 의치의 정확한 내면 적합도, 양측성 균형 교합 형성을 통한 교합의 안정으로 의치의 움직임을 최소화하고자 노력하였다.

임플란트 식립 방향에 대한 영향이 적은 bar를 이용한 overdenture를 계획하였다.

Trakas 등은 임플란트 지지 overdenture 경우 지지를 임플란트에서 얻는 형태로 4개 이상의 임플란트 식립이 필요한 반면, 임플란트-조직 지지 overdenture의 경우 의치의 수직적 회전을 허용하여 임플란트와 구치부 의치상 모두에서 지지를 얻는 형태로 2개의 임플란트 식립만으로 제작이 가능하다고 하였다. Krennmair 등의 보고에 따르면, 본 증례의 경우 ovoid한 형태의 악궁을 가진 환자로서 bar type overdenture 제작 시 4개 이상의 임플란트 식립 후 임플란트 지지 overdenture 형태로 제작하는 것이 유리하다. 하지만 환자의 골질 상 2개 이상의 식립이 불가하여 전치부에 2개의 임플란트 식립 후 distal로 extention한 형태의 milled bar로 제작하였다. 이 경우 distal extension으로 과도한 외력이 임플란트에 가해질 수 있으나 대합치가 완전 무치악에 가까운 의치였고, 양측성 균형 교합을 형성해 줌으로써 전후방운동 시 의치의 움직임을 최소화하려 노력하였다. Milled bar type의 경우 parallel한 측벽으로 인해 의치의 구치부 후방의 움직임을 허용하지 않는다. 이는 전방 임플란트에 강한 회전력을 가하여 임플란트의 기계적 파절을 야기시킬 수 있다. 이러한 문제점을 피하기 위해 round shape 또는 oval shape의 bar를 사용할 수 있으나, 본 증례의 경우 고도의 골 흡수로 인해 임플란트 식립 깊이가 깊어 환자의 의치 착탈에 도움을 주기 위해 milled bar를 제작, 의치의 삽입철거를 위한 유도면을 제공하였다. 또한 milled bar의 후방 측벽을 적절히 릴리프하여 의치의 후방 움직임을 허용하고, 후방 의치상을 충분히 연장하여 의치상 지지를 최대한 얻어 회전으로 인한 전방부 임플란트의 과도한 회전력을 감소시키려고 노력하였다. 또한 milled bar의 후방 측벽 릴리프로 상실된 유지력은 locator의 장착으로 보강되었다.

K e y P o i n t

본 증례는 기존 연구에 따르면 상당히 위험한 치료방법일 수 있다. 하지만 반대로 잘만 이용한다면 stud type attachment를 사용하는 것보다 훨씬 유리한 운동을 만들 수 있다.

상당히 어려운 이야기지만 자세히 살펴보도록 하겠다.

그림 19에서 2개 또는 4개의 임플란트를 식립하고 bar를 사용하는 경우 어떻게 후방 조직부 침하 운동을 허용하게 되는 걸까? 가장 중요한 것은 운동을 허용하기 위해 bar와 채결되는 의치상 내의 금속 구조체와 반드시 운동 범위 만큼의 공간(릴리프)을 제공하여야 한다는 것이다.

 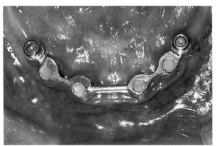 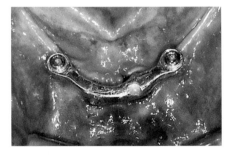

▲ 그림 19 bar에 운동을 허용하는 attachment를 부착하여 후방 무치악부의 조직 지지를 부여한 경우. 좌측 증례는 전방에 clip과 후방 캔틸레버에 ERA attachment를 사용한 경우로 후방으로의 회전운동을 허용하는 형태이고 예전에 많이 시도된 치료방법이다.

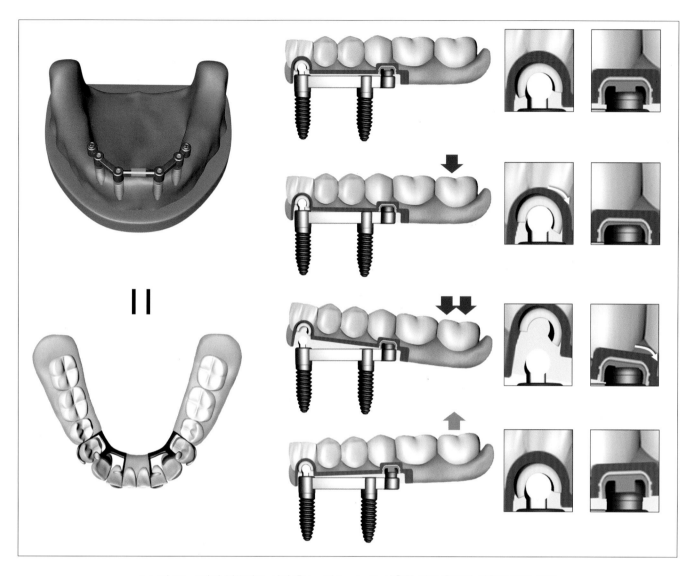

▲ 그림 20 4개의 임플란트 식립 후 bar와 locator를 사용한 경우 운동의 허용에 대한 이해.

　　그림 20을 잘 이해해 보도록 하자. 전방에 hader bar를 설계하고 clip을 사용하였고, 후방부 locator
가 수직적으로 약 0.2 mm 정도 움직인다고 생각했을 때 후방부 무치악을 누르면 전방부 clip을 중
심으로 회전이 일어나고 구치부 무치악 치조제로 침하를 허용한다. 이렇게 운동을 허용하기 위해
서는 bar의 설측 부위의 공간(릴리프)이 반드시 있어야 한다. 만약 bar의 측벽에 완전히 밀착되어
의치상 내부의 금속 구조체가 제작된다면 이런 움직임은 나타나지 않을 것이다. 또한 중요한 점은
전방부 clip을 중심으로 회전이 일어나다가 locator의 운동 허용범위를 벗어나는 과도한 움직임이
생겼다고 했을 때, 그림 20과 같이 전방의 clip이 빠지고 locator가 뒤틀리면서 빠져버릴 수 있다. 이
렇게 빠지려 할 때 clip의 유지력이 강하다면 전방 clip의 유지력에 의해 후방으로의 회전운동을 잡

아주고 안정화시킬 수 있는데, 이 역할이 2.5장에서 말한 캔틸레버 지지가 된다. 4개의 임플란트가 bar에 의해 묶여 있으므로 어느 정도의 캔틸레버 지지는 임플란트에 큰 무리가 없을 수도 있으나, 그 캔틸레버 지지(clip의 유지)의 한계를 더 넘어가는 운동이 발생한다면 후방 locator를 축으로 하는 회전운동이 발생되어 attachment의 마모가 커질 수 있다. 따라서 이런 형태의 bar overdenture를 사용할 때에는 후방부 의치상의 첨상을 주기적으로 해주어야 한다는 것을 명심해야 한다.

그럼 이제 후방부에서 의치를 위로 올려지는 운동(끈적한 음식물에 의해 의치가 위로 들리는 운동)을 상상해 보자. 후방의 locator가 의치가 빠지는 것에 저항하게 하기 위해서는 수직적인 작용력이 필요한데 전방부 clip 부위가 눌려지면서 간접유지장치 역할을 하게 되고, 이는 locator의 수직적 탈락을 유도함으로 적절히 유지력을 발휘하게 하는 구조라 생각된다. 즉, 두 locator를 연결한 회전축 전방에 딱딱한 벽이 만들어지는 것이다. 이 설명이 이해되지 않으면 2장을 다시 보기 바란다.

KeyPoint

그림 20에서 보이는 것과 같이 4개의 임플란트에 bar와 attachment를 사용하여 운동을 허용한다면 일반적인 Kennedy Class I 국소의치와 다를 것이 없다.
Kennedy Class I 국소의치에서는 간접유지장치와 운동을 허용하는 직접유지장치가 있어야 한다. 그림 20에서 설명하는 의미를 충분히 이해하길 바란다.

그렇다면 그림 21과 같이 2개의 임플란트에 milled bar와 locator를 이용하는 것은 어떤 점을 고려해야 할까? 많은 사람들이 이런 구조는 위험하다고 말하는데, 저자는 그림 20과 같은 맥락의 치료로 접근한다면 큰 문제가 되지 않는다고 생각한다. 오히려 유지장치인 attachment가 bar보다 후방에 위치함으로 적절한 간접유지장치를 얻을 수 있어 locator의 수직적 탈락을 돕게 된다. 중요한 점은 이 경우에도 그림 21과 같이 반드시 bar의 설측에 공간(릴리프)을 부여하여야 하고, bar의 협측 경사각을 충분히 주어야 한다는 것이다. 일반적인 2도 밀링을 해버리면 후방 회전운동 시 bar의 협면에서 회전에 저항하게 함으로 회전운동을 허용할 수 있도록 약간의 taper를 주도록 한다. 또한 bar의 후방에 캔틸레버를 너무 길게 연장하지 말고 locator를 장착할 수 있을 정도만 연장한다. 그림 20의 경우와 모든 운동이 동일하지만 전방에 attachment가 없으므로 캔틸레버 지지가 없다는 차이가 있다.

그림 21과 같이 치료를 한 경우 6전치가 남아 있는 Kennedy Class I 국소의치와 운동이 비슷해진다. 주기적인 후방 무치악부의 첨상을 시행하지 않는다면 attachment가 뒤틀리면서 빠지게 되어 마모가 심할 것이고 임플란트에 측방 회전력을 줄 수 있는 디자인이므로 유지 관리에 각별한 신경을 써야 한다.

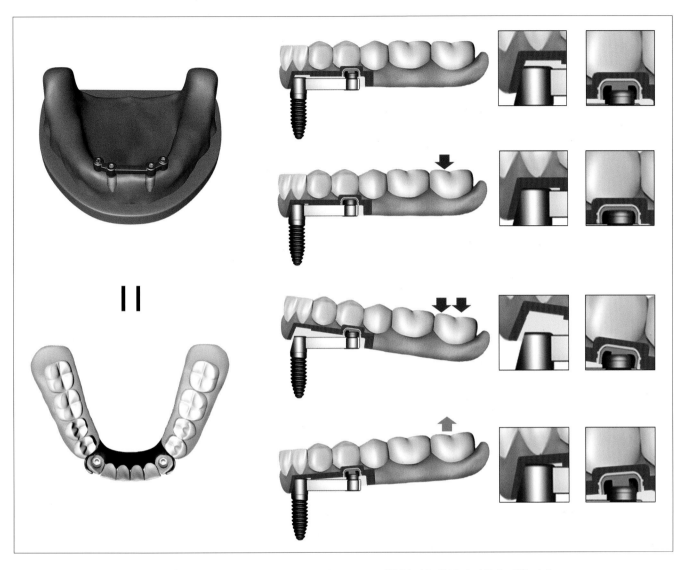

▲ 그림 21 2개의 임플란트 식립 후 bar와 locator를 사용한 경우 운동의 허용에 대한 이해.

K e y P o i n t

그림 20, 21은 상당히 어려우면서도 중요한 회전운동의 이해이다. 그림이 완전히 이해될 때까지 계속 반복적으로 운동을 머릿속으로 그려본다면 이런 치료를 하는데 많은 도움이 될 것으로 사료 된다. 고정관념을 버려야 한다. Bar를 이용함으로써 단순히 임플란트를 스플린팅한다는 개념을 넘 어 의치의 운동을 효율적으로 관리할 수 있다는 생각의 전환과 bar를 디자인할 때 공간을 부여하 며, 적절한 운동을 bar에 의해 방해하지 않겠다는 생각으로 치료한다면 아주 많은 장점을 얻을 수 있는 것이 bar와 attachment의 융합치료라 생각한다.

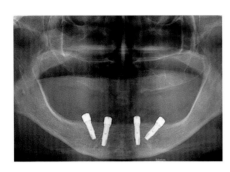  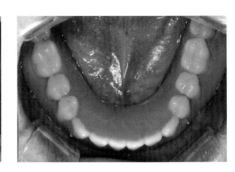

▲ 그림 22 4개의 임플란트를 이용한 움직임이 없는 overdenture.

하지만 임플란트가 그림 22와 같이 의도적으로 기울여져 식립된 경우 전방과 후방의 임플란트가 넓게 위치되어 구치부까지 지지하는 bar를 제작할 수 있는 경우는 위에서 언급한 운동들을 고려할 필요가 없고 bar와 국소의치 내면의 금속 구조체를 잘 맞도록 제작하여 완전히 움직임이 없는 rigid type overdenture를 제작할 수 있겠다. 상악이 무치악 혹은 잔존치가 거의 없는 경우에 하악에 4개의 임플란트를 위의 증례처럼 식립할 수 있다면 환자와 술자를 모두 만족시키는 치료가 될 수 있겠다.

참고문헌 ≫≫

1. Chan MF, Närhi TO, de Baat C, Kalk W. Treatment of the atrophic edentulous maxilla with implant supported overdentures: A review of the literature. Int J Prosthodont. 1998;11:7-15.

2. ELsyad MA, Shaheen NH, Ashmawy TM. Long-term clinical and prosthetic outcomes of soft liner and clip attachments for bar/implant overdentures: a randomised controlled clinical trial. Journal of Oral Rehabilitation. 2017;44:472-480.

3. Gulizio MP, Agar JR, Kelly JR, Taylor TD. Effect of implant angulation upon retention of overdenture attachmetns. J Prosthodont. 2005;24:6-22.

4. Han DH, Kim SK, Kim YH. Textbook of Oral & Maxillofacial Implantology. Vol. Ⅰ Basic Principles and Techniques. Daehan Publishing Co., 2004;257-59.

5. Jemt T, Book K, Lindén B, Urde G. Failures and complications in 92 consecutively inserted overdentures supported by Brånemark implants in severely resorbed edentulous maxillae: a study from prosthetic treatment to first annual check-up. Int J Oral Maxillofac Implants. 1992;7:162-167.

6. Krennmair G, Krainhöfner M, Piehslinger E. The influence of bar design (round versus milled bar) on prosthodontic maintenance of mandibular overdentures supported by 4 implants: a 5-year prospective study. Int J Prosthodont. 2008;21:514-520.

7. Misch CE. Dental implant prosthetics. Mosby. 2005;214-215.

8. Misch CE. Dental implant prosthetics. Mosby. 2005:221-222.

9. Trakas T, Michalakis K, Kang K, Hirayama H. Attachment systems for implant-retained overdentures : a literature review. Implant Dent. 2006;15:24-34.

10. Zarb G A, Mericske-Stern R. Clinical protocol for treatment with implant-supported overdentures. Prosthodontic Treatment for Edentulous Patients: Complete Dentures and Implant-Supported Prosthesis. 12th ed. Philadelphia. 2004;498-509.

4.5
완전 무치악에서 소수 임플란트 식립 후
attachment를 사용하고자 하는 경우.

이번 장에서는 주로 2개의 임플란트에 stud type attachment를 사용하여 overdenture를 하는 경우 주의할 점을 다루고자 한다. 2개의 임플란트에 stud type attachment를 사용한 경우 운동을 허용하는 지점선이 생기게 되며, 이 경우 국소의치와 동일한 개념으로 생각할 필요가 있다. 혹자들은 두 개의 임플란트를 사용하는 경우 의치의 안정과 유지, 지지가 훨씬 좋아지므로 쉬운 의치가 된다고 말하지만 저자는 완전히 생각이 다르다. 차라리 총의치라면 의치 자체가 특정한 회전 방향을 가지지 않지만, 2개의 임플란트를 사용하는 순간 명확한 회전축을 가지게 되고 잘못 설계하면 임플란트나 상방의 attachment에 상당한 외력이 가해지기 때문에 의치의 제작에 더욱 신경을 써야 한다.

Q u e s t i o n

그림 1의 환자는 타 병원에서 약 1년전 상하악 임플란트 2개를 이용한 overdenture를 제작한 후 하악 무치악 치조제의 동통을 호소하고, 평균 2주에 한번씩 locator plastic sleeve를 교체해 왔다는 불평으로 본원에 내원하였다. 무엇이 이런 문제를 야기했을까?

A n s w e r

주어진 사진만으로 정확한 설명을 할 수는 없지만 보이는 문제점을 나열하면 다음과 같다.

(1) 상하악 모두 2개의 임플란트에 locator를 장착하여 명확한 지점선을 만들었다.

(2) 상하악 모두 의치상의 내면의 적합도가 많이 떨어졌다.

(3) 상악 의치는 locator를 제거하였을 때, 의치의 유지가 전혀 없었다. 이것은 2번의 이유와 함께 의치의 변인 봉쇄가 전혀 이루어지지 않았다는 것이다

(4) 하악 의치는 retromolar pad까지 후방부가 연장되어 있지 않으며, 설측 변연이 너무 짧아 안정 요소가 전혀 부여되지 않았다. 또한 무치악부 내면이 많이 삭제되어 있는 흔적이 보였는데 아마도 환자가 통증을 호소하는 부위를 지속적으로 삭제해 왔던 것으로 추정된다.

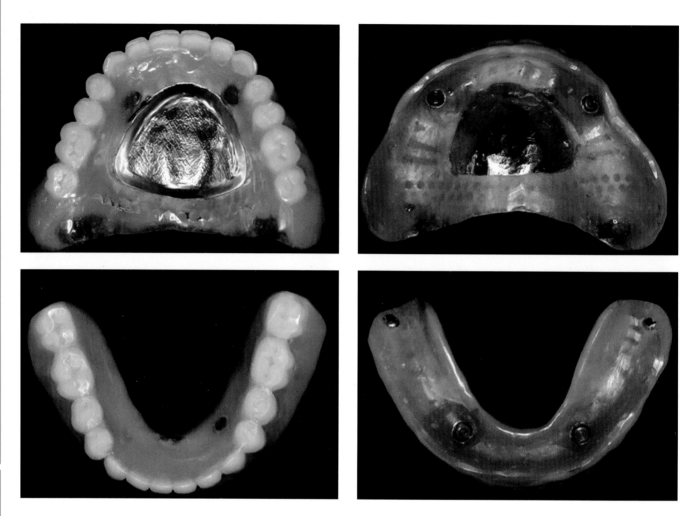

▲ 그림 1   타 병원에서 약 1년전 상하악 임플란트 2개를 이용한 overdenture를 제작한 후 하악 무치악 치조제의 동통을 호소하고, 평균 2주에 한번씩 locator plastic sleeve를 교체해 왔다는 불평으로 본원에 내원.

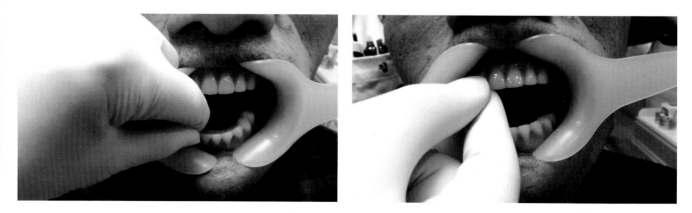

▲ 그림 2   상하악 전치부를 잡고 흔들면 임플란트를 중심으로 한 회전축을 중심으로 상당한 시소운동이 발생함.

이런 이유 때문에 그림 2와 같이 의치는 그냥 떨어지지 않고 임플란트를 중심으로 명확한 시소 운동을 보였다. 환자가 입을 벌리면 상악 의치는 임플란트를 중심으로 후방부 의치가 떨어지는 것이 보이고, 하악은 저작 시 후방 무치악부로 회전하는 것이 명확히 보인다.

결국 환자는 저작 및 일반적인 생활 중에 의치의 지속적인 시소운동을 만들고 있는 경우이다. Attachment가 견디겠는가? 당연히 1주일도 안 되어 마모가 될 것이다.

만약 위와 같이 두 개씩의 임플란트를 심어 overdenture를 만든다면 다음을 꼭 고려해야 한다.

(1) 상악은 2개의 임플란트가 꼭 필요했을까? 환자의 무치악 치조제가 상당히 좋은 상황으로 임플란트가 없어도 충분한 유지를 가지는 의치를 만들 수 있었을 것이다. 만약 최선을 다해 만든 의치가 유지력이 부족하다면 유지만을 부여할 목적으로 임플란트 2개를 식립할 수는 있겠다. 반드시 유지만을 얻어야 한다. 총의치를 잘 만들고 내면 적합도를 아주 좋게 형성하여 잔존 치조제와 구개에 의해 명확한 지지와 안정을 얻도록 해야 한다. 임플란트를 중심으로 만들어지는 시소운동은 attachment에 상당한 외력을 만들게 되고 골질이 좋지 못한 상악에 식립된 임플란트의 예후도 당연히 좋지 못할 수 있다.

(2) 하악은 2개의 임플란트를 식립하고 attchment를 사용하는 overdenture 술식이 아주 일반적인 치료술식이 되었다. 하악의 경우 유지를 얻기가 상당히 어려움으로 큰 장점을 가지고 있는 것이 분명하다. 하지만 술자는 반드시 유지만을 얻을 목적으로 임플란트 attachment를 사용해야 한다고 생각한다. 임플란트를 좀더 전방에 식립하여 전방으로의 회전운동을 줄이고(이 부분은 뒤에서 다시 설명), 후방부는 선택적 가압인상을 통해 명확한 구치부 지지를 만들어 주어 후방 회전운동을 억제하고, 의치상을 충분히 연장하여 안정 요소를 의치 자체에 부여하여야 한다. 주기적인 첨상이 필수적이며 양측성 균형 교합을 형성하여 교합을 통한 안정 요소 부여도 필요하다.

KeyPoint

결국 임플란트 2개를 식립하여 운동을 허용하는 stud type attachment를 사용하는 경우는 명확한 회전축을 만들고, 이 때문에 많은 문제점들이 발생될 가능성이 크다. 의치 자체가 대부분의 유지, 지지, 안정 요소를 모두 가지도록 더욱 잘 만들어야 하고 부족한 유지력만을 보강하도록 목표 설정을 한다. 또한 더욱 철저히 유지관리(첨상, 교합조정)를 시행하여야 임플란트와 attachment의 예후가 보장되는, 어렵고 손이 많이 가는 치료술식임을 명심하자.

Question

다수의 임플란트를 심고 attachment를 사용하는 경우 임플란트에 의해 많은 역할을 기대할 수 있다. 그런데 그림 3의 경우 하악에 5개의 임플란트를 식립하였는데도 환자는 계속 통증을 호소하고 attachment도 한 달을 못 넘기고 모두 마모되어 버린다. 이유가 무엇인가?

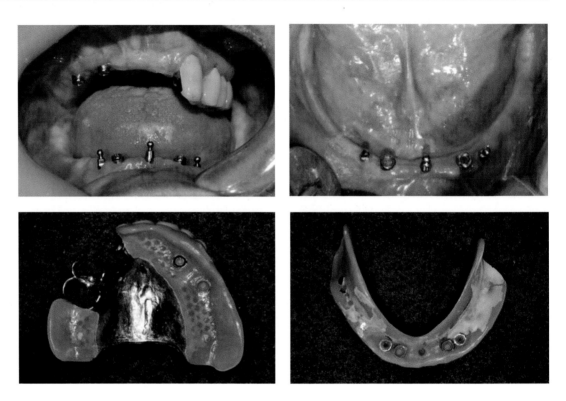

▲ 그림 3 상악에 2개의 임플란트를 이용한 국소의치, 하악 5개의 임플란트 attachment를 이용한 overdenture 증례.

Answer

환자 진술에 따르면, 약 10개월 전 상하악 임플란트를 식립하고 상악은 국소의치를 장착한 지 3개월, 하악은 overdenture를 장착한 지 7개월 정도 되었다고 했다. 상악은 너무 편하고 locator의 plastic sleeve 교체도 한 번도 하지 않았는데 하악이 너무 불편하다고 했다. 처음에 미니 임플란트를 3개 심어서 overdenture를 하였는데 attachment가 너무 빨리 마모되었고, 의치의 후방부 잇몸이 너무 아파서 1주일에 한두 번 병원을 방문했고, 원장님이 아픈 부위를 삭제해 주었다고 했다. 너무 자주 문제가 생겨서 원장님이 2개의 임플란트를 무료로 더 심어주고 여기에 locator를 체결하였다. 처음 1주일은 너무 편했는데 또 똑같은 증상이 발생되어 대학병원을 찾아오셨다.

상악은 왜 아무런 문제가 없었는가?

(1) 상악 좌측에 4개의 건전한 자연치를 이용한 지대치를 가지고 있고, embrassue 클라스프를 장착하여 안정 요소를 충분히 부여하고 있다.

(2) 잔존 치아의 지대치가 명확한 국소의치의 삽입철거로를 제공하였고, 그 삽입철거로와 임플란트의 식립각도는 아주 정확히 일치하였다.

(3) 상악 무치악부 의치상과 구개부 금속 주연결장치의 적합도가 뛰어나서 충분한 지지 요소를 부여하고 있었다.

하악은 왜 많은 문제를 야기하였는가?

(1) 처음 3개의 미니 임플란트는 거의 일렬로 심겨 있었다. 이것은 임플란트 개수와 관계 없이 하나의 회전축을 만든다.

(2) 후방 무치악 부위가 통증이 있었다는 것은 의치가 임플란트에 의해 만들어진 회전축을 중심으로 후방부 회전운동이 있었던 것이고, 의치상 내면을 반복적으로 조정하면서 그 순간의 통증은 완화되었으나 회전축을 중심으로 하는 후방부 회전은 더욱 커졌을 것이다. Buccal shelf 부위가 인기되지 못해 지지부여가 되지 않는 것으로 보인다. 즉, 후방 무치악부의 지지 요소가 없다.

(3) 추가로 식립한 두 개의 임플란트도 기존의 회전축과 동일한 선상에 식립되었다. 결국 처음에는 locator의 일부 안정 요소로 인해 의치의 움직임을 막았겠지만 반복적인 회전운동이 발생하고 locator가 마모되면 다시 움직임이 커져 무치악부 동통이 발생했을 것이다.

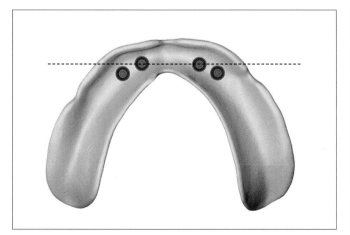 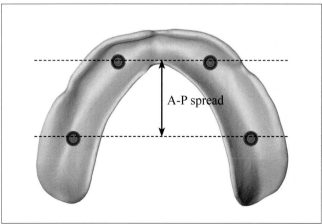

▲ 그림 4 추가 임플란트 식립 위치의 선택.

그렇다면 어떻게 치료가 되었어야 할까? 그림 4와 같이 2개의 임플란트를 추가해서 식립할 때 후방에 식립하여 A-P spread(전방과 후방 임플란트의 간격)를 늘여 주었다면 임플란트 지지를 받을 수 있었기 때문에 회전을 감소시키고, 의치 자체의 지지 요소도 덜 중요해졌을 것이다. 하지만 골량이 부족하여 식립이 어려웠을 수도 있겠다.

그렇다면 추가적인 임플란트 식립 대신 의치의 첨상을 시도할 수 있다. 결국 attachment의 급속한 마모는 회전운동을 줄임으로써 예방할 수 있다. 의치상 내면을 삭제하여 환자의 동통을 감소한다는 생각보다 오히려 의치상을 더 넓게 연장하고(특히 buccal shelf 지역), 내면 적합도를 더 향상시켰다면 분명 환자의 불편함이 감소하고 attachment의 마모도 줄어 들었을 것이다.

Question

미니 임플란트 4개를 식립하고 overdenture를 했는데 잘 쓰다가 몇 년 뒤 male part가 마모되어 attachment의 O-ring을 교체해도 유지력을 더 이상 얻을 수 없다. 왜 이런 마모가 발생되는 것이며, 어떻게 해결해야 하는가?

Answer

저자는 최근 이런 문제로 refer되는 환자를 가끔 보게 된다. 미니 임플란트의 경우 골 폭이 부족한 환자에게 유용하게 사용 가능하며 비용도 적게 들어 한동안 많은 인기를 얻은 제품이다. 하지만 attachment의 male part와 fixture가 일체형이고 적절한 유지력을 얻기 위해 4개의 임플란트를 식립하도록 권장한다.

4개의 임플란트를 이용하여 ball type attachment를 장착하면 처음에 환자의 만족도가 상당히 큰 것이 저자의 경험이다. 하지만 4개의 임플란트가 거의 일렬로 식립된 경우, 질문과 같은 문제점들이 많이 발생하는 것 같다.

그림 5의 환자는 2년간 4개의 미니 임플란트를 이용한 overdenture를 사용하면서 반복적으로 통증과 유지력 감소를 주소로 병원에 내원하였다 한다. 이제는 O-ring을 교체해도 의치가 자꾸 빠졌고, 치료하신 원장님이 방법이 없다고 대학병원으로 의뢰하였다.

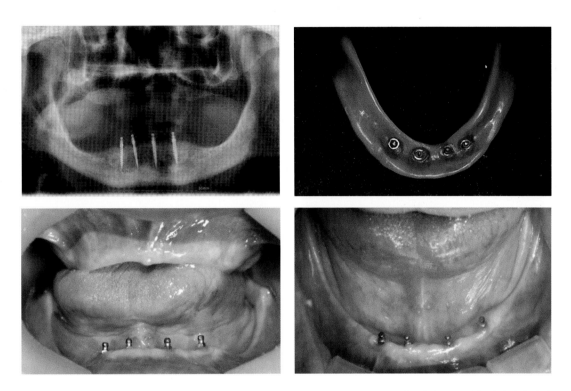

▲ 그림 5　미니 임플란트 4개를 식립하고 overdenture를 사용한지 2년 후 O-ring을 갈아도 유지가 얻어지지 않아
내원한 환자의 구강 사진.

이러한 문제점이 왜 발생했을까?

(1) 미니 임플란트가 거의 일직선으로 심겨져 있다.

(2) (1)의 이유로 1개의 회전축이 생기고, 후방으로 침하되는 회전운동이 크게 발생한다.

(3) 그림 5에서 보는 바와 같이 의치의 무치악부 buccal shelf 지역이 충분히 인기되어 있지 않아
서 구치부의 지지를 받지 못하고 있다.

(4) 의치상 내면의 반복적 삭제는 의치의 회전을 야기하고 약간의 combination syndrome 증상을
보이고 있다(상악 전방부 골 흡수).

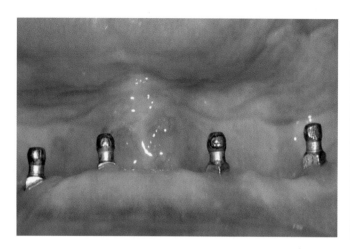 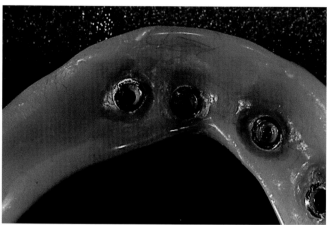

▲ 그림 6 미니 임플란트의 ball이 모두 마모되었고, 의치 내부의 O-ring이 심하게 손상되어 있음.

KeyPoint

앞서 설명한 바와 같이 일렬로 식립된 임플란트는 갯수와 상관 없이 1개의 회전축을 만들게 된다. 의치를 최대한 잘 만들어 의치 자체가 지지와 안정 요소를 충분히 가지도록 하고, 반복적인 첨상과 교합조정을 통해 의치의 회전을 방지해야 attachment의 마모를 최소화할 수 있음을 명심하자.

저자는 이런 문제를 가진 환자를 자주 접하게 되고, 이 경우 임플란트의 제거 및 재식립보다는 그림 7과 같이 bar attachment로 변경하여 치료한다.

먼저 일체형 임플란트의 ball attachment를 삭제하여 abutment 형태로 만들어주고 hader bar를 비귀금속으로 주조하여 그림 7과 같은 bar를 제작한다. 이것을 레진 시멘트로 최종 접착한다. 일체형 임플란트이므로 일반적인 임플란트처럼 abutment를 착탈할 이유가 없다. 환자에게 설명하고 완전히 접착한다. 의치는 의치 자체가 지지, 안정을 충분히 가지도록 잘 만들어야 한다(그림 8). 그림 7의 의치 내면을 보면, 충분히 연장된 의치상의 변연과 선택적으로 눌러서 채득한 buccal shelf 지역을 확인할 수 있다. Clip은 1개만 부착해야 운동을 허용하는 overdenture를 만들 수 있다. 하지만 위경우는 bar가 거의 평행했고, 상악이 총의치이고, 하악 의치를 최대한 잘 만들려 노력했으며, 6개월마다 의치상 내면을 첨상하기로 계획하였기에 2개의 clip으로 유지력을 증대시켰다. 현재 2년이 경과되었고, 환자의 불편함은 거의 없으며, clip은 아직 교체하지 않았고, 6개월마다 첨상을 시행하고 있다.

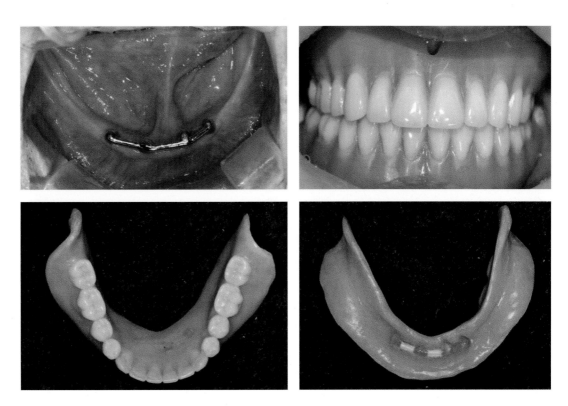

▲ 그림 7　그림 5 환자의 ball attachment를 hader bar를 이용한 bar attachement로 변경하고 의치를 다시 제작함.

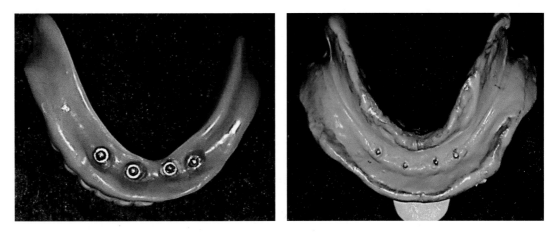

▲ 그림 8　이전 의치와 비교하여 아주 넓어진 인상체와 buccal shelf의 가압인상.

Question

2개의 임플란트에 stud type attachment를 사용하는 overdenture에서 attachment를 오래 사용하기 위한 방법은 무엇이 있는가?

Answer

저자는 2개의 임플란트를 사용하는 overdenture를 계획할 때 어떠한 attachment를 사용하든지 1년 이상 사용하는 것을 목표로 한다. 최근에는 80% 이상의 환자에서 이 목표를 달성하고 있다. 저자는 다음의 4가지를 중요하게 생각한다.

(1) 두 임플란트는 최대한 평행하게 식립한다

(2) 임플란트 attachment를 부착하기 전 의치를 먼저 만들어 최소 3개월간 사용하게 하고, 유지력 부족 외에는 환자의 불편함이 없는 경우에 attachment를 부착한다.

(3) 임플란트는 견치 부위가 아닌 측절치 부위 정도로 전방에 식립한다.

(4) 6개월마다 꼭 정기검진하여 필요 시 첨상을 시행한다.

그림 9와 같이 2년만에 내원한 환자의 attachment가 거의 마모가 없는 것을 알 수 있다. 물론 모든 경우 그런 것은 아니지만 저자가 위에 언급한 4가지를 꼭 지키면서부터 1년 이상의 attachment 사용이 가능해졌다. 임플란트는 당연히 평행해야 삽입철거 시 attachment의 마모가 줄어들 것이다.

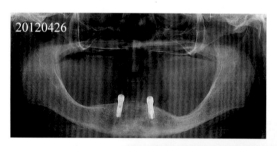
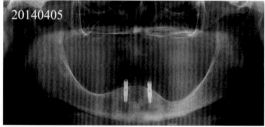
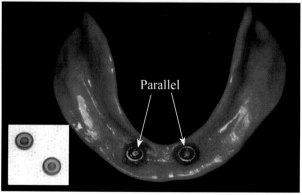

▲ 그림 9 2년만에 내원한 환자에서 attachment의 마모가 적은 의치.

그림 10과 같이 임플란트가 없다고 생각하고 의치를 만들어야 한다. 의치 자체에 충분한 지지와 안정 요소를 부여하고 필요하면 교합을 양측성 균형 교합으로 형성하여 의치의 안정을 도모한다. 그림 10과 같이 임플란트를 측절치 정도로 전방부로 식립할 경우 의치의 안정에 더욱 도움이 된다.

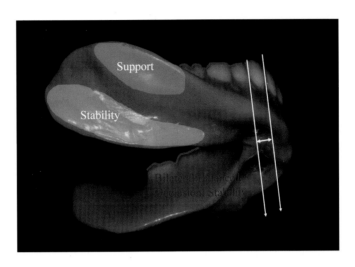

▲ 그림 10 의치 자체가 안정, 지지 요소를 모두 가지도록 해야 함.

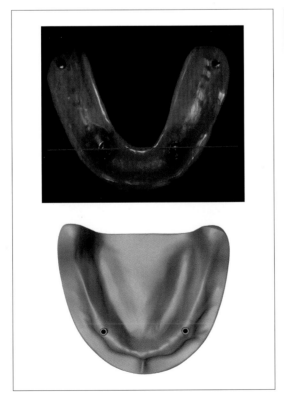
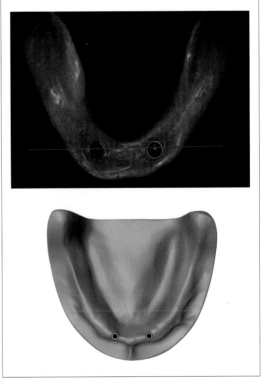

▲ 그림 11 임플란트를 전방 위치시킬 때 회전축의 위치.

그림 11과 같이 임플란트를 전방 위치시키면 회전축이 더욱 전방으로 위치되게 되고 하악 중절치의 하방에 더욱 가까운 회전축을 형성하는데, 이러한 위치는 1종 지레에서 좀더 효율성을 낮추어(회전축을 중심으로 전치부를 눌렀을 때 더 많은 힘을 주어야 구치부가 들린다) 회전을 최소화할 수 있다(2, 3장 참조).

그림 12를 보면서 이해해 보자.

그림 12의 왼쪽은 전치부와 가깝게 식립된 임플란트이고, 오른쪽은 견치 하방에 식립한 모습이다. 먼저 이해의 편의를 돕기 위해 의치의 내면 적합도가 떨어져서 의치의 움직임이 많다고 가정하자. 오른쪽 그림을 보면 전치로 씹었을 때 임플란트 회전축을 중심으로 전방부로 침하하고 구치부가 들리는 운동이 생긴다. 반대로 구치부를 누르면 회전축을 중심으로 전방부가 들리는 운동이 생긴다. Attachment가 견딜 수 있을까? 왼쪽 그림을 보자. 전치부를 눌러보자. 전치부 하방에 위치한 임플란트에 수직적 지지를 받아서(또는 회전축과 전치부의 힘 점이 너무 가까워서) 구치부가 거의 들리지 않을 것이다. 즉, 효율적인 1종 지레를 만든 것이다. 그럼 구치부를 눌러보자. 내면의 적합도가 많이 떨어진다고 가정하더라도 회전축과 힘 점이 거리가 멀기 때문에 전치부가 들리는 운동은 적을 것이다(2, 3장 지레운동 참조).

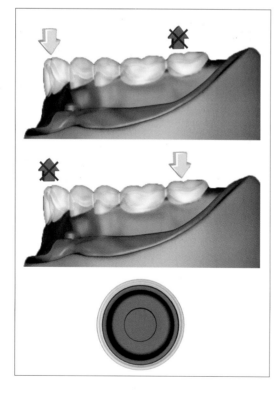 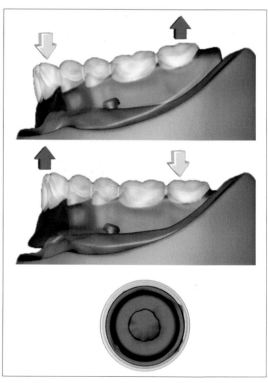

▲ 그림 12 임플란트가 전방 위치될 때 얻을 수 있는 장점.

KeyPoint

임플란트를 견치보다는 측절치 부위에 식립하는 것이 의치의 움직임을 줄일 수 있다는 연구는 상당히 많다. 하지만 무조건 측절치 부위가 아니고 그림 11과 12를 잘 이해하여 시소운동을 적절히 조절할 수 있는 위치에 임플란트를 식립할 수 있어야 한다. 또한 술자가 첨상을 주기적으로 해주고 교합을 조절하여 의치의 움직임을 막을 수만 있다면 어떤 위치에 식립되든지 결과에는 차이가 없을 수 있다는 것을 이해했으면 한다.

최근 한 개의 임플란트를 전방 중앙에 식립하여 overdenture를 하는 연구들이 많이 보고되고 있고 좋은 결과를 보이고 있다. 이러한 결과는 그림 12에 설명한 원리를 동일하게 적용하였기에 가능한 것이며, 임플란트 attachment에 반드시 유지만을 적용하고 지지와 안정 요소를 의치 자체에 부여해야 한다는 원칙을 철저히 지킨다면 앞으로 충분히 적용 가능한 치료라 사료된다.

참고문헌 >>>

1. Alqutaibi AY, Kaddah AF, Farouk M. Randomized study on the effect of single-implant versus two-implant retained overdentures on implant loss and muscle activity: a 12-month follow-up report. Int J Oral Maxillofac Surg. 2017;46:789-797.

2. Chaves CA, Souza RF, Cunha TR, Vecchia MP, Ribeiro AB, Bruniera JF, Silva-Sousa YT. Preliminary In Vitro Study on O-Ring Wear in Mini-Implant-Retained Overdentures. Int J Prosthodont. 2016;29:357-359.

3. Damghani S, Masri R, Driscoll CF, Romberg E. The effect of number and distribution of unsplinted maxillary implants on the load transfer in implant-retained maxillary overdentures: an in vitro study. J Prosthet Dent. 2012;107:358-365.

4. Elsyad MA, Mohamed SS, Shawky AF. Posterior Mandibular Ridge Resorption Associated with Different Retentive Systems for Overdentures: A 7-Year Retrospective Preliminary Study. Int J Prosthodont. 2017;30:260–265.

5. Jawad S, Barclay C, Whittaker W, Tickle M, Walsh T. A pilot randomised controlled trial evaluating mini and conventional implant retained dentures on the function and quality of life of patients with an edentulous mandible. BMC Oral Health. 2017;17:53.

6. Scherer MD, McGlumphy EA, Seghi RR, Campagni WV. Comparison of retention and stability of two implant-retained overdentures based on implant location. J Prosthet Dent. 2014;112:515-521.

7. Scherer MD, McGlumphy EA, Seghi RR, Campagni WV. Comparison of retention and stability of implant-retained overdentures based upon implant number and distribution. Int J Oral Maxillofac Implants. 2013;28:1619-1628.

8. Scherer MD. Overdenture Implants. A Simplified and Contemporary Approach to Planning and Placement. Dent Today. 2015;34:54-56.

CHAPTER 5

이렇게 치료한 임플란트 융합 국소의치에 대한 임상 결과

5.1장   자연치가 일부 잔존한 경우 소수 임플란트를 추가적으로 식립하여 attachment를 부착하는 경우와 지대치로 사용하는 경우의 임플란트 융합 국소의치 비교 임상연구.

5.2장   소수 임플란트에 bar와 유지장치(attachment)를 이용한 경우와 단순히 attachment 만을 이용하여 만든 overdenture 비교 임상연구.

학습목표

Chapter 5 에서는 Chapter 4까지 설명했던 임플란트 융합 국소의치의 개념을 가지고 치료를 시행하여 저자가 얻은 임상 결과를 정리하여 보고하고자 한다.

5.1
자연치가 일부 잔존한 경우 소수 임플란트를 추가적으로 식립하여 attachment를 부착하는 경우와 지대치로 사용하는 경우의 임플란트 융합 국소의치 비교 임상연구.

5.1장에서는 본 책의 Chapter 2, 3의 내용을 기본으로 하고, 4.2장의 소수의 임플란트를 국소의치의 지대치로 사용한 경우와 4.3장의 소수의 임플란트에 attachment를 이용하여 국소의치를 제작한 경우를 비교한 임상연구에 대해 그 결과를 공유하고자 한다.

Bae EB, Kim SJ, Choi JW, Jeon YC, Jeong CM, Yun MJ, Lee SH, Huh JB. A Clinical Retrospective Study of Distal Extension Removable Partial Denture with Implant Surveyed Bridge or Stud Type Attachment. Biomed Res Int. 2017;2017:7140870.

I. 서론

가철성 국소의치를 이용한 치료는 부분 무치악을 가진 환자에서 기능과 심미의 회복을 위해, 고정성 보철물로 충분한 유지와 안정을 얻을 수 없는 경우 효율적인 치료방법이 된다.[1] 구치부가 결손된 부분 무치악 환자가 장기간 후방연장 가철성 국소의치를 사용하면, 지지 조직 하방의 골 흡수와 인공치 마모로 인하여, 교합 평면이 변하거나 수직 고경이 상실되는 등의 합병증이 발생할 수 있다.[2,3] 또한 교합 평면 및 교합 양상의 변화는 잔존 지대치에 과도한 측방력을 야기하여, 지대치의 예후에도 부적절한 영향을 준다.[2,4]

이러한 현상을 극복하기 위하여, 소수의 임플란트를 이용하여 후방 무치악 부위를 지지하는 가철성 후방연장 국소의치를 설계함으로써 잔존하는 연조직과 경조직을 보호하고, 의치의 지지, 유지, 안정을 향상시켜 기능적으로 만족스러운 임플란트 융합 가철성 국소의치를 제작한 증례가 보고되고 있다.[4-6]

이러한 임플란트 융합 가철성 국소의치(Implant-assisted removable partial denture)는 임플란트와 가철성 국소의치의 연결 방식에 따라 임플란트-지지 가철성 국소의치(Implant-supported RPD), 임플란트-유지 가철성 국소의치(Implant-retained RPD) 등으로 사용되었으나, Schneid 등[7]이 임플란트 융합 가철성 국소의치라는 용어로 좀 더 포괄적인 개념으로 소개한 이후, 최근에는 좀더 보편적으로 사용되고 있다.

일반적인 임플란트 융합 가철성 국소의치는 임플란트 overdenture의 한 형태로, 잔존 지대치의 장기적인 예후 증대와 임플란트 고정성 보철물에 비해 비용을 절감할 수 있는 장점을 가지고 있다. 또한 일반적인 가철성 국소의치 제작에 비해 환자의 만족도를 증진시켜줄 뿐만 아니라 클라스프를 생략하여 심미성 개선의 효과를 얻을 수 있다.[8-11] 또한, Ohkubo 등[9]은 임플란트를 이용하여 후방연장 부위에 지지를 부여한 경우, 저작 기능의 효율성이 크게 증가됨을 보고하였다.

Chunha 등[12]은 임플란트의 위치를 최후방 구치부에서 소구치부로 이동했을 때 지대치에 가해지는 힘을 비교 시, 전치부 지대치에 가깝게 임플란트가 위치할수록 힘의 분배에서 유리하다고 보고하였다. 더욱이, 무치악 부위 전방에 임플란트를 식립하여 어태치먼트를 연결한 증례 및 장기간 임상연구에서 만족스러운 결과를 보여주고 있다.[13-15] 임플란트 융합 가철성 국소의치에 이용되는 어태치먼트 중에서 locator implant attachment는 수직적 공간의 제한이 적고, 부속품의 교체가 용이하다는 장점으로 인해 현재 널리 사용되고 있는 어태치먼트 중 하나이다.[11,15]

최근 임플란트 융합 가철성 국소의치에 관한 또 다른 치료의 방안으로 부분 무치악 혹은 완전 무치악 환자에서 골 지지가 양호한 곳에 전략적으로 임플란트를 식립하고, 임플란트 지지 고정성 보철물을 국소의치 지대치로 이용하여 통상적인 국소의치를 제작하는 방법이 제시되고 있다.[16-19] 임플란트 지대치 관을 제작하여 국소의치의 지대치로 이용할 경우, 고정성 보철물의 기능과 심미적인 장점을 가지면서도 적은 수의 임플란트를 통하여 의치의 안정성을 증가시켜, 국소의치 치료의 임상적 결과 및 환자 만족도를 증가시킬 수 있을 것이다. 하지만, 아직까지 임플란트 지대치 관을 가철성 국소의치의 지대치로 활용하는데 대한 합의가 부족한 실정이며, 주로 증례발표에 국한되어 있어 이와 관련된 추가적인 임상연구가 필요한 실정이다.

이에 본 연구는 부산대학교 치과병원 치과보철과에서 부분 무치악 부위에 임플란트를 식립하여 제작한 지대치 관을 국소의치의 지대치로 이용하고 후방연장 국소의치로 수복한 경우와 임플란트 상부에 locator implant attachment를 연결하여 부분 overdenture 형태의 국소의치를 제작한 증례에서, 임플란트 생존율 및 보철물 합병증 등에 대한 임상 평가를 통해 지대치 관을 이용한 임플란트 융합 국소의치 치료의 효용성을 평가해 보고자 하였다.

II. 연구 대상 및 방법

1. 연구 대상

본 연구를 위해 2008년부터 2016년까지 8년 동안 부산대학교 치과병원에서 임플란트 융합 가철성 국소의치를 제작한 환자 중 국소의치 장착 후 최소 1년 이상의 기능 하중이 가해졌으며 정기적인 유지관리가 행해지는 환자를 대상으로 선정하였다. 연구 대상 증례는 Kennedy Class I 또는 II 형태의 후방연장 국소의치에서 부가적인 유지와 안정 요소 부여를 위하여 임플란트가 필요하다고 판단되는 환자를 대상으로 선정하였다.

여러 연구[12-15]에서 임플란트의 위치를 최후방 구치부에서 소구치부로 이동했을 때 지대치에 가해지는 힘을 비교 시, 전치부 지대치에 가깝게 임플란트가 위치할수록 힘의 분배에서 유리하다고 보고하였기 때문에 편측으로 자연치가 존재하는 경우 반대편 무치악 부위의 구치부보다는 소구치 부위에 임플란트를 식립하여 조직 및 임플란트 지지 국소의치로 제작한 증례를 포함시켰다. 임플란트 융합 가철성 국소의치에 이용되는 attachment 중에서 locator implant attachment는 수직적 공간의 제한이 적고, 부속품의 교체가 용이하다는 장점으로 인해 현재 널리 사용되고 있는 어태치먼트 중 하나이다.[11,15] 따라서 이번 연구에서는 attachment를 사용한 증례의 경우 locator만을 사용하여 치료한 증례를 포함하였다.

모든 환자는 임플란트를 2개 이상 식립하여 지대치 관을 제작하거나 attachment를 연결하였으며, locator implant attachment를 사용한 환자에서 국소의치 삽입로와 임플란트의 식립 방향이 10° 이상인 경우는 제외하였다. 또한, 조절되지 않는 당뇨, 항암치료, 출혈성 질환, 면역질환, 호르몬 등 국소의치 치료에 영향을 미칠 수 있는 전신질환을 가진 환자, 알콜 또는 약물중독 환자, 술후 구강 검진이 정기적으로 시행되지 않은 환자는 분석 대상에서 제외하였다. 이러한 조건을 충족시키는 24명(남성: 6명, 여성: 18명)의 환자를 대상으로 부산대학교 생명윤리 심의위원회의 심의 하에 연구를 시행하였다(IRB No. PNUDH- 2015-018) (표 1).

▼ 표 1 Datum of patients and implants.

Patient	Gender	Age (y)	Restored Arch	Kennedy Class	Implant connection type	Type of Opposing Dentition	Implant site	Follow up period (month)
1	F	73	Mx	I	Surveyed bridges	F	#14,15	36
2	F	70	Mx	II	Surveyed bridges	R	#13,14	37
3	F	63	Mn	I	Surveyed bridges	C	#44,45	28
4	F	62	Mn	I	Surveyed bridges	R	#42,43	25
5	F	67	Mx	II	Surveyed bridges	F	#13,14	36
6	F	75	Mx	II	Surveyed bridges	C	#25,26	12
7	M	43	Mn	I	Surveyed bridges	F	#33,42,43	13
8	F	72	Mn	I	Surveyed bridges	R	#24,25	22
9	F	69	Mn	I	Surveyed bridges	F	#32,33	29
10	F	54	Mn	I	Surveyed bridges	F	#34,35	23
11	F	68	Mn	I	Surveyed bridges	R	#24,25	31
12	F	66	Mn	I	Surveyed bridges	R	#43,44	28
13	F	49	Mn	I	Attachment	F	#34,44	41
14	F	66	Mn	I	Attachment	R	#34,44	22
15	F	64	Mx	I	Attachment	F	#14,16,24,26	12
16	M	76	Mn	I	Attachment	C	#33,44	13
17	F	64	Mn	I	Attachment	C	#34,44	44
18	M	71	Mn	I	Attachment	C	#34,43	41
19	F	84	Mn	I	Attachment	C	#34,44	34
20	M	68	Mn	I	Attachment	C	#34,45	12
21	M	39	Mn	I	Attachment	R	#34,36,44,46	25
22	M	77	Mn	I	Attachment	C	#32,45	12
23	F	64	Mn	I	Attachment	C	#34,44	14
24	F	58	Mn	I	Attachment	C	#35,43	12

Type of opposing dentition : F, Fixed partial denture or natural teeth; R, Removable partial denture; C, Complete denture.

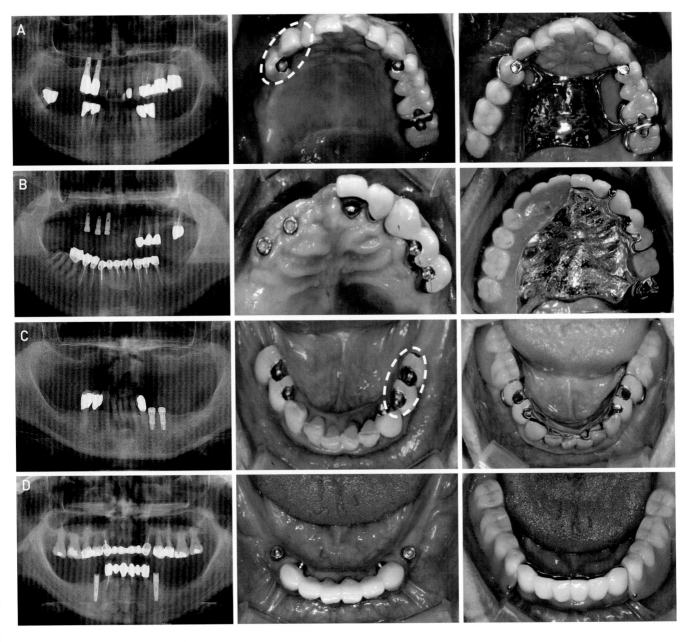

▲ 그림 1   각 그룹의 대표적 임상 사진.

　　(A) ISBRPD group: fixed surveyed prosthesis with two implants (maxillary right canine and first premolar) for abutment of RPD.

　　(B) IARPD group: Locator implant attachment used on top of two implants.

　　(C) ISBRPD group: fixed surveyed prosthesis with two implants (mandibular left first and second premolar) for abutment of RPD.

　　(D) IARPD group: Locator implant attachment used on top of two implants.

2. 국소의치 분류

총 24명의 환자를 임플란트 융합 가철성 국소의치의 임상 적용 방식에 따라 두 군으로 나누어 조사하였다. 임플란트 상부에 국소의치 지대치를 위한 서베이드 고정성 보철물을 만든 후 통상적인 설계에 따라 국소의치를 제작한 ISBRPD군(n = 12)과 임플란트와 locator implant attachment(Zest Anchors Inc., Escondido, CA, USA)를 이용하여 overdenture 형태의 국소의치를 제작한 IARPD군(n = 12)으로 분류하였다(그림 1).

3. 임상검사

임플란트 융합 국소의치의 장착일로부터 최종 내원일까지 조사된 임상검사 및 방사선사진을 참고하여 다음 항목들을 평가하였다.

1) 임플란트 생존율

Cochran 등[20]이 제시한 기준에 따라 임플란트 생존율을 평가하였다. 평가 기준은 (1) 통증, 이물감, 이상 감각 등의 지속적인 불편감이 없을 것, (2) 배농 등 임플란트 주위 감염 증상이 지속적이지 않고, 재발하지 않을 것, (3) 임상적으로 임플란트의 동요도가 없을 것, (4) 임플란트 주위로 방사선 투과상이 없고, 급속도로 진행되는 골 소실이 없을 것 등이다.

2) 임플란트 변연골 흡수

이동식 방사선 장치(Port II, Genoray Co., Sungnam, Korea)를 이용해 평행촬영법으로 방사선 사진을 촬영하였다. 임플란트 장경과 변연골 수준(임플란트 플랫폼에서 변연골 최상방까지의 거리)을 i-Solution(Olympus B × 51; Olympus Inc. Tokyo, Japan)을 이용하여 계측한 후, 임플란트의 장경과 비교하여 실제 임플란트 변연골 흡수량을 계산하였다.[21]

3) 탐침 깊이

Merrit-B periodontal probe를 임플란트 장축과 평행한 위치에서 임플란트 주위 근 원심, 협설측 4 부위를 측정한 뒤 평균값을 계산하였다.[22]

4) 임플란트 주위염

Löe and Silness index[23]를 이용하여 임플란트 주위 염증상태에 따라 점수를 0에서 3까지 부여하였다(표 2).

CHAPTER 5

▼ 표 2 Assessment of peri-implant inflammation by a Löe and Silness index[23]

Score = 0	Absence of inflammation
Score = 1	Mild inflammation; slight change in color and little change in texture
Score = 2	Moderate inflammation; moderate glazing, redness, edema, hypertrophy, bleeding on pressure
Score = 3	Severe inflammation; marked redness and hypertrophy; tendency to spontaneous bleeding; ulceration

5) 출혈 지수

Mombelli 등[24]이 제시한 기준에 따라 Merrit-B periodontal probe를 이용하여 탐침 후 출혈 정도를 score 0에서 3까지 평가하였다(표 3).

▼ 표 3 Assessment of bleeding tendency by a modified sulcus bleeding index[24]

Score = 0	No bleeding when a periodontal probe is passed along the gingival margin adjacent to the implant
Score = 1	Isolated bleeding spots visible
Score = 2	Blood forms a confluent red line on margin
Score = 3	Heavy or profuse bleeding

6) 치태 지수

Mombelli 등[24]의 기준에 따라 임플란트 표면에 부착된 치태를 측정하여 score 0에서 3까지 부여하였다 (표 4).

▼ 표 4 Assessment of plaque accumulation by a modified plaque index[24]

Score = 0	No detection of plaque
Score = 1	Plaque only recognized by running a probe across the smooth marginal surface of the implant. Implants covered by titanium spray in this area always score 1
Score = 2	Plaque can be seen by the naked eye
Score = 3	Abundance of soft matter

7) 치석

치석의 존재 유무에 따라 0 또는 1의 score로 측정하였다(표 5).

▼ 표 5 Assessment of calculus accumulation

Score = 0	Absence of calculus
Score = 1	Presence of calculus

8) 합병증

레진 베이스의 파절, 인공치아 파절, 금속 구조체 파절, 새로운 보철물 제작, 이장 등 의치 관련, 스크류 풀림, locator의 plastic sleeve 교체 등 implant 관련, sore spot, 연조직 증식 등 연조직 관련으로 분류하여 보철물 장착 이후 총 처치 빈도를 조사하였다.

4. 통계학적 분석

임플란트 변연골 흡수량과 탐침 깊이는 independent T-test를 실시하였고, 임플란트 주위염 및 출혈 지수, 치태 지수, 치석 유무, 합병증은 chi-square test을 통하여 유의성을 확인하였다. 임플란트 변연골 흡수량과 탐침 깊이, 치태 지수와의 상관관계는 Pearson's chi-square test을 시행하였다. 모든 통계는 SPSS ver. 21.0 (SPSS Inc., Chicago, IL, U.S.A) 을 이용하였으며, 5%의 유의수준에서 시행하였다.

III. 연구 결과

1. 임플란트 생존율

임플란트 융합 국소의치를 장착한 24명의 환자에게 식립된 총 53개의 임플란트 중 ISBRPD군에서 총 25개, IARPD군에서 총 28개가 식립되었다. 그중 국소의치 장착 후 12개월에서 24개월 동안 기능하중이 가해진 임플란트는 22개(ISBRPD군 n = 10, IARPD군 n = 12), 25개월에서 36개월 동안 교합하중이 가해진 임플란트는 14개였다(ISBRPD군 n = 8, IARPD군 n = 6). 36개월 이상 교합하중이 가해진 임플란트는 17개였다(ISBRPD군 n = 7, IARPD군 n = 10). 하중이 가해진 기간의 평균은 ISBRPD군에서 26.7개월, IARPD군에서 23.5개월이었다. 이중 실패한 임플란트는 없었으며 모든 임플란트에서 임상적 동요도 없이 정상적인 기능을 하고 있었다(표 6).

▼ 표 6 Cumulative survival rate of the implants

After placement (mo)	ISBRPD group			IARPD group		
	Implants (N)	Failed implants (N)	CSR (%)	Implants (N)	Failed implants (N)	CSR (%)
12~24	10	-	100	12	-	100
25~36	8	-	100	6	-	100
over 36	7	-	100	10	-	100

ISBRPD group: Fixed implant prosthesis group, IARPD group: Locator implant attachment group, CSR: cumulative survival rate of implants.

2. 임플란트 변연골 흡수와 탐침 깊이

임플란트 변연골 흡수량과 탐침 깊이의 평균값과 표준편차는 Table Ⅷ과 같다. ISBRPD군에서 1.44 ± 0.57 mm로 IARPD군에 비해 유의성 있게 낮은 임플란트 변연골 흡수량을 나타내었고 (P<.05), 탐침 깊이는 두 군간 유의한 차이가 없었다(표 7).

▼ 표 7 The average value of marginal bone resorption and probing depth

	ISCRPD group		IARPD group		P
	Mean	SD	Mean	SD	
Marginal bone resorption(mm)	1.44	0.57	1.99	0.70	.004[*]
Probing depth(mm)	3.19	0.86	3.12	0.82	>0.05

*Mean values showed significant difference based on independent T-test (P<.05).

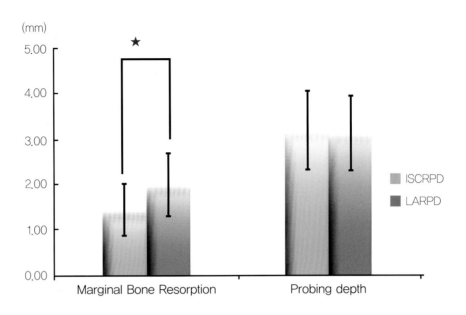

▲ 그림 2 변연골 흡수량과 probing depth.

3. 임플란트 주위염과 출혈 지수

임플란트 주위염의 측정 결과 두 군 모두에서 정상, 경도의 염증 순으로 많이 나타났으며, 중등도 의 염증, 고도의 염증은 관찰되지 않았다. 경도의 염증은 IARPD군(21.4%)과 ISBRPD군(21.7%)에 서 유의한 차이는 없었다(P>.05). 출혈 지수의 경우 ISBRPD군에서 출혈이 없음이, IARPD군에서 는 점상 타입의 출혈 빈도가 가장 많이 발생하였다. IARPD군(39.3%)이 ISBRPD군(26.1%)에 비해 약간 높은 빈도의 점상 타입 출혈이 나타났으나 유의한 수준은 아니었다(P>.05) (Table IX).

4. 치태 지수와 치석

치태 지수의 경우 ISBRPD군에서 관찰되지 않음이 IARPD군에서 탐침 시 인지되는 score 1의 상 태가 가장 많이 발생하였으나 유의한 차이는 없었다. 치석의 경우 ISBRPD군(30.4%)에서 IARPD 군 (3.6%)에 비해 유의하게 높게 나타났다(P<.05) (표 8).

▼ 표 8 Peri-implant inflammation, bleeding index, plaque index and calculus

		ISCRPD group †	IARPD group †	P
Implant number		25	28	
Peri-implant inflammation (%)	0	78.3	78.6	>0.05
	1	21.7	21.4	
	2	-	-	
	3	-	-	
Bleeding index (%)	0	56.5	32.1	>0.05
	1	26.1	39.3	
	2	17.4	28.6	
	3	-	-	
Plaque index (%)	0	47.8	28.6	>0.05
	1	21.7	50.0	
	2	26.1	21.4	
	3	4.4	-	
Calculus (%)	0	69.6	96.4	.016*
	1	30.4	3.6	

Frequency distribution of gingival inflammation, bleeding index, plaque index, calculus.
*Frequency distribution showed significant difference based on chi-square test (P<.05).

5. 임플란트 변연골 흡수, 치태 지수, 탐침 깊이의 상관관계

임플란트 변연골 흡수량, 치태 지수, 그리고 탐침 깊이와의 상관관계에는 유의할만한 상관관계를 나타내지 않았다(P>.05).

6. 합병증

합병증의 분석 결과 IARPD군이 ISBRPD군에 비해 더 많은 빈도로 발생하였다. IARPD군에서는 Locator patirx 교체(64%)와 의치상 수리(22%)가 많이 발생하였으며, ISBRPD군에서는 의치상 재이장(67%)과 의치상 수리(33%)가 발생하였다(표 9). 합병증은 주로 IARPD군에서 locator patrix 교체로 인한 유지관리가 필요하였다.

▼ 표 9 Type of clinical complication

	ISBRPD group	IARPD group
Retention loss	0	14
Screw loosening	0	0
레진 base relining	4	3
레진 base repairing	2	5
Total	6	22

IV. 총괄 및 고찰

가철성 국소의치에 대한 장기간 임상연구를 살펴보면, 안정적인 디자인의 설계와 환자에 대한 정기적인 검진이 성공에 영향을 미치는 중요한 요소라고 하였다.[25-27] 후방연장 국소의치에 임플란트 지대치 관이나 attachment를 이용하는 임플란트 융합 가철성 국소의치 제작은 무치악 부위의 넓이를 감소시키고, 보다 안정적인 국소의치를 설계할 수 있게 한다는 장점이 있다.

이번 연구를 위해 선정된 24명의 임플란트 융합 국소의치 환자에 식립된 53개의 임플란트는 모두 외측 연결형 임플란트였고, 2개 이상의 임플란트가 골 지지가 양호한 부분 무치악부 전방에 식립되었다. ISBRPD군은 지대치 관을 통하여 임플란트 간 연결 고정되었으며, IARPD군에서는 각 임플란트 상부에 locator implant attachment를 통하여 의치 하방에서 기능하였다. 모든 임플란트는 Cochran 등[24]의 기준에 따른 임상적 평가 결과, 관찰기간 동안 동요도 및 불편감 없이 기능하여 높은 생존율을 보였다.

임플란트 변연골 흡수량의 경우 IARPD군이 ISBRPD군에 비해 높은 값을 보였다(P<.05). Adell 등[28]은 성공적인 임플란트에서 변연골 소실이 지대치 연결 후 1년이 지나면 사라지기 때문에 각 환자의 성공 여부는 그 1년이 경과한 후에 평가할 수 있다고 하였다. Bånemark group의 연구[25]에서 지대치 연결 후 1년간 변연골 소실이 1~1.5 mm까지 평균 1.2 mm의 골소실을 보이고, 그 후는 연간 0.1 mm의 변연골 소실을 보인다고 보고하였다. 식립된 임플란트의 평균 관찰 기간은 ISBRPD군에서 26.7개월, IARPD군에서 23.5개월로 두 군간 비슷한 기간을 보였다. 임플란트가 지대치 관으로 연결 고정되어 저작 시 발생하는 하중이 효율적으로 분산되어 미세손상을 유발하는 스트레스가 감소되기 때문에 변연골 흡수량이 ISBRPD군에서 적게 나타난 것으로 생각된다.[30]

치태 지수의 경우 두 군간 차이가 없었으나, 치석의 경우 ISCRPD군에서 높게 나타났다(P<.05). 이는 고정성 보철물의 특성상 구강위생 유지가 어렵고, 상대적으로 solitary type인 IARPD군의 구강 위생관리가 더 용이하기 때문인 것으로 생각된다.[31] 임플란트 지대치 관은 인접면의 구강위생 관리에 세심한 주의가 필요하며, 맞춤형 지대주에 치과용 시멘트로 합착하므로, 보철물 변연에서 치태 침착 및 치석이 더 쉽게 발생할 수 있을 것이다.

임플란트 주위염과 출혈 지수의 경우 두 군간 유의한 차이를 보이지 않았으나, 출혈 지수는 IARPD군에서 약간 더 높은 경향을 보였다(P>.05). Steflick 등[32]은 투사전자현미경 관찰을 통해 방사선학적 변연골 소실과 치주낭 깊이의 증가가 출혈 지수와 관계됨을 보고한 바 있다. 그러나, Misch[33]는 치주탐침 검사 시 치은 열구 내로의 탐침 각도의 재현성 및 정확도가 필수적인데 임플란트에서는 상부 보철물의 형태가 풍융하여 적절한 탐침의 사용이 어렵다고 지적하였다. 이번 연구에서 임플란트 변연골 흡수량과 관련하여 탐침 깊이와 임플란트 주위염 간의 유의한 차이는 나타나지 않았다.

합병증의 경우 IARPD군에서 locator patrix의 교체가 가장 많이 발생하였다. Walton 등[34]은 임플란트의 식립 방향이 평행하지 못한 경우 locator patrix의 교체가 많이 발생한다고 하였다. 반면에 ISBRPD군에서는 유지력 저하가 없다는 장점이 있었다. 클라스프에 의한 유지력은 술자에 의해 비교적 간단히 조정이 가능하며, 기공과정에 결함이 없다면 비교적 장기적으로 기능이 유지된다. 하지만 locator implant attachment의 plastic sleeve는 의치의 착탈 시 발생하는 마모와 함께 저작 동안 발생하는 기능 하중을 일부 부여 받기 때문에, 유지관리의 빈도가 잦다. Locator implant attachment는 비교적 plastic sleeve 교체가 간단하여 유지관리에 이점이 있다. 유지력에 관련된 합병증을 제외하고는, 두 군간 특정 합병증이 유독 빈번하게 나타난다고 보이지 않으며, 그 빈도 또한 전통적인 가철성 국소의치에 비교해 더 많다고 볼 수 없다.

최근 국민건강보험의 가철성 국소의치와 임플란트 적용범위 확대로, 부분 무치악에 대한 치료방법 중 임플란트 융합 국소의치의 선택이 늘어나는 추세이다. 하지만, 임플란트 융합 가철성 국소의치의 적용 대상은 전통적인 국소의치의 치료계획을 토대로 평가해 선정하여야 하며, 추가로 임플란트의 수, 식립 위치 및 연결 형태 등을 고려하여야 하므로 보다 신중히 결정되어야 한다. 또한, 임플란트 융합 국소의치 제작에 있어 전통적인 국소의치의 각 구성요소의 역할을 임플란트가 보조해 준다고 하여 그 중요성을 간과해서는 안 될 것이다.

이번 연구는 적은 수의 연구대상과 짧은 관찰기간이라는 한계점으로 인해 임플란트 융합 국소
의치에서 지대치로 사용된 고정성 보철물과 locator implant attachment 간의 임상 지표에 대한 차
이를 나타내기에는 부족하였다. 이러한 한계점을 극복하고 지대치로 사용된 고정성 보철물 효용
성에 관한 신뢰성 있는 임상적 지표를 제시하기 위하여 다양한 기관에서 장기간의 연구가 추가적
으로 필요할 것이다.

V. 결 론

이번 연구에서는 임플란트 상부에 국소의치 지대치를 위한 고정성 보철물을 제작한 후 전통적인
국소의치 설계에 따라 제작한 임플란트 융합 국소의치와 locator implant attachment를 이용하여
overdenture 형태로 제작한 임플란트 융합 국소의치를 장착한 환자를 대상으로 임플란트 생존율
및 보철적 합병증을 비교 평가하여 다음과 같은 결론을 얻었다.

(1) IARPD군의 임플란트 변연골 흡수량이 ISBRPD군에 비해 더 높게 나타났다(P<.05).

(2) 치석의 빈도는 ISBRPD군이 IARPD군에 비해 더 높게 나타났다(P<.05).

(3) 전체적인 임상적 합병증은 IARPD군이 ISBRPD군에 비해 더 높은 발생 빈도를 나타내었다.

(4) 임상적 합병증 중 유지력 상실이 가장 높은 빈도를 차지했으며, IARPD군에서 patrix의 주기
적인 교체가 필요하였다.

참고문헌 >>>

1. Budtz-Jörgensen E. Restoration of the partially edentulous mouth—a comparison of overdentures, removable partial dentures, fixed partial dentures and implant treatment. J Dent. 1996;24:237-44.

2. Kelly E. Changes caused by a mandibular removable partial denture opposing a maxillary complete denture. J Prosthet Dent. 1972;27:140-50.

3. Saunders TR, Gillis RE Jr, Desjardins RP. The maxillary complete denture opposing the mandibular bilateral distal-extension partial denture: treatment considerations. J Prosthet Dent. 1979;41:124-8.

4. Keltjens HM, Kayser AF, Hertel R, Battistuzzi PG. Distal extension removable partial dentures supported by implants and residual teeth: considerations and case reports. Int J Oral Maxillofac Implants. 1993;8:208-13.

5. Halterman SM, Rivers JA, Keith JD, Nelson DR. Implant support for removable partial overdentures: a case report. Implant Dent. 1999;8:74-8.

6. Kuzmanovic DV, Payne AG, Purton DG. Distal implants to modify the Kennedy Classification of a removable partial denture: a clinical report. J Prosthet Dent. 2004;92:8-11.

7. Schneid, T. R., & Mattie, P. A. Implant-assisted removable partial dentures. Phoenix RD, Cagna DR, DeFreest CF. Stewart's Clinical Removable Partial Prosthodontics. 4th ed. Hanover Park, IL: Quintessence Publishing. 2008;259-77.

8. Emami E, Heydecke G, Rompré PH, de Grandmont P, Feine JS. Impact of implant support for mandibular dentures on satisfaction, oral and general health-related quality of life: a meta-analysis of randomized-controlled trials. Clin Oral Implants Res. 2009;20:533-44.

9. Ohkubo C, Kobayashi M, Suzuki Y, Hosoi T. Effect of Implant Support on Distal-Extension Removable Partial Dentures: In Vivo Assessment. Int J Oral Maxillofac Implants. 2008;23:1095-101.

10. Mijiritsky E, Karas S. Removable partial denture design involving teeth and implants as an alternative to unsuccessful fixed implant therapy: a case report. Implant Dent. 2004;13:218-22.

11. Chikunov I, Doan P, Vahidi F. Implant-Retained Partial Overdenture with Resilient Attachments. J Prosthodont. 2008;17:141-8.

12. Cunha LD, Pellizzer EP, Verri FR, Pereira JA. Evaluation of the influence of location of osseointegrated implants associated with mandibular removable partial dentures. Implant Dent. 2008;17:278-87.

13. De Carvalho WR, Barboza EP, Caúla AL. Implant-retained removable prosthesis with ball attachments in partially edentulous maxilla. Implant Dent. 2001;10:280-4.

14. Bortolini S, Natali A, Franchi M, Coggiola A, Consolo U. Implant-retained removable partial dentures: an 8-year retrospective study. J Prosthodont. 2011;20:168-72.

15. Grossmann Y, Nissan J, Levin L. Clinical effectiveness of implant-supported removable partial dentures: a review of the literature and retrospective case evaluation. J Oral Maxillofac Surg. 2009;67:1941-6

16. Jang Y, Emtiaz S, Tarnow DP. Single implant-supported crown used as an abutment for a removable cast partial denture: a case report. Implant Dent. 1998;7:199-204.

17. Pellecchia M, Pellecchia R, Emtiaz S. Distal extension mandibular removable partial denture connected to an anterior fixed implant-supported prosthesis: a clinical report. J Prosthet Dent. 2000;83:607-12.

18. Starr NL. The distal extension case: an alternative restorative design for implant prosthetics. Int J Periodontics Restorative Dent. 2001;21:61-7.

참고문헌 >>>

19. Chronopoulos V, Sarafianou A, Kourtis S. The use of dental implants in combination with removable partial dentures. A case report. J Esthet Restor Dent. 2008;20:355-64.

20. Cochran DL, Buser D, ten Bruggenkate CM, Weingart D, Taylor TM, Bernard JP, Peters F, Simpson JP. The use of reduced healing times on ITI® implants with a sandblasted and acid-etched (SLA) surface. Clin Oral Implants Res. 2002;13:144-53.

21. Hyun-Sang Yoo, Young-Chan Jeon. Effects of implant collar design on marginal bone and soft tissue. J Korean Acad Prosthodont 2012;50:21-2.

22. Quirynen M, Naert I, van Steenberghe D, Teerlinck J, Dekeyser C, Theuniers G. Periodontal aspects of osseointegrated fixtures supporting an overdenture. A 4-year retrospective study. J Clin Periodontol 1991;18:719-28.

23. Lőe H. & Silness J. Periodontal disease in pregnancy I. Prevalence and severity. Acta Odontologica Scandinavia 21:533-51.

24. Mombelli A, van Osten MA, Schurch Jr E, Land NP. The microbiota associated with successful or failing osseointegrated titanium implants. Oral Microbiol Immunol 1987;2:145-51.

25. Bergman B. Periodontal reactions related to removable partial dentures: a literature review. J Prosthet Dent. 1987;58:454-8.

26. Bergman B, Hugoson A, Olsson CO. Caries, periodontal and prosthetic findings in patients with removable partial dentures: a ten-year longitudinal study. J Prosthet Dent. 1982;48:506-14.

27. Bergman B, Hugoson A, Olsson CO. A 25 year longitudinal study of patients treated with removable partial dentures. J Oral Rehabil. 1995;22:595-9.

28. Adell, R. Clinical results of osseointegrated implants supporting fixed prosthesis in edentulous jaw. J Prosthet Dent. 1983;50:251-4.

29. Adell R. et al. A l5-year study of osseointegrated implants in the treatment of the edentulous jaw. Int J Oral Surg. 1981;10:387-416.

30. Krennmair G, Krainhöfner M, Piehslinger E. Implant-Supproted Mandibular Overdentues Retained with a Milled Bar : A Retrospective Study, Int J Oral Maxillofac Implants 2007;22:987-94.

31. Lindquist LW, Rockier B, Carlsson GE. Bone resorption around fixtures in edentulous patients treated with mandibular fixed tissue-integrated prostheses. J Prosthet Dent 1988;59:59-63.

32. Steflik D. E., McKinney R.V., Koth D.L. Ultrastruc-tural(TEN) observations of the gingival response to the single crystal endosteal implant. J. Dent. Res. 1982;61;231.

33. Misch C. E. Contemporary implant dentistry. St Louis, C.V. Mosby, Co. 1982;29-42.

34. Walton JN, Huizinga SC, Peck CC. Implant angulation: A measurement technique, implant overdenture maintenance, and the influence of surgical experience. Int J Prosthodont 2001;14:523-530.

5.2
소수 임플란트에 bar와 유지장치(attachment)를 이용한 경우와 단순히 attachment 만을 이용하여 만든 overdenture 비교 임상연구.

5.2장에서는 본 책의 Chapter 2, 3의 내용을 기본으로 하고 4.4장 완전 무치악에서 소수의 임플란트를 bar로 연결하고 attachment를 혼합하여 사용한 경우와 4.5장 완전 무치악에서 소수 임플란트 식립 후 attachment를 사용한 경우를 비교한 임상연구로 모든 증례는 본 책에 기술된 바와 같이 implant overdenture는 가철성 국소의치의 개념을 따른다는 전제 하에 치료를 시행하였다. 본 연구에서는 locator implant attachment만을 사용한 증례를 조사하였다. 하지만 이는 이번 연구의 수행에 있어 본 저자의 소속 병원에서 가장 많이 쓰이는 attachment 한가지만을 비교 평가하여 평가의 변수를 줄이고자 함이었으며, 앞서 설명한 바와 같이 모든 attachment는 각각 그 장단점이 있음을 기억하길 바란다. 이번 연구의 목적은 bar type과 solitary type으로 attachment를 사용하였을 때의 임상 결과 차이를 분석하는 것이었으므로 독자의 오해가 없기를 바란다.

Seo YH, Bae EB, Kim JW, Lee SH, Yun MJ, Jeong CM, Jeon YC, Huh JB. Clinical evaluation of mandibular implant overdentures via Locator implant attachment and Locator bar attachment. J Adv Prosthodont. 2016 Aug;8(4):313-20.

Ⅰ. 서 론

Implant overdenture는 전통적인 의치의 불충분한 유지 및 안정을 보완해 주어 환자의 저작기능을 높이고 만족도를 향상시킨다.[1,2] Awad 등[3]은 전통적인 의치와의 비교 연구에서 implant overdenture의 높은 만족도 및 의치 안정성, 저작기능 향상을 보고하였으며, Bartenburg 등[4]은 문헌고찰을 통해 implant overdenture에서 높은 임플란트 성공률을 보고하였다. 이같이 완전 무치악 환자에서 implant overdenture의 높은 성공률에 기반을 두어 2002년 McGill consensus[5] 이후 하악 무치악 환자에게 임플란트를 이용한 implant overdenture는 널리 추천되는 치료방법 중 하나가 되었다.

Implant overdenture가 임상적으로 널리 사용되고, implant overdenture에 대한 임상가의 이해도가 높아지면서 임플란트 attachment의 종류와 적용 방법이 다양하게 발전되었다.[6] Implant overdenture를 위한 attachment는 임플란트의 연결 유무에 따라 solitary type과 bar type으로 구분할 수 있다.[7] Ball attachment, magnet attachment, 그리고 locator와 같은 solitary type attachment는 구강 청결 면에서 유지관리가 용이하고 좁은 악간 공간에서도 사용할 수 있다는 장점이 있는 반면, 평행한 임플란트의 식립이 요구되며 bar type에 비해 implant overdenture의 안정성이 떨어지는 단점이 있다.[8] Hader bar, dolder bar, 그리고 milled bar 등과 같은 bar type attachment는 저작 시 가해지는 힘을 임플란트에 균등하게 분산시킬 수 있으며, 임플란트의 식립각도에 대한 제한이 적다. 하지만 기공 과정이 복잡하고 잇몸과의 최소 거리인 2 mm 정도를 포함하여 15~17 mm 정도의 악간 공간이 필요하다.[9]

다양한 attachment 중 locator는 높이가 낮고 self-aligning이 가능하며 이중 유지를 가져서 유지 감소가 적고 부속품의 교체가 용이한 장점이 있어 현재 널리 사용되고 있다.[10] 임플란트에 사용하는 locator의 종류에는 식립된 임플란트에 solitary 형태로 직접 체결하는 locator implant attachment와 bar를 함께 사용하는 locator bar attachment가 있다. Locator bar attachment는 보통 4개 이상의 임플란트를 식립하고 bar로 연결한 뒤 유지와 안정향상을 위하여 사용하는 attachment로서, 금속 female을 bar에 고정하는 방법에 따라 gold bar casting, laser welding, 또는 drill and tapping으로 구분된다.[11] 이중 drill and tapping 방식은 wax bar 상태에서 attachment를 고정될 위치에 plastic thread를 삽입하여 캐스팅한 후 bar tap을 사용하여 나사선을 확보한 뒤 attachment를 체결하는 방식이다.[12] 이러한 drill and tapping 방식의 가장 큰 장점은 attachment의 마모로 인한 유지 상실 시 bar를 재제작하지 않고 attachment만 쉽게 교체가 가능한 것이다.[11]

Locator를 이용한 implant overdenture의 경우 94.5% 이상의 높은 임플란트 성공률을 보이며, 평균 22.6개월의 수명으로 다른 solitary type의 attachment에 비해 적은 횟수의 관리가 필요하다.[13-14] Mackie 등[15]의 연구에 따르면 2개의 임플란트를 이용한 implant overdenture에서 locator의 patrix와 ball attachment의 matrix의 교체 빈도를 비교한 결과 유의한 차이는 없었지만, locator의 patrix 교체 빈도가 ball attachment에 비해 더 낮은 경향을 나타내었다. 또한 Akça 등[16]의 5년간 임상연구에서 Locator는 ball attachment에 비해 더 적은 골 흡수와 높은 치태 지수, 그리고 출혈 지수를 나타내었다. 한편 Krennmair 등[17]은 locator를 이용한 implant overdenture의 만족도가 전통적 의치에 비해 높다는 것을 보고하였다. 이처럼 implant overdenture에 적용된 locator에 관한 여러 연구가 진행되어 왔으나,[13-15] solitary type인 locator implant attachment와 bar에 고정하는 locator bar attachment를 사용한 implant overdenture의 합병증이나 임플란트 생존율 등에 대한 비교 분석 연구는 부족한 실정이다.

따라서 이번 연구는 부산대학교 치과병원 치과보철과에서 제작된 하악의 implant overdenture 중 locator implant attachment 또는 locator bar attachment를 이용한 implant overdenture 증례를 선정하여, 진료기록부 및 임상검사 등을 이용한 후향적 평가를 시행하고자 하였다.

II. 연구 재료 및 방법

1. 연구 대상

이번 연구를 위해 2008년부터 2014년까지 6년 동안 부산대학교 치과병원에서 하악에는 implant overdenture를 제작하고 상악에는 국소의치를 장착한 환자 중 implant overdenture 장착 후 최소 1년 이상의 occlusal force가 가해졌으며 정기적인 유지관리가 행해지는 환자를 대상으로 선정하였다.

이 중 면역질환, 항암치료, 출혈성 질환, 조절되지 않는 당뇨, 호르몬 불균형 등 implant overdenture 치료에 영향을 미칠 수 있는 전신질환을 가진 환자, 알콜 또는 약물중독 환자, 술후 구강검진이 정기적으로 시행되지 않은 환자는 분석 대상에서 제외하였다. 이러한 조건을 충족시키는 16명(남성: 5명, 여성: 11명)의 환자를 대상으로 부산대학교 치과병원 생명윤리심의위원회의 심의 하에 연구를 시행하였다(IRB No. PNUDH- 2015-016) (표 1).

2. Implant overdenture

총 16명의 환자를 하악 implant overdenture 제작 시 사용된 locator attachment의 종류에 따라 두 군으로 나누어 조사하였다. 2개의 임플란트와 locator implant attachment(Zest Anchors Inc. Escondido, CA, USA)를 이용한 LIA군(n = 8)과 4개의 임플란트와 bar에 locator bar attachment(Zest Anchors Inc., Escondido, CA, USA)를 고정한 LBA군(n = 8)으로 분류하였다(그림 1).

3. 임상검사

최종 implant overdenture의 장착일로부터 최종 내원일까지 임상검사 및 방사선사진을 통해 다음 항목들을 평가하였다.

5.2장 소수 임플란트에 bar와 유지장치(attachment)를 이용한 경우와 단순히 attachment 만을 이용하여 만든 overdenture 비교 임상연구.

▼ 표 1 Datum of patients and implants

| Patient | Gender | Age (y) | Follow-up(mo) | Implants | | | Attachment design | Maxillary dentition |
				Manufacturer	No. placed	No. lost		
1	M	76	16	Osstem*	2	0	Stud type	Complete denture
2	M	77	16	Straumann[†]	2	0	Stud type	Complete denture
3	F	64	25	Osstem	2	0	Stud type	Complete denture
4	M	71	46	3i[†]	2	0	Stud type	Complete denture
5	F	84	36	Osstem	2	0	Stud type	Implant-retained overdenture
6	M	68	40	Cowellmedi[§]	2	0	Stud type	Complete denture
7	F	64	30	Osstem	2	0	Stud type	Removable partial denture
8	F	58	16	Osstem	2	0	Stud type	Complete denture
9	F	68	18	Osstem	4	0	Bar type	Complete denture
10	F	68	26	Osstem	4	0	Bar type	Complete denture
11	F	59	31	Osstem	4	0	Bar type	Removable partial denture
12	F	62	26	3i	4	0	Bar type	Complete denture
13	F	80	13	Osstem	4	0	Bar type	Complete denture
14	F	64	40	Osstem	4	0	Bar type	Complete denture
15	M	76	13	Osstem	4	0	Bar type	Removable partial denture
16	F	70	56	Osstem	4	0	Bar type	Complete denture

*Osstem Implant Co., Seoul South Korea;

† Institute Straumann AG., Waldenburg, Switzerland;

‡ 3i Implant InnovationsInc., Florida, USA, §Cowellmedi Co., Busan, South Korea.

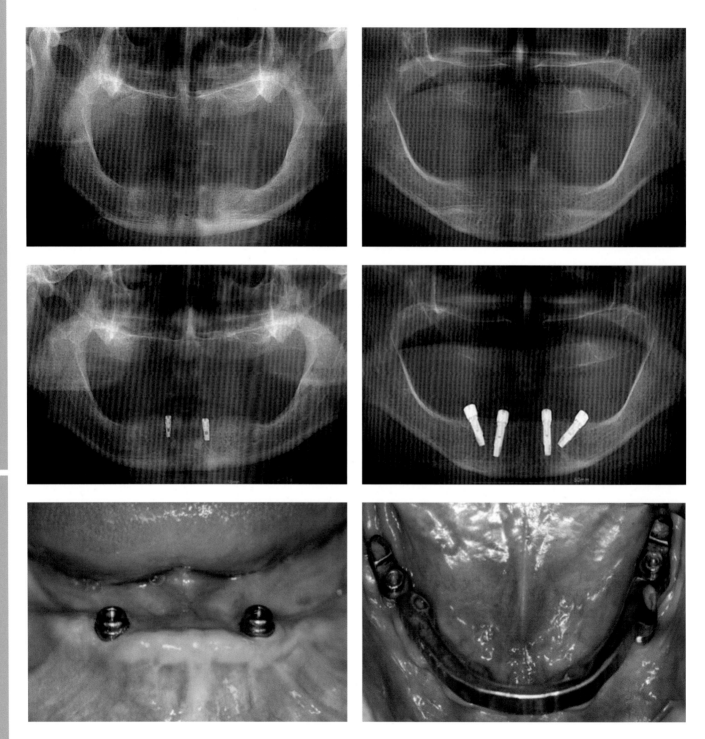

▲ 그림 1 Intra oral view of implant overdenture attachment.
    (A) LIA group: Locator implant attachment utilized with two implants.
    (B) LBA group: Locator bar attachment utilized with four implants splinted with bar.

1) 임플란트 생존율

Cochran 등[18]이 언급한 기준을 따라 임플란트 생존율을 평가하였다. 평가 기준은 (1) 통증, 이물감, 감각이상 등의 지속적인 불편감이 없을 것, (2) 배농 등 임플란트 주위 감염 증상이 지속적이지 않고, 재발하지 않을 것, (3) 임상적으로 임플란트의 동요도가 없을 것, (4) 임플란트 주위로 방사선 투과상이 없고, 급속도로 진행되는 골 소실이 없을 것 등이다.

2) 임플란트 변연골 흡수와 탐침 깊이

Portable X-ray(Port II, Genoray Co., Sungnam, Korea)를 이용해 평행촬영법으로 방사선 사진을 촬영하였다. 임플란트 장경과 변연골 수준(임플란트 플랫폼에서 변연골 최상방까지의 거리)을 i-Solution(Olympus B × 51; Olympus Inc. Tokyo, Japan)을 이용하여 측정한 후, 실제 임플란트의 장경과 비교하여 임플란트 변연골 흡수량을 계산하였다.[19]

3) 탐침 깊이

Merrit-B periodontal probe를 임플란트 장축과 평행한 위치에서 임플란트 주위 근원심, 순설측을 측정한 뒤 평균값을 계산하였다.[20]

4) 임플란트 주위염

Lőe and Silness index[21]를 이용하여 임플란트 주위 염증 상태에따라 score를 0에서 3까지 부여하였다. (1) score 0: Absence of inflammation, (2) score 1: Mild inflammation, (3) score 2:Moderate inflammation, (4) score 3: Severe inflammation.

5) 출혈 지수

Mombelli 등[22]이 제시한 기준에 따라 Merrit-B periodontal probe를 이용하여 탐침 후 출혈 정도를 score 0에서 3까지 측정하였다. (1) score 0: No bleeding, (2) score 1: Isolated bleeding spots visible, (3) score 2: Blood forms a confluent red line on margin, (4) score 3: Heavy or profuse bleeding.

6) 치태 지수

Mombelli 등[22]의 기준에 따라 임플란트 표면에 부착된 치태를 측정하여 score 0에서 3까지 부여하였다. (1) score 0: No detection of plaque, (2) score 1: Plaque only recognized by running a probe across the smooth marginal surface of the implant, (3) score 2: Plaque can be seen by the naked eye, (4) score 3: Abundance of soft matter

7) 치석

치석의 존재 유무에 따라 0 또는 1의 score로 측정하였다. (1) score 0: Absence of calculus, (2) score 1: Presence of calculus.

8) 합병증

의치상의 파절, 인공치아 파절, 금속 구조체 파절, 새로운 보철물 제작, 이장 등 의치 관련, 지대주 풀림, 스크류 풀림, locator의 plastic sleeve 교체, bar의 파절 등 attachment 관련, sore spot, bar 하방의 연조직 증식 등 연조직 관련으로 분류하여 보철물 장착 이후 총 처치 빈도를 조사하였다.

4. 만족도 조사

최종 내원 시 기록된 implant overdenture에 대한 심미성, 유지, 저작능에 대한 만족도를 Likert 5점 척도[23]를 이용한 설문지를 통해 분석하였다.

5. 통계학적 분석

임플란트 변연골 흡수량과 탐침 깊이, 만족도는 independent T-test를 실시하였고, 임플란트 주위염 및 출혈 지수, 치태 지수, 치석 유무, 합병증은 chi-square test을 통하여 유의성을 확인하였다. 임플란트 변연골 흡수량과 탐침 깊이, 치태 지수와의 상관관계는 Pearson's chi-square test을 시행하였다. 모든 통계는 SPSS ver. 21.0 (SPSS Inc., Chicago, IL, U.S.A) 을 이용하였으며, 5%의 유의수준에서 시행하였다.

Ⅲ. 연구 결과

1. 임플란트 생존율

Implant overdenture를 장착한 16명의 환자에게 식립된 총 48개의 임플란트 중 2개의 임플란트를 이용한 LIA군에서 총 16개, 4개의 임플란트를 이용한 LBA군에서 총 32개가 식립되었다. 그 중 implant overdenture 장착 후 12개월에서 24개월 동안 교합하중이 가해진 임플란트는 22개(LIA군 n = 6, LBA군 n = 16), 25개월에서 36개월 동안 교합하중이 가해진 임플란트는 18개였다(LIA군 n = 6, LBA군 n = 12). 37개월에서 48개월 동안 교합하중이 가해진 임플란트는 8개였고(LIA군 n = 4, LBA군 n = 4), 48개월 이상 교합하중이 가해진 임플란트는 4개였다(LBA군 n = 4). 이 중 실패한 임플란트는 없었으며 모든 임플란트에서 임상적 동요도 없이 정상적인 기능을 하고 있었다(표 2).

▼ 표 2 Cumulative survival rate of the implants.

After placement (mo)	LIA group				LBA group			
	Overdentures (N)	Implants (N)	Failed implants (N)	CSR (%)	Overdentures (N)	Implants (N)	Failed implants (N)	CSR (%)
12~24	3	6	-	100	4	16	-	100
25~36	3	6	-	100	3	12	-	100
37~48	2	4	-	100	1	4	-	100
over 48	-	-	-	-	1	4	-	100

LIA group: Locator implant attachment group, LBA group: Locator bar attachment group, CSR: cumulative survival rate of implants.

2. 임플란트 변연골 흡수와 탐침 깊이

임플란트 변연골 흡수량과 탐침 깊이의 평균값과 표준편차는 Table VIII과 같다. LBA군에서 1.51 ± 0.13 mm로 LIA군에 비해 유의성 있게 낮은 임플란트 변연골 흡수량을 나타내었고 (P<. 05), 탐침 깊이는 LBA군이 2.80 ± 0.16 mm로 LIA군에 비해 적게 나타났으며 통계적으로 유의하였다 (P<. 05) (표 3).

▼ 표 3 The average value of marginal bone resorption and probing depth

	LIA group		LBA group		P
	Mean	SD	Mean	SD	
Marginal bone resorption(mm)	1.96	0.20	1.51	0.13	.04*
Probing depth(mm)	2.91	0.24	2.80	0.16	.02*

implant attachment group, LBA group: Locator bar attachment group.
*Mean values showed significant difference based on independent T-test (P<.05).

3. 임플란트 주위염과 출혈 지수

임플란트 주위염의 측정 결과 두 군 모두에서 정상, 경도의 염증 순으로 많이 나타났으며, 중등도의 염증, 고도의 염증은 관찰되지 않았다. 경도의 염증은 LIA군(12.5%)보다 LBA군(33.3%)에서 더 많이 발생하였으나 유의한 차이는 없었다(P>.05). 출혈 지수의 경우 두 군 모두에서 점상 타입의 출혈 빈도가 가장 많이 발생하였다. LBA군(73.3%)이 LIA군(50%)에 비해 약간 높은 빈도의 점상 타입 출혈이 나타났으나 유의한 수준은 아니었다(P>.05) (표 4).

▼ 표 4 Peri-implant inflammation, bleeding index, plaque index and calculus.

		LIA group[†]	LBA group[†]	P
Implant number		16	32	
Peri-implant inflammation (%)	0	87.5	66.7	.125
	1	12.5	33.3	
	2	0	0	
	3	0	0	
Bleeding index (%)	0	37.5	26.7	.094
	1	50	73.3	
	2	12.5	0	
	3	0	0	
Plaque index (%)	0	25	0	.001[*]
	1	62.5	40	
	2	12.5	20	
	3	0	40	
Calculus (%)	0	100	75	.002[*]
	1	0	25	

LIA group: Locator implant attachment group, LBA group: Locator bar attachment group.

[†] Frequency distribution of gingival inflammation, bleeding index, plaque index, calculus.

[*] Frequency distribution showed significant difference based on chi-square test (P<.05).

4. 치태 지수와 치석

치태 지수와 치석 모두 LBA군이 LIA군에 비해 높은 점수를 나타내었다. 치태 지수의 경우 두 군 모두에서 탐침 시 인지되는 score 1의 상태가 가장 많이 발생하였으며, 그 중 LIA군(62.5%)이 LBA 군(40%)에 비해 유의성 있게 높은 빈도를 나타내었다(P<. 05). 치석의 경우 LBA군에서만 나타났 다(25%) (표 4).

5. 임플란트 변연골 흡수, 치태 지수, 탐침 깊이의 상관관계

임플란트 변연골 흡수량, 치태 지수, 그리고 탐침 깊이와의 상관관계를 분석하였다. 임플란트 변 연골 흡수량과 치태 지수 간에는 유의할 만한 상관관계를 나타내지 않았으나(P>.05), 임플란트 변연골 흡수량과 탐침 깊이 간에는 통계적으로 유의한 수준의 상관관계를 나타내었다(P<. 05, R=.606) (표 5).

▼ 표 5 Correlation among maginal bone resorption, plaque index and probing depth.

(R: Pearson's correlation coefficient)

	Plaque index		Probing depth	
	R	P	R	P
Marginal bone resorption	-0.213	.154	0.606	.001[*]

*Probing depth significantly correlate with marginal bone resorption based on Pearson's chi-square test (P<. 05).

6. 합병증

합병증의 분석 결과 LIA군이 LBA군에 비해 더 많은 빈도로 발생하였다. LIA군에서는 locator의 plastic sleeve 교체(50%)와 연조직 sore spot(27%)이 많이 발생하였으며, LBA군에서는 locator의 plastic sleeve 교체(42%)와 인공치 파절(29%)이 많이 발생하였다(표 6). Locator의 plastic sleeve 교 체 빈도는 LIA군 (n = 9)이 LBA군(n = 6)에 비해 더 많이 발생하였다.

7. 환자 만족도

Implant overdenture에 대한 환자 만족도의 경우 두 군 모두에서 유지, 심미, 저작에 대해 보통 이상 의 만족도를 나타내었다. 유지의 경우 LIA군에서, 저작력의 경우 LBA군에서 약간 높은 만족도를 나타내었으며 심미의 경우 차이가 없었으나, 세 경우 모두 유의한 수준은 아니었다(P>.05) (표 7).

▼ 표 6 Type of clinical complication.

	LIA group	LBA group
Replacement of Locator patrix	9	6
Artificial tooth fracture	1	4
Soft tissue hyperplasia	1	1
Sore spot	5	1
Denture relining	1	1
레진 base fracture	1	1
Total	18	14

LIA group: Locator implant attachment group, LBA group: Locator bar attachment group.

▼ 표 7 The average value of denture satisfaction by a Likert scale.

	LIA group		LBA group		P
	Mean	SD	Mean	SD	
Retention	3.88	0.44	3.73	0.52	.786
Esthetics	4.13	0.12	4.13	0.22	.094
Mastication	3.75	0.16	3.93	0.47	.123

LIA group: Locator implant attachment group, LBA group: Locator bar attachment group.

IV. 총괄 및 고찰

이번 연구를 위해 선정된 16명의 하악 implant overdenture 환자 중에서 여성이 남성에 비해 더 많았다. 이는 Pan 등[24]의 전통적인 의치 연구에서 여성의 만족도가 남성에 비해 낮아 implant overdenture를 더 많이 제작한 결과와 유사하였다. 대합치 분석의 결과에서는 87%가 전통적인 의치였다. 완전 무치악 환자에서 해부학적 한계로 인해 유지 저하가 발생하는 하악 총의치에 비해 상악 총의치는 구개 등에서 충분한 유지와 지지를 얻을 수 있으므로 implant overdenture의 필요성이 적었을 것으로 생각된다.[25]

Implant overdenture를 위해 식립된 모든 임플란트는 Cochran 등[18]의 기준에 따른 임상적 평가 결과, 관찰 기간 동안 동요도 없이 기능하여 높은 생존율을 보였다. Bergendal과 Engquist[26]는 mandibular symphysis와 이공 사이의 골질이 임플란트의 성공적인 골 유착을 하기에 충분하다고 보고하였다. 이번 연구에서 모든 임플란트는 이공 사이에 식립되어 충분한 골 유착이 발생한 결과 implant overdenture의 하중을 견딜 수 있어 성공적인 치료가 가능했던 것으로 보인다.

임플란트 변연골 흡수량의 경우 LIA군이 LBA군에 비해 높은 값을 보였다 (P<. 05). LBA군의 경우 임플란트가 서로 연결된 bar의 사용으로 인하여 저작 시 발생하는 하중이 효율적으로 분산되어 미세 손상을 유발하는 스트레스가 감소되기 때문에 변연골 흡수량이 LIA군에 비해 적게 나타난 것으로 생각된다.[27]이를 통해 implant overdenture의 변연골 흡수에는 locator 종류의 차이보다는 임플란트 간 연결 형태가 더 많은 영향을 미친 것으로 보인다.

치태 지수의 경우 LBA군이 LIA군에 비해 더 높았으며, 치석의 경우 LBA군에서만 나타났다. 이는 bar의 특성상 구강위생 유지가 어렵고 상대적으로 solitary type인 LIA군의 구강 위생관리가 더 용이하기 때문인 것으로 생각된다.[28] Gotfredsen과 Holm[29]은 5년간 임상연구에서 ball attachment와 bar의 치은 지수에 차이가 없음을 보고하였다. 이번 연구에서도 임플란트 주위염과 출혈 지수의 경우 두 군간 유의한 차이를 보이지 않았으나 LBA군에서 약간 더 높은 경향을 보였다(P>.05).

Lekholm 등[30]은 7년간의 임상 관찰 결과, 치태와 임플란트 주위염이 임플란트 변연골 흡수를 유발하지 않는다고 보고하였으며, Quirynen 등[31]은 임플란트 변연골 흡수와 탐침 깊이 간의 상관성이 있음을 보고하였다. 이번 연구에서도 implant overdenture에 이용된 임플란트의 변연골 흡수와 치태 지수와의 연관성은 찾을 수 없었으나, 임플란트 변연골 흡수와 탐침 깊이 간에는 상관성을 나타내어 이전 연구와 일치하는 결과를 나타내었다.

합병증의 경우 두 군 모두에서 locator patrix의 교체가 가장 많이 발생하였으며, LBA군에 비해 LIA군에서 그 빈도가 더 높았다. Walton 등[32]은 임플란트의 식립 방향이 평행하지 못한 경우 locator patrix의 교체가 많이 발생한다고 하였다. Bar를 사용한 LBA군의 경우 임플란트의 식립방향에 크게 영향을 받지 않고 평행한 locator의 장착이 가능하여 상대적으로 적은 교체 빈도가 나타난 것에 반해, LIA군은 임플란트 간 평행성의 오차로 인해 의치의 착탈 시 locator의 plastic sleeve 마모가 더 많이 발생했을 것이라 생각된다. LBA군에서는 유지 증가를 위해 장착된 locator의 plastic sleeve 교체 다음으로 인공치 파절이 많이 발생하였으며, 이전 연구에서 발생률이 높게 보고된 bar implant overdenture의 연조직과 증식은 이번 연구에서는 적은 빈도를 나타내었다.[33] 이는 적절한 악간 공간 평가를 통해 bar와 연조직 사이에 2 mm의 충분한 공간을 확보하여 보철물을 제작했기 때문으로 생각된다.[34] LIA군의 경우 locator의 plastic sleeve 교체 다음으로 sore spot이 많이 발생하였다. 이는 LIA군이 LBA군에 비해 연조직 하중의 비율이 더 크고 의치 유지가 더 적기 때문인 것으로 사료된다.[35]

두 군 모두에서 통계학적으로 유의한 차이는 없었으나 심미성, 저작력, 그리고 유지에 대한 높은 만족도를 나타내었다. 이는 이전에 사용하던 총의치에 비해 유지 및 안정이 증가하여 implant overdenture에서 상대적으로 높은 만족도를 느꼈기 때문인 것으로 생각된다.[3]

이번 연구는 적은 수의 연구대상과 짧은 관찰 기간이라는 한계점으로 인해 mandibular implant overdenture에서 locator implant attachment와 locator bar attachment간의 임상적 차이를 나타내기에는 부족하였다. 이러한 한계점을 극복하고 신뢰성 있는 locator에 관한 임상적 지표를 제시하기 위하여 다양한 기관에서 장기간의 연구가 추가적으로 필요할 것이다.

V. 결 론

본 연구의 한계 내에서 다음과 같은 결론을 얻었다. 임플란트 변연골 흡수량과 탐침 깊이는 LIA군이 더 높았고(P<. 05), 치태 지수와 치석의 빈도는 LBA군이 더 높게 나타났다(P<. 05). LIA군이 LBA군에 비해 더 많은 합병증 발생 빈도를 나타내었으며, 그 중 유지 상실이 가장 많이 발생하였다. 유지의 회복을 위한 plastic sleeve의 교체 빈도는 LIA군이 LBA군보다 높았다. LIA군과 LBA군 모두 높은 수준의 만족도를 나타내었으며 두 군간 환자의 만족도에는 유의한 차이는 없었다(P>.05).

참고문헌 >>>

1. van Waas MA. The influence of clinical variable on patient's satisfaction with complete dentures. J Prosthet Dent 1990; 63:307-10.

2. Melas F, Marcenes W, Wright PS. Oral health impact on daily performance in patientswith implant-stabilized overdentures and patients with conventional complete dentures. Int J Oral Maxillofac Implants 2001; 16:700-12.

3. Awad MA, Lund JP, Shapiro SH, Locker D, Klemetti E, Chehade A, Savard A, Feine JS. Oral health status and treatment satisfaction with mandibular implant overdentures and conventional dentures: a randomized clinical trial in a senior population. Int J Prosthodont 2003; 16:390-6.

4. Batenburg RH, Meijer HJ, Raghoebar GM, Vissink A. Treatment concept for mandibular overdentures supported by endosseous implants: a literature review. Int J Oral Maxillofac Implants 1998; 13:539-45.

5. Feine JS, Carlsson GE, Awad MA, Chehade A, Duncan WJ, Gizani S, Head T, Heydecke G, Lund JP, MacEntee M, Mericske-Stern R, Mojon P, Morais JA, Naert I, Payne AG, Penrod J, Stoker GT, Tawse-Smith A, Taylor TD, Thomason JM, Thomson WM, Wismeijer D. The McGill consensus statement on overdentures. Mandibular two-implant overdentures as the first choice standard of care for edentulous patients. Gerodontology 2002; 19:3-4.

6. Schneider AL, Kurtzman GM. Bar overdentures utilizing the Locator attachment. Gen Dent 2001; 49:210-4.

7. Trakas T, Michalakis K, Kang K, Hirayama H. Attachment systems for implant-retainedoverdentures: a literature review. Implant Dent 2006; 15:24-34.

8. Mericske-Stern RD, Zarb GA. Clinical protocol for treatment with implant-supported overdentures. In: Bolender CE, Zarb GA, Carlsson GE. Boucher's Prosthodontic Treatment for Edentulous Patients. St. Louis: Mosby;1997. p.527.

9. Burns DR. Mandibular implant overdenture treatment: Consensus and controversy. J Prosthodont 2000; 9:37-46.

10. Schneider AL. The use of a self-aligning, low-maintenance overdenture attachment. Dent Today 2000; 19:24-6.

11. Kim MS, Yoon MJ, Huh JB, Jeon YC, Jeong CM. Implant overdenture using a locator bar system by drill and tapping technique in a mandible edentulous patient: a case report. J Adv Prosthodont 2012; 4:116-20.

12. Technique manual locator bar attachment system. Availavle at http://www.zestanchors. com/media/wysiwyg/pdf/locator/L8003-TM_REV_G_03-14_tech_manual_only.pdf [accessed on 9 December 2015]

13. Vere J, Hall D, Patel R, Wragg P. Prosthodontic maintenance requirements of implant-retainedoverdentures using the locator attachment system. Int J Prosthodont 2012; 4:392-4.

14. Wang F, Monje A, Huang W, Zhang Z, Wang G, Wu Y. Maxillary Four Implant-retained Overdentures via Locator® Attachment: Intermediate-term Results from a Retrospective Study. Clin Implant Dent Relat Res 2015;23doi: 10.1111/cid.12335.

15. Mackie A, Lyons K, Thomson WM, Payne AG. Mandibular two-implant overdentures: three-year prosthodontic maintenance using the locator attachment system. Int J Prosthodont 2011; 4:328-31.

16. Akça K, Çavuşoğlu Y, Sağirkaya E, Çehreli MC. Early-loaded one-stage implants retaining mandibular overdentures by two different mechanisms: 5-year results. Int J Oral Maxillofac Implants 2013; 3:824-30.

17. Krennmair G, Seemann R, Fazekas A, Ewers R, Piehslinger E. Patient preference and satisfaction with implant-supported mandibular overdentures retained with ball or locator attachments: a crossover clinical trial. Int J Oral Maxillofac Implants 2012; 6:1560-8.

18. Cochran DL, Buser D, ten Burugenakte C. The use of reduced healing times on ITI implants with a sandblasted and etched

참고문헌 >>>

(SLA) surface: early results from clinical trials on ITI SLA implants. Clin Oral Implants Res 2002; 13:144-53.

19. Yoo HS, Kang SN, Jeong CM, Yoon MJ, Huh JB, Jeon YC. Effects of implant collar design on marginal bone and soft tissue. J Korean Acad Prosthodont 2012; 50:21-2.

20. Quirynen M, Naert I, van Steenberghe D, Teerlinck J, Dekeyser C, Theuniers G. Periodontal aspects of osseointegrated fixtures supporting an overdenture. A 4-year retrospective study. J Clin Periodontol 1991; 18:719-28.

21. Lőe H, Silness J. Periodontal disease in pregnancy I. Prevalence and severity. Acta Odontologica Scandinavia 21:533-51.

22. Mombelli A, van Osten MA, Schurch Jr E, Land NP. The microbiota associated with successful or failing osseointegrated titanium implants. Oral Microbiol Immunol 1987; 2:145-51.

23. Likert R. A technique for the measurement of attitudes. Archives of Psychology 1932; 22:140-55.

24. Pan S, Awad M, Thomason JM, Dufresne E, Kobayashi T, Kimoto S, Wollin SD, Feine JS. Sex differences in denture satisfaction. J Dent 2008; 36:301-8.

25. Vervoorn JM, Duinkerke ASH, Luteijn F, Van de Poel ACM. Assessment of denture satisfaction. Comm Dent Oral Epidemiol 1988; 16:364-67.

26. Bergendal T, Engquist B. Implant-supported overdentures: A longitudinal prospective study. Int J Oral Maxillofac Implants 1998; 13:253-62.

27. Krennmair G, Krainhöfner M, Piehslinger E. Implant-Supproted Mandibular Overdentues Retained with a Milled Bar: A Retrospective Study, Int J Oral Maxillofac Implants 2007;22:987-94.

28. Lindquist LW, Rockier B, Carlsson GE. Bone resorption around fixtures in edentulous patients treated with mandibular fixed tissue-integrated prostheses. J Prosthet Dent 1988; 59:59-63.

29. Gotfredsen K, Holm B. Implant-supported mandibular overdentures retained with ball or bar attachments: a randomized prospective 5-year study. Int J Prosthodont 2000; 13:125-30.

30. Lekholm U, Adell R, Lindhe J, Brånemark PI, Eriksson B, Rockler B, Lindvall AM, Yoneyama T. Marginal tissue reactions at osseointegrated titanium fixtures. II. A cross-sectional retrospective study. Int J Oral Maxillofac Surg 1986; 15:53-61.

31. Quirynen M, van Steenberghe D, Jacobs R, Schotte A, Darius P. The reliability of pocket probing around screw-type implants. Clin Oral Implants Res 1991; 2:186-92.

32. Walton JN, Huizinga SC, Peck CC. Implant angulation: A measurement technique, implant overdenture maintenance, and the influence of surgical experience. Int J Prosthodont 2001; 14:523-530.

33. Kuoppala R, Näpänkangas R, Raustia A. Outcome of implant-supported overdenture treatment-a survey of 58 patients. Gerodontology 2012; 29:577-84.

34. Pasciuta M, Grossmann Y, Finger IM. A prosthetic solution to restoring the edentulous mandible with limited interarch space using an implant-tissue-supported overdenture: a clinical report. J Prosthet Dent 2005; 93:116-20.

35. Meijer HJ, Starmans FJ, Steen WH, Bosman F. Location of implants in the interforaminal region of the mandible and the consequences for the design of the superstructure. J Oral Rehabil 1994; 21:47-56.